Apples & Oranges 01

Best Dutch Graphic Design

BIS Publishers

BIS Publishers
Nieuwe Spiegelstraat 36
1017 DG Amsterdam
The Netherlands
T +31 (0)20-6205171
F +31 (0)20-6279251
E bis@bispublishers.nl
www.bispublishers.nl

ISBN 90-72007-83-2

Printed in the Netherlands

Inhoud Contents

Inleiding

De hoogtepunten van één jaar grafisch ontwerpen in Nederland samenbrengen in één gedrukt overzicht. Waarom heeft het zo lang geduurd eer een uitgever hiertoe het initiatief nam, gezien de standvastige kwaliteit van het Nederlandse grafisch ontwerpen en de grote populariteit ervan tot ver over onze landsgrenzen?
Uitgeverij BIS vermoedde dat er zeker belangstelling moest bestaan voor een publicatie die een redactionele selectie toont van de actuele stand van zaken in het Nederlandse grafisch ontwerpen. De keuze voor een jaarboek ligt dan voor de hand. Dit idee werd ten burele van de uitgeverij met enthousiasme nader uitgewerkt. Onbelast, want verrassend genoeg zijn er, ook in een internationale of historische context, weinig voorbeelden voorhanden. De meeste vergelijkbare overzichten zijn gekoppeld aan een vereniging, een prijsvraag of een vorm van adverteren. In dit geval zou de benadering eerder journalistiek zijn.

Gedenkwaardigheid belangrijkste criterium

Onvermijdelijk kwam de vraag naar voren volgens welke criteria het overzicht samengesteld moest gaan worden. Als je in beeld wilt brengen wat er binnen een bepaald vakgebied gaande is, dan volstaat het niet om je te beperken tot 'het beste'. Om deze kwalificatie hangt een zweem van objectiviteit en onveranderlijkheid, terwijl het bij een jaaroverzicht juist eerder gaat om voorbijgaande trends en dus vergankelijke waarden. Derhalve werd de term 'gedenkwaardig' geponeerd. Door een ontwerp op te nemen in het jaarboek wordt het immers aan de vergetelheid ontrukt. In elk geval wordt met dit criterium voorkomen dat het boek alleen gevuld wordt met werk dat weliswaar kwalitatief hoogstaand is, maar niets meedeelt over de actuele stand van zaken in het betreffende jaar. Zowel effectiviteit als waardering binnen de eigen vakdiscipline kunnen valide graadmeters zijn. De tijdelijkheid of zelfs vluchtigheid van grafische vormgeving kan worden opgevat als een positieve eigenschap. Gedenkwaardig betekent dan eerder 'opvallend' of 'aanwezig' dan 'tijdloos' of 'goed', waardoor ruimte ontstaat voor verschillen in kwaliteit, techniek en stijl.
Een van de ontwikkelingen die zich in het ontwerpen gedurende de laatste decennia hebben voorgedaan, is de vervaging van de grenzen tussen verschillende disciplines. Daarmee drong een andere vraag zich op: hoe breed kan het begrip 'grafisch ontwerpen' geïnterpreteerd worden? Overwogen is om uit te gaan van de in opkomst zijnde aanduiding 'visuele communicatie'. Daarvan is afgezien, want deze term lijdt (vooralsnog) aan een zekere vaagheid, doordat hij nog te weinig gangbaar is. De aanduiding 'grafisch ontwerpen', hoewel afkomstig uit een tijd die voorbij is, kan nog steeds voldoende ruim opgevat worden om de lading te dekken. Voor alle duidelijkheid, hierbij is behalve traditioneel drukwerk ook televisievormgeving en ontwerpen voor nieuwe media, zoals Internet en cd-rom, inbegrepen.

Appels en peren

De eerste contouren van de publicatie werden zichtbaar. De volgende vraag was: wíe gaan beslissen welke ontwerpen worden opgenomen? Of moest één bekende persoonlijkheid zich aan dit oordeel wagen, zoals de formule van het succesvolle 'International Design Yearbook' voorschrijft? Hiermee geef je je volledig over aan de subjectiviteit – een optie die weliswaar verdedigbaar is, maar waaraan in dit geval niet de voorkeur gegeven werd. Een vuistregel zou kunnen luiden, dat hoe meer personen verantwoordelijk zijn voor de selectie, hoe meer het al te persoonlijke uitgebannen wordt, maar ook: hoe meer verrassingen uitgesloten worden.

Introduction

Under one cover – the rich harvest of the year's best in Dutch graphic design, brought together in a publication of its own. Given the continuing excellence of Dutch graphic design and the popularity that it enjoys well beyond Dutch borders, why has it taken so long for a publisher to take this initiative?
BIS Publishers suspected that there would certainly be interest in a selective publication on the actual state of Dutch design. The yearbook format seemed a self-evident choice. The idea was enthusiastically worked out further at the BIS offices, more or less unencumbered by precedent, as surprisingly enough, even in the international or historical contexts, there are precious few examples to serve as models. Most reviews of this nature concern either associations or competitions, or some form of advertising. In our case, the approach would be in more of a journalistic vein.

Memorable

Inevitably, there was the question of the criteria to be used in making selections for the review. If you want to provide an image of what is happening in a given field, it is not enough to limit yourself to 'the best'. As a qualification, it bears the pretence of absolute objectivity and irreversibility, whereas an annual review has more to do with trends. Trends are passing things, so we are dealing with transitory values. So someone suggested the word, 'memorable'. Including a design in the annual publication would, of course, snatch it up from the black pit of obscurity. In any case, using 'memorable' as a criteria would prevent the book from being filled up with designs that may well be of high quality standards, but which say nothing about the current state of affairs in the year they were produced. Both the work's effectiveness and the respect it enjoys in the design world can be valid contributing criteria. The timeliness, even the fleeting nature of graphic design should be understood as a positive characteristic. 'Memorable' is therefore sooner about being 'remarkable' or 'having presence' than being 'timeless' or 'good', so that space is created for differences in quality, technique and style.
One of the developments that has taken place during the last decade is the elimination or crossover of the distinctions dividing the different design disciplines. With this comes the question of how broadly the concept of 'graphic design' can be interpreted. It was debated whether to use the term 'visual communications', but the idea was rejected, because (for the time being) its use is not yet very widespread and its connotations are still hazy. The term graphic design may be inherited from a bygone era, but it can still be understood to cover ample ground. To be clear, in addition to traditional printed material, this publication includes design made for television and the new media, the Internet and CD-Rom.

Apples and Oranges

The initial contours of the publication were now in sight. The next issue was who would decide which designs were to be included. A single well-respected personality could curate, taking sole responsibility for the verdict. This is the formula prescribed by the successful 'International Design Yearbook'. Here, however, thoroughness would be sacrificed to subjectivity, an option that is certainly defendable, but one which in this case did not take preference. One rule of thumb could be that the more people charged with the selection, the more likely it would eliminate the risk of the selection being too personal – but it would also eliminate

Vandaar dat gekozen werd voor een niet te grote, maar voldoende breed samengestelde redactie. In eerste instantie met het oog op de werkbaarheid – niet onbelangrijk gezien de beperkte tijd die beschikbaar was – maar ook vanuit de overtuiging dat persoonlijke voorkeur een rol mag spelen. De willekeur van het vergelijken van grafische vormgeving die toevallig in één jaar gepubliceerd is, blijft desalniettemin problematisch. Dit gegeven werd opgepakt door Thonik, het ontwerpbureau dat benaderd was om de grafische vormgeving van de publicatie te verzorgen.
Uitgeverij BIS wilde het jaarboek aankondigen op de Frankfurter Buchmesse, het Mekka van het internationale boekenvak. Thonik werd gevraagd een wervende presentatie te maken, waarin een voorschot werd genomen op het eindresultaat. Zij bedachten niet alleen een frisse, heldere layout, maar ook de pakkende titel 'Apples & Oranges' (oftewel 'appels en peren'), die in het vervolg van het project een belangrijke leidraad zou vormen. Als het geen zin heeft te ontkennen dat er appels met peren vergeleken worden, waarom er dan geen geuzennaam van gemaakt?

Samenstelling van de redactie

Steeds meer stukjes van de puzzel vielen op hun plaats, ook tijdens het samenstellen van de redactie. Uiteraard strekte aantoonbare belangstelling voor actuele ontwikkelingen binnen het grafisch ontwerpen tot aanbeveling. Verder werd gelet op de complementaire deskundigheid die de afzonderlijke redacteurs zouden kunnen inbrengen. Uiteindelijk werden de volgende personen benaderd om zitting te nemen in de redactie: Nikki Gonnissen (grafisch ontwerper, Thonik), Erik Kessels (artdirector, KesselsKramer), Jacques Koeweiden (grafisch ontwerper, Koeweiden Postma Associates), Daniël van der Velden (grafisch ontwerper/docent Willem de Kooning Academie) en Willem Velthoven (algemeen directeur Mediamatic/hoogleraar Monomediale Kunst aan de Hochschule der Künste in Berlijn). Gert Staal trad op als voorzitter zonder stemrecht, en verder was ondergetekende aanwezig bij de redactiebijeenkomsten, om mede aan de hand van wat daar te berde werd gebracht de bijschriften op te kunnen stellen.

Uitgangspunten aangescherpt

Tijdens de eerste bijeenkomst van de redactie werden de uitgangspunten voor de publicatie besproken en aangescherpt. Er hoefden geen prijzen te worden verdeeld en er waren geen limieten gesteld aan het aantal op te nemen werken, dus de keuze mocht ruimhartig zijn. Wel werd een maximum aantal van vijf werken per ontwerpbureau vastgesteld. Hoewel vormgeving vaak slechts een onderdeel is van een veelomvattende productie, diende het aspect grafische vormgeving voor selectie de doorslag te geven. De redactieleden merkten op dat dit een lastige afweging zou kunnen opleveren: de bijdrage van de grafisch ontwerper is niet altijd zonder meer van die van de redactionele medewerkers te onderscheiden, terwijl projecten waarbij de traditionele begrenzingen tussen disciplines overschreden worden vaak juist het interessantst zijn. Als vuistregel werd geformuleerd dat het grafische ontwerp ten minste van hetzelfde niveau zou moeten zijn als het gehele project en in belangrijke mate aan de kracht ervan moet hebben bijgedragen.
Een ander aandachtspunt was het feit dat de redactieleden die zelf ontwerper zijn, in 2000 óók werk gemaakt hadden dat voor opname interessant kon zijn. Besloten werd dat de redactieleden die dat wensten, konden 'meedingen' onder dezelfde voorwaarden als ieder ander; dit zou in de gekozen opzet immers nooit ten koste kunnen gaan van anderen. Het is misschien goed om op deze plaats op te merken dat de bureaus van twee van de redactieleden (Mediamatic en Koeweiden Postma Associates) van deze gelegenheid geen gebruik hebben gemaakt.

the surprises. For this reason, it was decided that the selection would be made by an editorial staff that would not be too large, but still sufficiently broad in scope. In the first place, an eye was kept to practical concerns – not insignificant in light of the limited time available – but there was also a conviction that personal preference should be allowed to play a role. Nonetheless, the subjectivity involved in drawing comparative conclusions about the graphic design that just happened to be published in the course of a single year remains problematic. This idea was picked up by Thonik, the studio approached to do the graphic design for the publication.
BIS Publishers wanted to announce the book at the 'Frankfurter Buchmesse', the Mecca of the international book trade. Thonik was asked to design a promotional presentation, providing an advance morsel for the final result. They not only came up with a fresh, clear layout, but also with the catchy title, 'Apples & Oranges', which would subsequently form an important thread running through the whole project. If, whether we like it or not, there is no point in denying that apples are in fact compared with oranges, then why not adopt a sobriquet that says as much?

The Editorial Team

More and more pieces of the puzzle were coming together, and they continued to fall in place as the editorial team was put together. Obviously, demonstrable interest in current developments in graphic design was a requisite. Further attention was paid to complementary areas expertise which the various editors would be able to contribute. Five people were finally approached to join the team: Nikki Gonnissen (graphic designer, Thonik), Erik Kessels (art director, KesselsKramer), Jacques Koeweiden (graphic designer, Koeweiden Postma Associates), Daniël van der Velden (graphic designer/teacher, Willem de Kooning Academy), and Willem Velthoven (general director, Mediamatic/Professor in Monomediale Kunst, Hochschule der Künste, Berlin). Gert Staal was asked to chair the team, without voting privileges, and Sybrand Zijlstra would attend the meetings in order to provide information and descriptive texts for the entries, based on points raised during the discussions.

Honing the Principles

The concept principles were sharpened during the editors' first meeting. There were no prizes to be awarded and no specific limit to the number of designs to be included, so the selection could be generous. There was, however, a maximum set of five designs per studio. Although design is often just a part of a wide-scale production, graphic design had to be the determining factor for selection.
The editors noted that this could be a troublesome consideration, because the graphic designer's contribution is not always easily distinguished from that of the editing staff, while at the same time, projects where the old boundaries between different disciplines are crossed or flaunted are often the most interesting. As a rule of thumb, the formulation was that the graphic design had to be at least of the same calibre as the project as a whole and have been a significant contribution to the strength of the whole.
Another point was that some members of the editorial team were themselves designers and had made work in the year 2000 that could be of interest for the book. The decision was that if they wished, they would be considered under the same terms as everyone else. Given the framework, their selection would not be at the expense of anyone else. It is perhaps good to mention here that the studios of two of the editors (Mediamatic and Koeweiden Postma Associates) refrained from taking advantage of this.

Hundreds of Designs

The preparatory efforts were complete – it was now time for something solid. To this end, the work to be considered for selection would first be

Honderden ontwerpen ter beoordeling

Tot zover de voorbereidende inspanningen. Het werd hoog tijd dat er iets concreets op tafel kwam. Hiertoe werd allereerst langs drie wegen werk ingezameld dat voor selectie in aanmerking kwam. De leden van de redactie werd verzocht aan te geven welke ontwerpen uit 2000 hen waren bijgebleven. Een andere mogelijkheid die zij hadden, was namen van ontwerpers of ontwerpbureaus op te geven, aan wie vervolgens werd gevraagd een beperkte selectie van hun (naar eigen inzicht) interessantste werk uit 2000 in te zenden. Voorts werd een oproep tot inzending in de vormgevingstijdschriften 'Items' en 'Vormberichten' geplaatst, zodat iedereen in de gelegenheid werd gesteld zijn werk onder de aandacht van de redactie te brengen.
De redactie is viermaal bijeengekomen om een keuze te maken uit enkele honderden ontwerpen. Dit gebeurde aan de hand van vragen als: Is dit ontwerp ons bijgebleven? Zegt het iets over de periode waarin het is gemaakt? Geeft het uitdrukking aan zijn tijd? Zegt het iets over de technische mogelijkheden van het ontwerpen in het betreffende jaar? Het waren zware sessies, niet zozeer omdat zich onder het koren veel kaf bevond – eerder vanwege het tegendeel. Er is scherp gediscussieerd en straf geselecteerd. Al bladerend, speurend, sprekend werden argumenten gevormd en weer verworpen. Gaandeweg werden impliciet gehanteerde criteria explicieter, terwijl ze voor een uitzonderingsgeval evengoed tijdelijk ongeldig verklaard konden worden. Unanimiteit was geen vereiste, om te voorkomen dat alle spanning uit de selectie zou wegvloeien. Over de meeste beslissingen ontstond vrij snel overeenstemming, enkele bleven omstreden.

De oogst

De uiteindelijke selectie werd door Thonik geordend en in samenspraak met Gert Staal in zestien clusters ondergebracht. Een hachelijk avontuur, omdat er hoe dan ook geïnterpreteerd moest worden om de verschillende thema's te benoemen en vervolgens werk aan die categorieën toe te wijzen. Deze werkwijze verhinderde echter een beroep op smaak, dat weliswaar onbetwistbaar zou zijn, maar ook geen poging gedaan zou hebben om enige betekenis te geven aan de opeenvolging van beelden. In korte, signalerende beschrijvingen van Gert Staal zijn de thema's van 'Apples & Oranges' nader toegelicht.

Vooraf bestond geen goede indruk van de 'opbrengst' van het jaar 2000, achteraf is duidelijk geworden dat het gaat om een zeer goed jaar, waarin zich een aantal duidelijke ontwikkelingen hebben afgetekend. Ineke Schwartz doet hiervan verslag in haar bijdrage aan dit boek. Het grafisch ontwerpen in Nederland is springlevend en kent nog altijd een bijzonder vruchtbare voedingsbodem. Dit belooft veel voor de komende edities van 'Apples & Oranges'.
Wellicht wordt het ideale jaarboek in de loop van een jaar samengesteld, zeker wanneer het gaat om een vluchtig fenomeen als grafisch ontwerpen. Wat de ene dag nog indruk maakt, is de volgende dag verdwenen – niet zelden in de prullenbak. Hoewel de redactie pas later in het jaar aan het werk is gegaan, heeft zij zich tot het uiterste ingespannen om een optimaal resultaat te bewerkstelligen. Dat de gepresenteerde ontwerpen uiteindelijk tóch de beste van het jaar 2000 waren, mag niet worden uitgesloten. Het oordeel is aan de lezer.

Sybrand Zijlstra

collected by way of three different channels. The editors were asked which work produced in the course of the year 2000 had remained in their minds. Another resource was for them to submit the names of designers or studios who would then be approached to submit a limited selection of the work they felt to be their most interesting of the year. In addition, calls for entries were placed in the design magazines, 'Items' and 'Vormberichten', so that everyone had an opportunity to bring their work to the attention of the editors.
The team met four times to make selections from several hundred designs. There were a number of questions asked in reaching the decisions: Did this design stay in my mind? Does it say something about the period in which it was made? Does it express its times? Does it say something about the technical possibilities for design in the year in question? These were intense and exacting sessions, not so much because there was chaff amongst the corn, but because the opposite was true. The discussions were demanding and the choices punishing. Arguments were formed and rebutted as the work was leafed through and scrutinised. In the process, what had been implicitly understood became more and more explicit, and then an exception to the rule would mean a temporary suspension of the rule altogether. Unanimity was not a requirement, so the tension and excitement never waned or ebbed from the selection process. In most cases, fairly quick agreement was reached, but some designs continued to spark debate.

The Harvest

In consultation with Gert Staal, Thonik came up with a format to arrange the final selection into 16 reference 'clusters', a perilous adventure, because however you look at it, interpretations had to be made to identify the 16 themes and attribute the work to the different categories. The method, however, was an impediment to determining which came first simply according to taste. That certainly would be justified, but would have meant that no effort be made for the order of the images to have a real meaning of its own. The Apples & Oranges themes have subsequently been illuminated throughout the book in short, descriptive texts written by Gert Staal.

There had been no particular preconception of the year 2000's 'yield'. In retrospect, it was clearly a very good year, marked by several distinct developments which Ineke Schwartz discusses elsewhere in this publication. Graphic design is alive and in full bloom in the Netherlands. It is eagerly soaking up the nutrients of a persistently rich and fertile soil, a soil bearing great promise for future editions of 'Apples & Oranges'.
Perhaps the ideal yearbook is one compiled in the course of the year in question, certainly if it is about something as fleeting as graphic design. What makes a big impression one day is gone the next, and not infrequently into the dustbin. Although the editors began their task late in the year, they have made every conceivable effort to ensure an optimal result. That the designs may indeed be the very best of the year 2000 is not an inconceivable idea. We leave it to the reader to decide.

Sybrand Zijlstra

Eindelijk op de plek waar het gebeurt

Het Nederlands grafisch ontwerp is al decennialang internationaal vermaard om zijn hoge niveau: zijn gevoel voor typografie, zijn historisch besef en zijn nadruk op inhoud. Dat blijft opgaan. De oogst van het jaar 2000 bestaat voor het overgrote deel uit verantwoorde, stijlvolle, doorwrochte, degelijke en ambachtelijk gemaakte ontwerpen, die verzorgd zijn tot in de puntjes.

Toch staan de meeste daarvan niet in dit boek. Deze selectie uit het jaar 2000 laat zien wat in die zee van kwaliteit kwam bovendrijven en zich dus onderscheidde van de onderstroom. Dat is slechts een fractie van de totale productie. Het zijn de klappers en de werken die verbazen. Ontwerpen die dwars zijn of vreemd, mediamiek, interactief en strategisch. Soms haast lelijk, extreem conceptueel of zelfs acommunicatief. Veel van het gekozen werk is typisch voor nu en heeft dus mogelijk een grote mate van tijdelijkheid. Begrippen als 'universeel' en 'tijdloos', lang gekoesterd door de Nederlandse ontwerpwereld, houden nu eenmaal geen stand in het hedendaagse contextgebonden denken. Daardoor geeft dit boek een uitgebreider beeld van het Nederlands grafisch ontwerp dan gebruikelijk.

Er verandert immers veel. Net als in andere tijden van technische en maatschappelijke verschuivingen, zoeken ontwerpers naar een herdefiniëring van hun vak en hun maatschappelijke rol. Ze worden opdrachtgever en mediastrateeg, ze nemen het initiatief voor eigen producties en gedragen zich als kunstenaars. Ze verbreden hun vakgebied. Een deel van hen staat voor ethiek en inhoud, reagerend op de toenemende vermenging van kunst en commercie die grafisch ontwerpen maar al te vaak reduceert tot een hulpdiscipline van marketing en art direction, overvoerd door briefings over wat allemaal niet mag.
Er is ook een tendens vice versa. Een paar jaar geleden waren de diverse takken van sport binnen communicatie en ontwerpen nog duidelijk afgebakend. Nu krijgt de ontwerper ook steeds vaker van de opdrachtgever de vraag mee te denken over mediastrategieën en de implementatie van zijn ontwerp. Juist omdat zoveel maatschappelijke en technische zaken in beweging zijn, hebben bedrijven, personen en instellingen behoefte aan creativiteit en ideeën, en daarmee aan kunstenaars en ontwerpers. In de huidige Nederlandse hoogconjunctuur zijn er meer prijsvragen, brainstorms, expert meetings, onderzoeken en culturele projecten dan ooit en worden talloze beelden, geluiden, projecten, concepten en ideeën geproduceerd en uitgewerkt.

Let wel: die vernieuwing van werk en praktijk geldt vooral voor een beperkte groep ontwerpers, die doorgaans individueel of in een bureau van maximaal vijf mensen opereren. Hun werkterrein is eveneens beperkt: het zijn voornamelijk de kleine, culturele opdrachtgevers zoals kunstenaarsinitiatieven en festivals die hen de meeste ruimte bieden.

Billboard Society

Globalisering en mediatisering zetten de wereld in de etalage. Bruce Mau heeft hier een fraaie term voor: 'The Global Image Economy', waarmee hij behalve beeld in de zin van plaatjes, foto's en film ook beeldvorming, bran-

Where It's Happening At Last!

Dutch graphic design has for decades been renown around the globe for its high standards, its feeling for typography, its historical awareness and its emphasis on content. This is still the case. In the year 2000, far and away the largest part of the Dutch graphic design harvest was responsible, stylish, considered, solid, technically excellent design, down to the minutest detail.

Most of this work is not included in this book. This selection from the year 2000 reflects what has floated to the surface from this sea of excellence, what has consequently distinguished itself from the undercurrent. It is but a fraction of the total production. These are the exciting exceptions, the stunning anomalies, the ones that surprise. They are designs that are strange, mediagenic, interactive and strategic, sometimes almost ugly, extremely conceptual and even non-communicative. Much of this work is characteristic of its time and therefore temporary, soon out of date. The idea of 'universal' or 'timeless', once prized in the Dutch graphic design world, no longer holds sway in contemporary, context-related thinking. For this reason, this book presents an exceptionally broad view of Dutch graphic design.

A great deal, however, is changing. As in former periods of technical and social shifts, designers are searching for a new definition of their profession and their role in society. They are becoming their own clients and media strategists, taking the initiative for their own productions and behaving like artists. They are expanding their territory. Some stand by ethics and substance in concerted opposition to the explosive mélange of art and commercialism that often reduces graphic design to a discipline enslaved by marketing and art direction, overrun by countless briefings and everything that is out of bounds.
There is, however, quite another trend taking place. A few years ago, the various game players in communications and design were all still respectively distinct. Today, clients are more and more frequently asking the designers to think along with and contribute to media strategies and to how their designs are to be implemented. Precisely because so many social and technical structures are in a state of flux, companies, individuals and institutions are in need of creativity and ideas, and therefore in need of artists and designers. In the Netherlands' current great confluence, we see more competitions, brainstorming sessions, meetings of experts, research and cultural projects than ever before. Countless images, sounds, projects, concepts and ideas are being produced and developed.

But take note. This renewal in the work and the practice in principle applies to a very limited group of designers, who as a rule usually work on their own or in studios with no more than five people. Their territory of operations is likewise limited. Their clients are primarily the small cultural institutions, artist co-operatives or festivals that offer the widest elbow room.

Billboard Society

Globalisation and media dependence are setting the world in a showcase. With the apt title of 'The Global Image Economy', Bruce Mau refers to the

ding en imago bedoelt. Steeds meer nadruk komt te liggen op non-verbale informatieoverdracht. Een sleutelmoment was volgens Mau toen de computertaal Postscript van Adobe Systems uitkwam, die als eerste geen onderscheid meer maakte tussen tekst en beeld: sindsdien 'is alles beeld'.[1]
Als belangrijke leverancier aan die machtige visuele cultuur, zit de ontwerper eindelijk op de plek waar het gebeurt. Geen wonder dat zijn zelfvertrouwen toeneemt. Zijn werkterrein wordt alsmaar breder. Er wordt ook steeds meer van hem gevraagd. Om te voorkomen dat zijn werk oplost in de alomtegenwoordige beeldsoep, zijn analyse en reflectie onmisbaar. Bang dat het publiek het niet begrijpt, hoeft hij niet snel meer te zijn: de doorsnee kijker is inmiddels behoorlijk visueel geletterd.

Een aantal Nederlandse ontwerpers vervult deze nieuwe rol met verve. Bureaus als DEPT[2] en 75B maken werk als een merk, dat direct effect sorteert met logo-achtige, instant mededelingen die onmiddellijk enthousiast en nieuwsgierig maken. Ook zoekmachine Ilse werd in de campagne van KesselsKramer voorgesteld als merk: een meisje als logo, op affiches zelfs 's nachts nog opvallend aanwezig. Andere ontwerpers verhouden zich tot het dagelijkse beeldbombardement met geraffineerde subtiliteit (Erik Wong), door tactiliteit en sensualiteit (Irma Boom), door het gebruik van enkel tekst (B.a.d Enterprises), door beeldtalen naar hun hand te zetten (Bureau voor Tele(Communicatie), Historiciteit & Mobiliteit), door te zoeken naar letterlijke vormen van beeldtaal (Greet Egbers, Vanessa van Dam, Mieke Gerritzen en Arjan Groot) of door gebruik te maken van verschillende media tegelijk (artmiks, Vandejong, KesselsKramer).

Ondertussen schreeuwt de complexiteit van de beeldcultuur om ordening. Het combineren van veel verschillende soorten beelden van wisselende kwaliteit in één ontwerp is een lastige opgave, die vaak terugkomt en op allerlei manieren wordt opgelost. Voor drukwerk is een tijdschriftachtige aanpak populair. Voor televisie bedacht Mieke Gerritzen een vernieuwende structuur. Haar leaders voor Net 3, het culturele televisiekanaal van de Nederlandse publieke omroep, vormen een interface die helder, eenvoudig en herkenbaar oogt, tekst tot beeld maakt en zeer veel verschillende verwijzingen toelaat. Op deze manier kan de kijker binnen luttele seconden een complexe hoeveelheid informatie verwerken, terwijl hij kijkt naar fascinerend bewegend beeld – een verrassende manier om beeldsoep om te vormen tot beeldstructuur.
Goede ideeën worden overigens direct herkend en nageaapt, en verworden dan al snel tot een modieuze stijl die vaak niet lang meer houdbaar is. Ook dat is een aspect van de gemediatiseerde beeldcultuur. Een standaard recept van het jaar 2000: veel aflopende, informeel ogende foto's van mensen in stedelijke nieuwbouw plus enkele indringende portretten en een heldere, tijdschriftachtige opmaak met een zeer beperkt aantal lettertypes. Succes verzekerd.

Mediastrategieën

Tot de meest interessante ontwerpers op dit moment behoren zij, die op de een of andere manier in het communicatieproces zelf ingrijpen – niet zozeer in het aantal drukgangen of vernislagen op het omslag, maar in de manier waarop het werk gepresenteerd en gezien wordt. De Totalloss-campagne van KesselsKramer was zo'n ontwerpstrategie. In enkele weken tijd kon je het woord Totalloss in heel het land op verschillende manieren tegenkomen: in een trailer in de bioscoop, op een Amsterdamse tram, in advertenties en op affiches, flyers, mupi's, een website en T-shirts van etalagepoppen. Vooral de filmpjes van een struikelend figuur met een wit Totalloss T-shirt over zijn hoofd, bleven bij. De vraag bleef alleen: waar ging het om? Toen uiteindelijk bleek dat Totalloss de titel was van een low budget film, was het doel meer dan bereikt: het hele land was nieuwsgierig. In Nederland werkt een dergelijke aanpak extra goed. Het medialandschap

creation of an overall imago, brand name reputation and corporate image, in addition to the specific visual image in pictures, photographs or film. More and more focus falls on the nonverbal transfer of information. According to Mau, a decisive moment in this was when Adobe Systems came out with Postscript, which for the first time made no distinction between text and visual image. Since then, 'All is image.'[1]
As an important contributor to that powerful visual culture, the designer is finally at the centre of what's happening. No wonder his confidence is on the increase. His territory is growing ever larger. More and more is being asked of him as well. To prevent his work from being swallowed up in the ubiquitous soup of images, analysis and reflection are indispensable. On the other hand, he no longer needs to be so apprehensive that his public will fail to understand. The visual literacy of the average viewer has now become fairly developed.

A number of Dutch designers are adopting this role with gusto. Studios such as DEPT[2] and 75B have created work that serves as a trademark, distinguishing itself with the direct effect of logo-like, instantaneous messages that arouse immediate enthusiasm and curiosity. KesselsKramer's campaign for the 'Ilse' search engine presents Ilse as a trademark, a girl as a logo, attracting attention even at night. Other designers use refined subtlety (Erik Wong) to strike their own way in the daily bombardments, or use tactile strength and sensuality (Irma Boom), only text (B.a.d Enterprises), take full command of visual language (Bureau voor (Tele) Communicatie, Historiciteit & Mobiliteit), seek out the literal forms of visual language (Greet Egbers, Vanessa van Dam, Mieke Gerritzen and Arjan Groot) or make simultaneous use of the various media (artmiks, Vandejong, KesselsKramer).

In the meantime, our visual culture is so complex that it is screaming out for order. Combining many kinds of images of various qualities in a single design is a formidable task, one that reappears frequently and is resolved in all kinds of ways. For printed material, the 'magazine approach' is rather popular. For television, Mieke Gerritzen came up with a new structure. Her leaders for Net 3, the Netherlands' subsidised arts and culture channel, create an interface that appears clear, simple and easy to recognize, with text that both creates image and allows a large number and wide variety of references. Consequently, the viewer can process a complexity of information in just a few seconds, while watching a fascinating moving image – a surprising way to reshape image soup into image structure.
Good ideas are for that matter instantly recognized and mimicked. They then quickly degenerate into trendy styles that are not viable for long. This too is an aspect of our media-matic visual culture. One of the standard formulas for the year 2000 was a profusion of casual-looking photographs of people in new, urban architectural settings, plus a few piercing portraits and a sharp, magazine-like layout with a very limited number of lettertypes. It was a guaranteed recipe for success.

Media Strategies

Amongst the most interesting designers of the moment are those who in one way or another take charge or interfere in the communications process itself – not so much in the size of the editions or the layers varnish on the cover, but in the way in which the work is presented and seen. KesselsKramer's 'Totalloss' campaign was such a design strategy. In the course of a few weeks, all over the country, we kept seeing the word 'Totalloss' – in a cinema film clip, on an Amsterdam tram, in ads, on posters, flyers, billboards, a website, t-shirts on store mannequins. Short films of a stumbling figure with a white 'Totalloss' t-shirt pulled over his head stay most poignantly on your mind. There was only one question. What was it all about? When it finally turned out that 'Totalloss' was the title of a low-

is overzichtelijk genoeg om te bedienen, zodat er gemakkelijker dan elders kan worden geëxperimenteerd en de impact snel groot is. De afstanden zijn klein genoeg om verschillende uitingen tegen te komen en het verband te kunnen zien.
Daardoor zijn ook kleinschaliger projecten effectief, zoals het drieluik van bureau Vandejong voor een solovoorstelling van cabaretière Lenette van Dongen. Door de hele stad waar Van Dongen optrad, hingen indringende affiches van meisjes en vrouwen met donker haar en een moedervlek. Het bleken drie verschillende personen, maar bij elk portret vroeg je je opnieuw af: gaat dit om een vrouw met vele gezichten – of is ze het toch elke keer zelf?

Zulke campagnes zijn op samenhang ontworpen. Het 'eindproduct' is geen voldragen object, maar een verzameling van zelfstandig ogende onderdelen, die functioneren volgens het 'één plus één is drie'-principe: elk voor zich betekenen ze weinig, samen versterken ze elkaar. Betekenis ontstaat pas na het zien van een aantal delen, die de kijker zelf min of meer ongemerkt bij elkaar sprokkelt. Tijd en beweging zijn zo deel van het ontwerp. Het listige van deze aanpak is dat de kijker actief betrokken wordt: via zijn mediagedrag, de routes die hij kiest en de aha-erlebnis op het moment dat hij begrijpt hoe het verhaal in elkaar zit.

De ontwerper als redacteur

Dat ontwerpers optreden als redacteur – en zelfs als opdrachtgever, als auteur en als hoofdredacteur – is voor Nederland op zich niet nieuw. Veel eerder eisten vormgevers als Piet Schreuders, Wim Crouwel, Jan van Toorn, Anthon Beeke en Hard Werken al een volwaardige plaats op in redactieteams en zetten zij zelf publicaties op. Nu ontwerpers zich steeds meer losmaken van hun dienende rol, is dit verschijnsel echter sterk terug en wordt het op een steeds professioneler niveau ingevuld.
Een bekend voorbeeld is Jop van Bennekom, die middels zijn eigen 'Re-Magazine' het medium tijdschrift verkent en het verrijkt met nieuwe onderdelen die in de bestaande journalistiek vaak not done zijn. Behalve dat hij zelf schrijft, fotografeert en beeld- en schrijfopdrachten formuleert, hanteert hij voor de kleine redactie een non-hiërarchische formule: alle deelnemers gaan als het ware samen het experiment aan. Het resultaat is veel meer dan een collectie toevallig geslaagde ideetjes: 'Re-Magazine' is een coherent geheel met een eigen, innerlijke logica dat zijn eigen internationale markt creëert.

Hoe andere ontwerpers hun rol als redacteur/opdrachtgever invullen, hangt af van de persoon. Felix Janssens formeert met zijn Bureau voor (Tele)Communicatie, Historiciteit & Mobiliteit voor bepaalde opdrachten zelf passende adhoc-redacties met makers en theoretici die stuk voor stuk als auteur worden opgevoerd. Daniël van der Velden en Maureen Mooren zijn uniek in de manier waarop ze taal een deel maken van het ontwerpproces; zij voegen bijvoorbeeld door henzelf geschreven commentaar toe aan de inhoud, of een context in de vorm van taal.
Ook populair is het om als ontwerper de rol aan te nemen van gelegenheidsgever, en ruimte te geven aan anderen. Een bijzonder voorbeeld hiervan is Studio Dumbar, die voor de voorgevel van het kantoor dat Renzo Piano voor het Nederlandse telecommunicatiebedrijf KPN ontwierp, een lichtgrid ontwikkelde waar kunstenaars en ontwerpers speciale beelden voor mogen maken.

De ontwerper als kunstenaar

Lange tijd stonden beeldend kunstenaars een stuk hoger op de hiërarchische ladder dan de zogenaamde 'toegepaste kunstenaars'. Ontwerpers benijdden hen daarom: zij waren immers vrij en maakten autonoom werk. Nu is het precies andersom. Zowel de vrije kunst als kunstenaars zijn in

budget film, the objective had been more than achieved. The curiosity of the whole country had been aroused.

In the Netherlands, an approach like this is especially effective. The media landscape is small enough to be put to efficient use, so that experimenting is easier than it would be elsewhere and the impact can be widespread and rapid. Distances are short enough so that you can encounter a variety of media expressions and recognize the connection between them.
For this reason, small-scale projects are also effective. One, for example, is Studio Vandejong's triptych designed for a solo performance of cabaret artist Lenette van Dongen. Throughout the whole city, wherever Van Dongen was to perform, there were intense posters of girls and women with dark hair and a birthmark. They looked like three different people, but each time you saw one of the portraits you asked yourself if this was about a woman with many faces – or was it her own face each time?

Campaigns like these are designed as a unit. The 'final product' is not a completed object, but a collection of seemingly independent parts that function according to the principle of one-plus-one-is-three. They may not mean much one at a time, but together, each reinforces the other. A meaning evolves only after a certain number of the parts have been seen, parts the viewer himself more or less unconsciously gathers together. Time and movement are therefore an inherent aspect of the design. The cunning feature of this approach is that the viewer is actively involved. He realises how the pieces fit together by way of his own media response, the routes he selects and the 'Ah-ha!' experience at the moment he makes the connection.

The Designer as Editor

The fact that designers take on the role of editor – and even those of client, author and editor-in-chief – is not new for the Netherlands. Well in the past, designers such as Piet Schreuders, Wim Crouwel, Jan van Toorn, Anthon Beeke and the 'Hard Werken' studio have all held their own respected positions on editorial teams and themselves initiated publications of their own. Now that designers are increasingly being released from their subordinate role, this phenomenon is back in force and being realized at an increasingly professional level.
A familiar example is Jop van Bennekom, who has taken on a reconnaissance mission for the magazine medium by way of his own 'Re-Magazine', enriching it with new elements that are often just 'not done' in existing journalistic practice. In addition to writing, taking photographs and formulating the visual and textual assignments, his is a non-hierarchical formula for the magazine's small editorial staff. All the members, as it were, take on the experiment together. The result is far more than a collection of coincidentally successful ideas. 'Re-Magazine' is a coherent whole with its own internal logic, one that has in turn created an international market of its own.

How other designers take on their role as editor/client depends on the person involved. For specific projects, Felix Janssens puts together ad-hoc editorial teams for his 'Bureau for (Tele)Communicatie, Historiciteit & Mobiliteit', with creative people and theorists, with each serving as author. Daniël van der Velden and Maureen Mooren are unique in the way they turn language into a part of the design process. For example, they add their own commentary to a text or add a context in language form.
It is also common amongst designers to provide others with opportunity and space. Studio Dumbar is an exceptional example of this. For the front façade of the office designed by Renzo Piano for the Dutch telecommunications corporation, KPN, they designed a light grid for which artists and designers are able to create special images of their own.

een isolement geraakt en benijden nu ontwerpers om hun relatie tot het publiek en hun (al dan niet vermeende) contact met de gebruiker.
De positie van de ontwerper is daardoor veel aantrekkelijker geworden.

Het hiermee gepaard gaande zelfbewustzijn uit zich in durf en dadendrang. Grafisch ontwerpers gedragen zich steeds onafhankelijker en doen meer eigen projecten. De filibuster-website van LettError is een mediakritsch werk, dat blootlegt hoe commerciële websites functioneren. De ongevraagd geplaatste bouwborden van Steffen Maas en Marc Bijl introduceren een subversieve kant van grafisch ontwerp.

Ontwerpers worden ook benaderd als kunstenaars. 75B kreeg het verzoek een skatebaan te beschilderen, -SYB- de vraag om met zijn werk te reageren op het werk van Dick Bruna. Ontwerpen wordt zo een nieuwe tak van de vrije kunst – of is het andersom? Ontwerpers stellen hun eigen regels, scheppen als dat nodig is zelf een context voor hun werk en opereren binnen de kunstwereld. Daar vindt iedereen het prachtig. Leuke ideetjes-met-een-twist zijn nu erg in. Bovendien hebben ontwerpers door de toenemende commercialisering van de maatschappij nog een voorsprong ten opzichte van kunstenaars en de kunstwereld: zij zijn doorgaans veel meer 'mediafähig' en bezitten de potentie om in strategieën te denken.

Data als uitgangspunt

Net als architecten en beeldend kunstenaars gebruiken grafisch ontwerpers cijfers, feiten en statistieken als uitgangspunt. Soms uit de houding 'het is wat het is' – waarom zou je interpreteren als de droge feiten voor zichzelf kunnen spreken? – soms om de betekenis die al die feiten samen krijgen. Denk aan de verbijsterende conclusies over het tempo van bouwen en de betrekkelijke rol van de architect in Zuidoost-China, die volgden uit het cijfermateriaal dat Rem Koolhaas' Harvard-studenten verzamelden over de Pearl River Delta.[3] Of aan de statistieken over afval en vervuiling, die architectenbureau MVRDV gebruikte als pleidooi voor lichte stedenbouw.[4]

Om dezelfde redenen gebruiken grafisch ontwerpers graag lijstjes in hun werk. Jop van Bennekom maakte alternatieve portretten door inventarisaties te maken van de troep op bureaus. De Werkplaats Typografie drukte de (zeer uitgebreide) colofongegevens van alle 'Best Verzorgde Boeken 1999' op het omslag van de catalogus af. Hierdoor neemt ook de gebruiker die colofons doorgaans negeert notie van de namen van drukkers, binders, lettertypes en materialen, en krijgt hij inzicht in de complexiteit van het productieproces zonder dat hem iets wordt uitgelegd.

De grootste cijfer- en statistiekenmaniak van Nederland is Martijn Engelbregt, die met zijn geraffineerde formulieren en enquêtes duizenden mensen verbazingwekkend specifieke gegevens ontlokt en die vervolgens verwerkt. In dit jaarboek zijn de onderzoeken opgenomen die hij ontwikkelde voor de publieke omroep VPRO.
Engelbregt slaagde erin om zelfs op de vraag naar 'het totale bruto besteedbare jaarinkomen' serieuze antwoorden te krijgen – en dat in een land waar men liever over zijn financiën zwijgt. In een ander project, 'Gegevensbeheer o.v.', bestookte hij de mensen uit het adressenbestand van een kunstenaarsinitiatief met listige vragen. De resultaten publiceerde hij in een boekje met foto's van de stapels geretourneerde post als illustratiemateriaal. Ook dit zijn mooie voorbeelden van de huidige verweving van vrije en toegepaste kunst: deze projecten zijn tegelijk praktisch, subtiel en subversief en zetten aan het denken over gegevensbeheer, privacykwesties en de waanzin van de informatiemaatschappij.

The Designer as Artist

For a long time, fine artists stood several rungs higher on the hierarchical ladder than the so-called functional or applied artists. Designers therefore envied them. They were, after all, free of restrictions and made autonomous work. The situation is now reversed. The fine arts and its artists have become isolated. They now envy the designers their relationship with their public and their (real or imagined) contact with the user. As a result, the position of the designer has become a more attractive one.

The self-awareness that goes along with this is expressed in greater daring and desire to produce. Graphic designers are acting more and more independently and taking on more projects at their own initiative. The filibuster website made by LettError is pure new media criticism, exposing the way commercial websites operate in a funny but serious way and Steffen Maas and Marc Bijl's billboards introduce a subversive side of graphic design.

Designers are also approached as artists. 75B was asked to paint a skating rink, -SYB- to respond to the work of cartoon artist Dick Bruna. Consequently, design becomes a new arm of the fine arts – or is it the other way around? Designers set their own rules. They create, when needed, their own context for their work and operate in the art world. For their part, the art world adores it. Clever ideas-with-a-twist are 'in'. Moreover, with the increased commercialisation of society as a whole, designers have another advantage over other artists and the fine arts circles. Designers are generally far more adept with the media and possess the capacity for thinking in strategic terms.

Data as a Starting Point

As do architects and fine artists, graphic designers also use numbers, facts and statistics as a starting point. Sometimes it is with an it-is-what-it-is attitude. Why interpret if the dry facts already speak for themselves? Sometimes it is about the meaning that all those facts take on when they are added together. Think, for example, of the astonishing conclusions about building speed and the relative role of the architect in Southeast China that resulted from the data that Rem Koolhaas's Harvard students collected on the Pearl River Delta[3], or of the statistics on waste disposal and pollution that MVRDV architects used as a plea to defend light construction in urban settings.[4]

For the same reasons, graphic designers are also happy to make use of lists in their work. Jop van Bennekom created alternative portraits by taking inventories of the clutter on people's desks. The 'Werkplaats Typografie' (Typography Workshop) printed the (very extensive) colophon data for all 'The Best Designed Books 1999' right on the catalogue cover. As a result, readers who habitually ignore the credits, all those names of printers, binders, lettertypes, materials, etc., now take note of them and gain insight into the complexity of the process – without anything having to be explained to him.

The Netherlands' biggest numbers and statistics maniac is Martijn Engelbregt, who has used refined forms and questionnaires to elicit specific and surprising facts from thousands of people. This yearbook includes the research project that he developed for the VPRO broadcasting company. Engelbregt even succeeded in getting serious answers to 'your gross spending income per year' (pun intended) – and this in a country where people prefer not to talk about their personal financial circumstances. In another project, 'Gegevensbeheer' (Data Management), he bombarded those on the mailing list of an artists' co-operative with clever questions and published the results in a book illustrated with photographs of the stacks of return mail he received. These too are good examples of

Interactie

Ook grafisch ontwerpers die geen websites en cd-roms maar drukwerk maken, vertonen een drang naar interactie. Ze willen dat de lezer een gebruiker wordt. 'Drukwerk bijvoorbeeld zal een gebruiksartikel worden dat niet slechts de identiteit van de opdrachtgever representeert, maar ook ruimte biedt aan die van de gebruiker', schrijft Daniël van der Velden in het Nederlandse designtijdschrift 'Items'.[5] Van der Velden is met zijn bureaupartner Maureen Mooren zelf een van de pioniers op dit gebied. Voor het jaarverslag van de Raad voor Cultuur (niet opgenomen in dit boek) stuurden zij de raadsleden, kunstenaars en een select aantal anderen een e-mail met de vraag of ze wilden beschrijven wat ze op een bepaalde dag dat jaar deden. Wie daaraan gehoor gaf en een stukje inleverde, ontving behalve een bedankje een aantal redactionele richtlijnen om het eigen stuk aan te passen. Zo werd tekst een wezenlijk deel van het ontwerpproces. Het resultaat was een bijzonder boekje dat 'de culturele agenda' van dat jaar en de betrokkenen op een bijzondere manier onthulde.

Mensen actief betrekken, andere doelgroepen bereiken en input genereren – daar gaat het om bij de interactieve aanpak. Het is geven en nemen voor alle betrokken partijen. Met die beweegredenen zette 75B een kleurproject op. Wie de speciale 75B-kleurboeken – die door het bureau zelf werden verspreid – inkleurde, werd verzocht zijn boek terug te sturen voor een eindtentoonstelling. Interessant om te zien hoe iedereen dezelfde beelden anders invulde. Zo wordt drukwerk tweerichtingsverkeer.

Lelijk = mooi

In een land waarin het zo vanzelfsprekend is dat grafisch ontwerpen aan de traditionele kwaliteitsnormen voldoet, worden criteria als 'netjes afgewerkt' of 'consequente toepassing van typografie' op den duur dodelijk saai. In die constante stroom van kwaliteit springen juist de ontwerpen eruit die breken met wetten van aantrekkelijkheid, harmonie en visuele perfectie. Zoals het werk van ontwerpers als -SYB- en DEPT, dat een 'lelijke', schijnbaar handgemaakte, punkige, streetwise stijl vertoont. Ook opvallend is de wil om soms juist niet te communiceren. Sommige ontwerpen zijn hermetisch, zoals de affiches van Hieke Compier voor de Jan van Eyck Akademie en die van Ben Laloua voor een serie debatten over beeldcultuur in Zaal de Unie. De regels van de affichekunst negerend, onthullen deze van veraf onleesbare posters juist niet in één blik waar het over gaat, maar ze trekken wel de aandacht en maken nieuwsgierig. De mensen voor wie ze bedoeld zijn, begrijpen er net voldoende van om er iets mee te doen.

Zure homor

Met de humor in het Nederlands grafisch ontwerp is het net als op de zo beroemde Hollandse schilderijen uit de Gouden Eeuw: er lijkt heel wat te lachen, maar het doet altijd een beetje zeer. Grappen zijn zuur, want steevast is sprake van dubbele bodems en moraal. De plaatjes in de kleurboeken van 75B bevatten in plaats van elfjes, beelden die kinderen betrokken moeten maken met het huidige tijdsgewricht: ze hebben thema's als homoseksualiteit en commercialiteit. De stadswapens die 75B voor Rotterdam 2001, Culturele Hoofdstad van Europa ontwierp, zijn samengesteld uit merklogo's.

Veel werk lijkt ironisch en geëngageerd, maar daar is – en ook dat is typisch Nederlands – nogal wat vals engagement bij, ingegoten op de kunstacademie door leraren die jong waren in de jaren zeventig. Een Shell-logo in een ongebruikelijke context is niet per se subversief, al is het zo te lezen. Sinds het postmodernisme hebben dat soort combinaties een andere lading dan vroeger: door citeren, monteren, style surfing en de beruchte copy-paste methode kunnen betekenissen ontstaan die niet bewust zijn opgeroepen.

the current intermixing of the fine and applied arts. Projects like these are at once practical, subtle and subversive, and they make people think about data management, questions of privacy and the madness of the information society.

Interaction

Even graphic designers not involved in designing websites or CD-Roms are demonstrating an attraction to interactive design. They want their readers to be active users. 'Printed material, for example, will become a functional object', wrote Daniël van der Velden in the Dutch design magazine, 'Items', 'that not only represents the identity of the designer, but also provides space for that of the user.'[5] With his studio partner, Maureen Mooren, Van der Velden is himself a pioneer in this area. For his annual report designed for the national Council on Culture (not included in this book), they sent the council members, artists and other selected individuals an e-mail asking them to describe what they did on a certain day that year. Those who responded, in addition to a note of thanks, received a number of editorial guidelines in order to modify their own texts. The texts thereby became an integral part of the design process. The result was an exceptional little book that in an extraordinary manner, revealed both the cultural agenda of the year and that of those involved with it.

Actively involving people, reaching different target groups and generating input – this is what the interactive approach is all about. It is giving and taking for all parties concerned, and it was with this motivation that 75B set up their colouring book project. Whoever coloured in the specially designed colouring books that 75B themselves distributed, was asked to send the book back to them for a final exhibition. It was interesting to see how each person filled in the same images differently. Printed matter becomes a two-way street.

Ugly = Beautiful

In a nation where it is so taken for granted that graphic design meets traditional norms and quality standards, criteria such as 'cleanly finished' and 'consistent application of typography' become deadly boring. In a constant flow of high quality, what stands out are those designs that break with the laws of attractiveness, harmony and visual perfection, such as the work of -SYB- and DEPT, both of which have an almost 'ugly', apparently hand-produced, punkish, streetwise style. Intentionally refusing to communicate is something else that also stands out. Some designs are decidedly hermetic, such as Hieke Compier's posters designed for the Jan van Eyck Academy and posters the Ben Laloua studio made for a series of debates on visual culture held in Rotterdam's 'Zaal de Unie'. In contrast to the rules generally governing poster art, these are illegible from a distance and refuse to let you know what it is all about in a glance, but they do attract your attention and your curiosity. Those for whom they are intended understand just enough to be able to get something out of them.

Acid Wit

The wry humour in Dutch graphic design is the same as the famous Dutch painting of the Golden Age. There seems to be a lot to laugh about, but it always hurts a little. Jokes have a sharp edge, because there are always double meanings and morals involved. Instead of big-eyed elves and gnomes, the pictures in 75B's colouring books are intended to involve children in the controversies of their times. They have themes such as homosexuality and commercialism. The municipal shields that 75B designed for Rotterdam 2001, Cultural Capital of Europe, are completely comprised of trademarks and logos.

Alle visuele geletterdheid ten spijt, maakt die wetenschap het lezen van beeld er niet gemakkelijker op. Ironie, subtiel commentaar en dubbele bodems – allemaal typisch Hollandse beeldingrediënten – lijken regelmatig op te duiken in grafisch ontwerp. Maar of het daarom gaat? Het boek van De Designpolitie over kunstenaar Käthe Ruijssenaars lijkt op een pastiche op een kunstenaarsboek: groot, glanzend en vol amateuristische kiekjes van het soort dat kunstacademiestudenten uit geldgebrek zelf maken. Ook het extreem gepolijste en glossy jaarverslag van Dietwee voor investeringsbank Insinger de Beaufort is zo over the top dat het ironie lijkt. Of zijn beide toch serieus bedoeld? Het antwoord op die vraag laten de meeste ontwerpers graag in het midden. Alle opties moeten open blijven. Men heeft goed begrepen wat het postmodernisme voor de ontwerper betekent: of het nu over the top is of retro, alles mag, zonder je te hoeven verantwoorden.

Voor- en nadelen van conceptuele aanpak

Nederlandse ontwerpen, van producten tot gebouwen tot mode, worden momenteel wereldwijd bejubeld vanwege hun sterk conceptuele inslag. Inderdaad geldt in Nederland meer dan elders dat er eerst een goed, liefst inhoudelijk onderbouwd idee moet zijn voor er over vorm kan worden nagedacht. Die vormgeving mag het idee ook niet overschaduwen, maar moet het versterken.
Ook op grafisch gebied zijn er ontwerpers die zweren bij een conceptuele aanpak. Nu visueel perfect ogende resultaten zonder veel moeite door Jan en Alleman uit de computer kunnen worden getoverd, vallen zij extra op. Met het steeds toegankelijker worden van de productiemiddelen in de nieuwe economie is zo langzamerhand iedereen immers een ontwerper.[6] Onderscheid zal steeds meer gemaakt worden op basis van de conceptuele kwaliteit van een ontwerp.

Thonik, Ben Laloua, Thomas Buxó en het duo Daniël van der Velden en Maureen Mooren werken sterk conceptueel. Dat levert briljante resultaten op als vorm en intellectuele inhoud elkaar inderdaad versterken. Soms gaan ontwerpers echter zo ver in de hegemonie van het idee dat de vorm daaronder lijdt; sommige ontwerpen zijn weinig doorgedetailleerd en daardoor onevenwichtig of ogen ronduit lelijk. Dat is vloeken in de kerk van de verzorgde Nederlandse designtraditie.
Ook komt het voor dat de vorm zo radicaal is uitgekleed, dat het achterliggende idee niet goed meer begrepen wordt. Dat was het geval bij het boek van Thonik over kunstenaar Cor Dera. Het concept is ronduit revolutionair: het sluit perfect aan bij Dera's werk en is tegelijkertijd een commentaar op grafisch ontwerp. Dienend en zelfstandig tegelijk, is het een juweel van een statement, dat alles in zich heeft om spraakmakend te zijn – behalve dat bijna niemand het oppikt.

Zuinigheid

De termen soberheid, minimalisme, eenvoud, calvinisme of 'de kunst van het weglaten' – allemaal geschikt om het voor Nederland zo typerend geachte 'Less is More'-principe te benoemen – gelden ook in 2000 voor een aantal uitgesproken ontwerpen. Wat ook de redenen zijn voor deze zuinigheid – en die zijn telkens weer anders – er is in ieder geval sprake van een reactie op overvloed. In een overvolle beeldcultuur valt eenvoud meer op dan veelheid. Ook een weerzin tegen de postmoderne stijloverdaad speelt een rol, en een reactie op de perfectie en de toeters en bellen die de computer biedt. Dan liever iets dat uitblinkt in eenvoud, dat neigt naar het aloude stencilkrantje of er op het eerste gezicht uitziet als handwerk, zoals het 'Ontmoeting/Cinema 2000' programmaboekje van Herman van Bostelen, de Nachtwinkel-site van Dietwee en werk van goodwill en Thonik. Slechts een beperkt aantal lettertypes wordt gebruikt: twee of drie is vaak al veel.

A lot of graphic design seems ironic and 'engaged', but – and this is also typical of the Netherlands – there is indeed some pseudo-involvement as well, implanted during the art school years by teachers who were themselves young in the seventies. A Shell logo taken out of context is not necessarily subversive, although it may well be read that way. Since the onset of postmodernism, this type of combination carries a different weight than it used to. Quoting, montage, style surfing and the infamous copy-and-paste methods can create meanings that were not necessarily intended.

Despite all our visual literacy, this knowledge does not make reading images any easier. Irony, subtle commentary and double meanings – all of them typical Dutch image ingredients – all regularly seem to surface in graphic design. But is this what it is about? The book that the Designpolitie (Design Police) made on the work of artist Käthe Ruijssenaars seems to be a pastiche of an art book: large, glossy and full of amateurish shots of the kind that art students take when they are out of funds. The extremely polished and glossy annual report that Dietwee designers made for the Insinger de Beaufort investment bank is so over the top that it looks like it was ironically intended. Or were both of these books really meant to be serious? Most designers are more than happy to leave the answer up in the air. All options must remain open. People have understood quite well what postmodernism has meant for the designer. It does not matter whether it is over the top or retro. Everything is possible, and without its having to be explained or defended.

Advantages and Disadvantages of a Conceptual Approach

Dutch design, be it product, architecture or apparel design, is currently lauded around the world for its strong conceptual character. Indeed, more than elsewhere, it is important here that there first be a solid theory, preferably based on the respective content, before one can begin to think about the form it will take. Form may not overshadow the idea, but must reinforce it. Graphic design is no exception, with designers who swear by the conceptual approach. Now that seemingly perfect graphics can be magically conjured up without all to much difficulty from most any John Doe's computer, conceptually solid graphic design stands out all the more. With the means of production in the new economy becoming increasingly accessible, slowly but surely everyone is becoming a designer.[6] The distinction will increasingly stand or fall on the basis of the conceptual quality of the design.

Thonik, Ben Laloua, Thomas Buxó and the team of Daniël van der Velden and Maureen Mooren all produce very conceptual work. This delivers brilliant results when form and intellectual substance indeed reinforce one another. Designers can, however, carry the hegemony of the idea so far that the form suffers. Some designs are so summarily carried through in the detail that they are consequently unbalanced or just look downright ugly, and this is a curse in the church of the 'produced-with-care' Dutch design tradition.
It can also happen that form is so exposed and reduced that the idea behind it is no longer decipherable. This is the case with the book on artist Cor Dera, designed by Thonik. The concept is simply revolutionary. It suits Dera's work perfectly and is at the same time a commentary on graphic design itself. At once subservient and self-sufficient, it is a jewel of a statement, one that bears all the requisites to make it a topic of discussion – except that almost nobody gets it.

Economy of Expression

The terms sober, minimal, simple, Calvinistic, or 'the art of leaving out': all apply to what is seen as a principle so aptly typifying the Netherlands. Less

De culturele sector als R&D

Gedurfd ontwerpen heeft in Nederland een hoog cultureel gehalte: het overgrote deel van de geselecteerde ontwerpen voor dit boek, is gemaakt voor de culturele sector. Daar krijgt de ontwerper de meeste vrijheid en het meeste respect.
Het lijkt een zwakke positie dat de interessante ontwikkelingen zich met name voordoen in de beschermde niches van een gesubsidieerd cultureel veld – en daarbinnen zelfs nog voornamelijk binnen de subniches van de kleinere culturele instellingen. Zo blijft het experiment kleinschalig en marginaal en is de kust veilig voor de ontwerpers. In enkele gevallen, zoals bij het interactieve kleurboekenproject van 75B en de plastic draagtassen-met-een-statement van DEPT, kunnen eigen projecten zelfs gerealiseerd worden bij gratie van een mecenas die ze bekostigt.

Maar zoals wel vaker binnen de Nederlandse ontwerpwereld is de zwakte tegelijkertijd de kracht. Door experimenterende ontwerpers en kleine bureaus carte blanche te geven in het meebepalen van zijn identiteit, steekt het culturele veld zijn nek uit en speelt het een voortrekkersrol. Veel grote en commerciëlere bureaus volgen de ontwikkelingen met argusogen en doen er vervolgens hun voordeel mee door naar hartelust te citeren en te kopiëren. De culturele sector functioneert zo als een afdeling Research & Development. Hier ligt een enorm potentieel. Of dat ook wordt opgepakt door de behoudende corporate cultuur in Nederland of daarbuiten, ligt niet alleen aan de ontwerpers. De tijd is er rijp voor. Nu de opdrachten nog.

Ineke Schwartz

1 Bruce Mau, 'Life Style', Phaidon Press, 2000
2 DEPT is per 1 april 2001 opgeheven. Paul du Bois-Reymond en Mark Klaverstijn gaan door onder de naam Machine, Leonard van Munster onder de naam Don Leo.
3 Rem Koolhaas, 'Harvard Project on the City, Pearl River Delta', in 'Mutations', ACTAR en Arc en Reve Centre d'Architecture, Bordeaux, 2000
4 MVRDV: METACITY/DATATOWN, een video-installatie in Stroom/HCBK, Den Haag, 1998-99
5 Daniël van der Velden, in 'Items' 1, Uitgeverij BIS, 2000
6 Mieke Gerritzen, 'Everyone is a Designer!', Uitgeverij BIS, 2000

is more. It continued to hold true for a number of strong designs in the year 2000. Whatever the reasons for this economy of means, and they are always different, there has in any case been a reaction to excess. In an over-inundated visual culture, simplicity stands out more than abundance. The aversion to the postmodern style cornucopia plays a role, as does a reaction against the perfection and the bells and bangles proffered by the computer. Instead, it is better to have something stand out for its clean simplicity, something inclined to resemble an old stencilled newsletter or that first resembles home-cooked handicraft or, as do Herman van Bostelen's programme booklet, 'Ontmoeting/Cinema 2000' (Encounter/Cinema 2000), the 'Nachtwinkel' (Night Shop) website by Dietwee designers and work produced by Goodwill and Thonik. Only a small number of lettertypes are used. Two or three may often be a lot.

Culture as Research & Development

Audacious Dutch design is high in cultural content. The majority of the work selected for this book was produced for the arts and culture sector. Here, designers are permitted the greatest freedom and enjoy the most respect. The moment the norms that apply here are let loose on assignments for business and industry, not much is left over.
It seems a rather weak position when the interesting developments take place in the protected niches of the subsidised cultural circuit – and within that, mostly in the sub-niches of the smaller cultural institutions. The experiment is therefore small in scale, enacted in the margins where the coast is clear for the designers. In some cases, as with 75B's colouring book project and DEPT's plastic bags-with-a-statement, it was even possible for projects of the designers' own making to be realised thanks to a maecenas who finances them.

As is more often the case in Dutch design, however, the weakness is also the strength. By giving experimental designers and small studios carte blanche in helping determine its identity, the cultural world often sticks its neck out and consequently plays the pioneer role. Many of the big commercial studios follow these developments with Argus-eyed interest and quickly reap the profits by quoting and copying to their hearts' content. The cultural sector thus serves as a research & development laboratory. There is tremendous potential here. Whether it will be picked up by conservative corporate culture in the Netherlands or elsewhere does not only depend on the designers. The time is ripe. Now on to the work.

Ineke Schwartz

1 Bruce Mau, 'Life Style', Phaidon Press, 2000
2 The DEPT studio was closed on April 1st, 2001. Paul du Bois-Reymond and Mark Klaverstijn continue to work together under the name 'Machine', and Leonard van Munster under the name of 'Don Leo'.
3 Rem Koolhaas, 'Harvard Project on the City, Pearl River Delta', in 'Mutations', ACTAR and Arc en Reve Centre d'Architecture, Bordeaux, 2000
4 MVRDV: METACITY/DATATOWN, a video installation by the Stroom centre for the arts in The Hague, 1998-99
5 Daniël van der Velden, in 'Items' 1, BIS Publishers, 2000
6 Mieke Gerritzen, 'Everyone is a Designer!', BIS Publishers, 2000

Het werk The Work

Symbolen

De taal van het visueel geheugen is opgebouwd rond een vrijwel oneindige hoeveelheid gemeenplaatsen, die waarschijnlijk even direct tot associaties leiden als geuren dat doen. Ze vormen het basisvocabulaire van een universele beeldspraak. Droommateriaal voor ontwerpers, al was het maar omdat dergelijke symbolen onder alle omstandigheden een eigen betekenis met zich meedragen. Terwijl vrijwel iedere andere vorm van beeldtaal in het gebruik dreigt te slijten, floreert het symbool bij massale verspreiding. Herhaling maakt het sterker. Het wordt rijker doordat het voortdurend in nieuwe omgevingen opduikt, opnieuw wordt geïnterpreteerd en desnoods ondergraven, maar altijd zijn identiteit bewaart. Het Michelin-mannetje is onvervreemdbaar eigendom van de publieke fantasie. De symbolen op jachtvliegtuigen mogen nog zozeer tot het oorlogsjargon behoren, ze zijn ook een drager van nostalgie. Heimwee naar een tijd waarin goed en kwaad nog duidelijk gemarkeerd waren.
Symbolen worden niet gemaakt, maar komen tevoorschijn uit het gelukkige huwelijk van tijdgeest en inventie. Ze zijn bijna per definitie auteurloos; weeskinderen over wie iedere ontwerper zich kan ontfermen. Juist nu hergebruik een thema is binnen vrijwel alle ontwerpdisciplines, is het symbool een aantrekkelijke optie, zelfs als het extreem uitvergroot over het wegdek wordt geschilderd.

Symbols

The language of our visual memory is built around a virtually infinite number of commonplaces that probably evoke associations as directly as scents or smells do. They form the basic vocabulary of a universal visual metaphor. For designers, this is the stuff of dreams, even if only because under any circumstances, these symbols bear meanings of their own. While almost every other form of metaphor is at risk of wearing out with use, the symbol flourishes with mass distribution. Repetition makes it stronger. It becomes richer because it is constantly reappearing in new environments, is reinterpreted anew, even buried if needed, but it always keeps its identity. The Michelin Man is an ineradicable possession of public fantasy. However much the symbols of fighter aeroplanes belong to the jargon of war, they are also bearers of nostalgia, making us homesick for a time when good and bad were clearly demarcated.
Symbols are not made, but are born of the happy marriage of the spirit of the times and invention. They are almost by definition without author, anonymous orphans that every designer is happy to take under his wing. Now that recycling is a theme in virtually every design discipline, the symbol is an attractive option, even when magnified to the extreme and painted across the road.

KLEUR!

GRATIS! #06 BEZET KUNST

KLEUR!

GRATIS! #04 BEZET SPORT

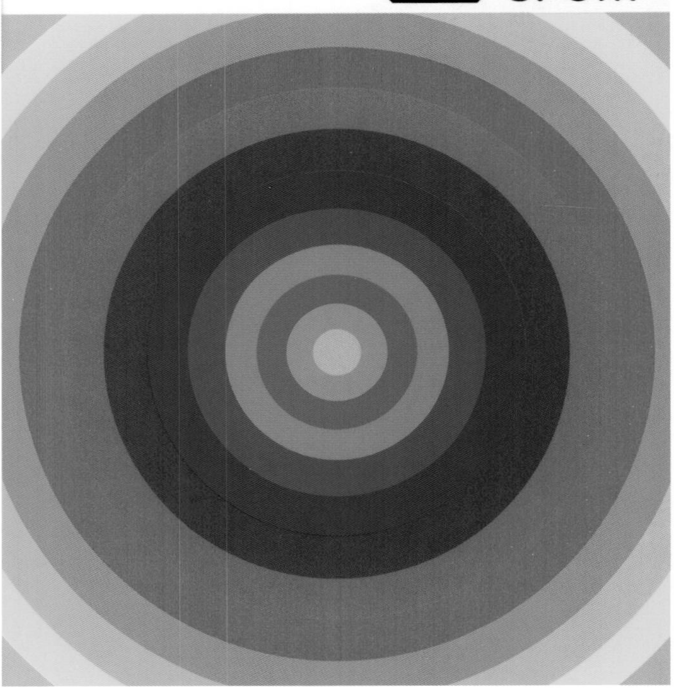

KLEUR!

GRATIS! #03 BEZET LIEFDE

KLEUR!

GRATIS! #05 BEZET VAKANTIE

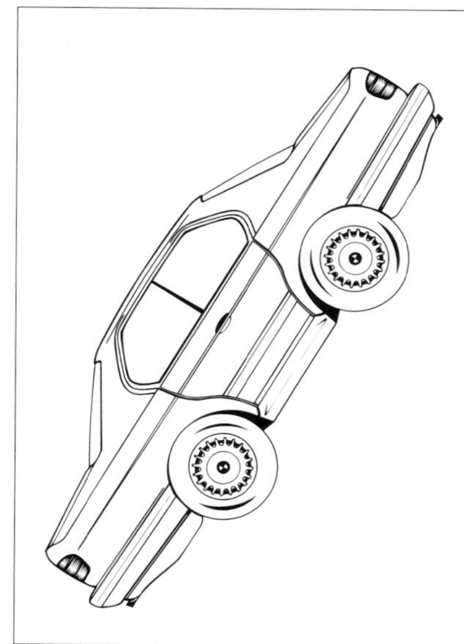

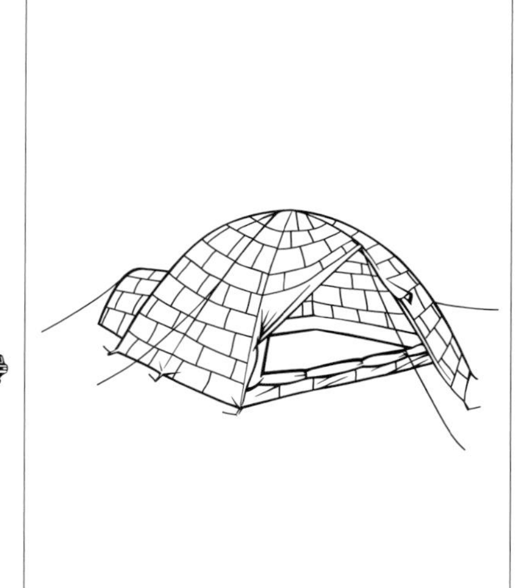

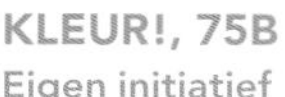

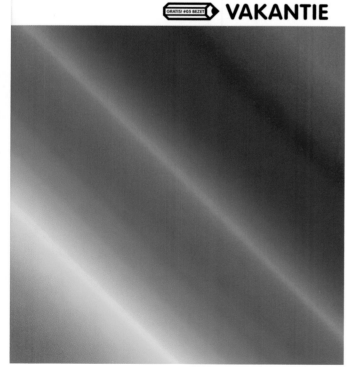

KLEUR!, 75B
Eigen initiatief

75B maakt zich met zijn eigen initiatieven los van de grafische vormgeving die slechts bestaat uit de combinatie van het platte vlak en de typografie. Kenmerkend is ook dat de gebruiker niet louter kijker of lezer blijft, maar gedwongen wordt op het werk te reageren. De kleurboeken zijn hier een duidelijk voorbeeld van.

KLEUR!, 75B
Designer initiative

In projects of their own invention, 75B designers have stepped away from graphic design that consists solely of combining the flat surface and typography. Characteristically, the user is not simply an observer or reader, but is forced to react to the work. The colouring books are a good example.

Skatepark Westblaak, 75B
Opdrachtgever: CBK Rotterdam

Vloerontwerp voor de skatebaan op de middenberm van de Westblaak, in de binnenstad van Rotterdam. Het ontwerp combineert verkeerssignalering met optisch bedrog. Vooral met dat laatste wordt iets wezenlijks aan de skatebeleving toegevoegd.

Skating Parc Westblaak, 75B
Client: CBK Rotterdam

The design is for the floor of the skating rink on the central bank of the Westblaak, in the centre of Rotterdam. It combines traffic signals with optical illusion, which particularly adds something essential to the skating experience.

Exorcism Aesthetic Terrorism, 75B
Opdrachtgever: Museum Boijmans Van Beuningen

Op uitnodiging van Museum Boijmans Van Beuningen heeft 75B een bijdrage geleverd aan de tentoonstelling 'Exorcism Aesthetic Terrorism' in het museum zelf en op de tijdelijke buitenwand vóór het museum. De 'targets' zijn vrij werk, maar werden ook als beeldmerk voor de tentoonstelling gebruikt. Daarnaast tekende 75B voor het ontwerp van de catalogus, waaraan een aantal spreads met schietobjecten werd toegevoegd.

Exorcism Aesthetic Terrorism, 75B
Client: Museum Boijmans Van Beuningen

Invited by the Boijmans Van Beuningen Museum to participate in the 'Exorcism Aesthetic Terrorism' exhibition, 75B contributed to the exhibition inside the museum as well as on the temporary wall out in front. The 'targets' are autonomous works, but were also used as the logo for the exhibition. 75B also designed the catalogue, which included several 2-page spreads with shooting targets.

Massaliteit

Steeds sterker wordt onze hang naar grootschalige evenementen. Gay Parades zijn al lang niet meer de vermakelijke 'fancy-dress' boottochtjes voor homoseksuelen door de Amsterdamse grachten, maar ontwrichten een dag lang de complete binnenstad. De viering van Koninginnedag lokt honderdduizenden bezoekers en wagonladingen handelaren naar de hoofdstad. Complete beurscomplexen vullen zich met duizenden jongeren die een nacht lang dansend ten onder willen gaan. De cultuur van de stad wordt in toenemende mate bepaald door verlokkingen voor de massa. We identificeren ons met tijdelijke groepsgevoelens, die het liefst zo breed mogelijk worden gedeeld. En elke manifestatie van samenhang creëert haar eigen beelden.

Bij het evenement der evenementen kleurde heel Nederland in 2000 oranje. Woonwijken gingen verscholen achter kilometers oranje lint. Oranje balletjes op auto-antennes, oranje pruiken op hoofden, oranje verf op het gezicht. Ter gelegenheid van het Europees Kampioenschap voetbal 2000 hervond het land een nationale bestemming, waaraan ook de ontwerpers zich niet konden ontworstelen. Het was het moment waarop een gigantische afbeelding van middenvelder Edgar Davids het hoogste gebouw van Nederland sierde. Sport is massa – de financiële belangen zijn zo groot dat het niet anders kan. Het was onvermijdelijk dat die fascinatie ook oversloeg op de organisatoren van culturele manifestaties, die misschien wel geen andere keus hadden dan zich de religie rond de voetballende megasterren toe te eigenen.

Mass

Our attraction to huge events is ever growing. Gay parades have long since ceased being amusing little boat trips along the Amsterdam canals for homosexuals in fancy dress, but completely consume the city centre for the whole day. The celebration of Queen's Day attracts hundreds of thousands of visitors and wagonloads of vendors and dealers, flooding to the capital. Whole stock exchange complexes are filled with thousands of young people intent on seriously succumbing, dancing the night away. A city's culture is increasingly determined by mass seduction. We identify with the temporary emotions of the group, preferably spread over as wide a platform as possible, and each manifestation of shared connections creates images of its own.

For the event to top them all, last year the whole of the Netherlands painted itself orange. Residential communities looked out behind kilometres of orange ribbon. There were orange balls floating on car antennas, orange wigs on heads, orange paint on faces. For the year 2000's European Football Championship, the whole country once again found a national goal, one from which its designers were equally incapable of extricating themselves. It was a moment when a gigantic image of midfielder Edgar Davids adorned the highest building in the Netherlands.

Sports are mass events – the financial investments are so great that it could not be otherwise. It was unavoidable that the fascination would spread to those organizing cultural events, who perhaps had no other choice but to adopt the religion surrounding the footballer mega-stars as their own.

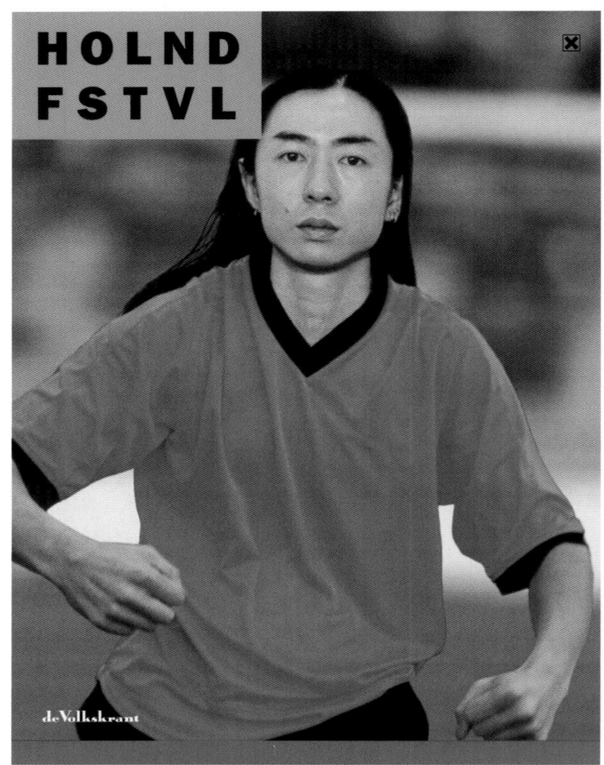

HOLNDFSTVL 2000, Laboratorivm
Opdrachtgever: Holland Festival

Laboratorivm speelde met deze reeks affiches in op het Europees voetbalkampioenschap dat ten tijde van het Holland Festival plaatsvond in Nederland en België. De Festival-hoofden lijken even toevallig opgescheept met de voetballerslichamen als beide evenementen met elkaar. Een curieus huwelijk tussen de 'hoge' cultuur van het theater en de 'lage' cultuur van de voetbalarena.

HOLNDFSTVL 2000, Laboratorivm
Client: Holland Festival

With this series of posters Laboratorivm took advantage of the European football championship which took place in the Netherlands and Belgium at the same time as the Holland Festival. The heads of the Festival artists seem to be as saddled by accident with the footballers' bodies as the two events with each other. A curious wedding between the 'high' culture of the theatre and the 'low' culture of the football stadium.

CrazyGoals™, 75B
Opdrachtgever: projectburo Euro 2000 Rotterdam

CrazyGoals™ is een 'product' dat werd ontworpen voor Euro 2000, het Europese voetbalkampioenschap dat in de zomer van 2000 in Nederland en België gehouden werd. Met de vijf verschillende posterstickers kan iedereen zijn eigen doel maken, in de slaapkamer of op een garagedeur. De stickersets werden tijdens Euro 2000 in Rotterdam verkocht en daarnaast hield 75B een wildplakactie. Op de bijbehorende website www.crazygoals.com waren voorbeelden te zien en ook kon op het scherm volgens hetzelfde principe een eigen goal gemaakt worden. 'De CrazyGoals gebruikt op het voetbalpleintje in Spangen kwamen we toevallig tegen en is het perfecte praktijkvoorbeeld.'

CrazyGoals™, 75B
Client: Euro 2000 Rotterdam project agency

CrazyGoals™ is a 'product' designed for Euro 2000, the European football championship held in the Netherlands and Belgium in the summer of 2000. Using the five different poster stickers, anyone can create his own goal, in his bedroom or on a garage door. The sticker sheets were sold in Rotterdam during Euro 2000. 75B also held their own ad-hoc paste-up campaign. The www.crazygoals.com website showed examples and using the same principle, viewers could create their own goals on the computer screen. 'We happened to see CrazyGoals used on the football field in the Spangen district. It was the perfect practical example.'

OP
MET
16.00-18.00 UUR OPENINGSHANDELING DOOR
ZKH PRINS WILLEM ALEXANDER SPORT- EN
MUZIEKSPEKTAKEL MET O.A. KARIN BLOEMEN
WERELDGYMNASTRADA: 900 ATLETEN
DE OLYMPISCH SPORTERS - SYDNEY 2000
HISTORISCHE PARADE MET O.A. EUSEBIO, JOHAN
OLAF KOSS E.V.A. ATLETIEK MET O.A. ROBIN
KORVING EN PATRICK VAN BALKOM
TICKETBOX 0900-9393
En
FEESTELIJKE OPENING
ZATERDAG 13 MEI
OLYMPISCH STADION

Olympisch Stadion, Greet Egbers
Opdrachtgever: Stichting Olympisch Stadion

Huisstijl, brochure en affiche ter gelegenheid van de heropening van het Olympisch Stadion in Amsterdam. Om deze uitingen kracht bij te zetten bedacht Greet Egbers een sprekend lettertype, met als uitgangspunt de vorm van de atletiekbaan; behalve de architectuur uit de jaren twintig, is de atletiekbaan met A-status het paradepaardje van het stadion.

Olympic Stadium, Greet Egbers
Client: Olympic Stadium Foundation

The house style, brochure and poster were for the reopening of the old Olympic Stadium in Amsterdam. To give them force, Greet Egbers came up with an expressive typeface based on the form of the athletics track. Together with the 1920's architecture, the stadium's A-status track is the show horse of the new stadium location.

Het stadion, Vanessa van Dam, goodwill
Opdrachtgevers: NAi (Michelle Provoost), One Architecture (Matthijs Bouw)

De oorspronkelijke opdracht aan goodwill en Vanessa van Dam was om de informatie bij de tentoonstelling 'Het stadion. De architectuur van de massasport' traditioneel te vervatten in bijschriften en een bewegwijzering. Zij kozen echter voor een speelse aanpak door alle teksten uit de tentoonstelling weg te laten en deze op verzamelkaartjes te zetten. Dit gaf ook ruimte om redactioneel dingen toe te voegen, zoals de uitleg van moeilijke woorden voor kinderen. De bezoeker kon de kaartjes gedurende zijn wandeling door de tentoonstelling verzamelen en mocht ze mee naar huis nemen.

The Stadium, Vanessa van Dam, goodwill
Clients: NAi (Michelle Provoost), One Architecture (Matthijs Bouw)

Goodwill and Vanessa van Dam's original assignment was to incorporate the information on the exhibition 'The Stadium. The Architecture of Mass Sports' in traditional undertitles and route descriptions, but they chose a playful approach by leaving out all the texts in the exhibition and putting them on collectors' cards. This left room to add editorial elements, such as explanations of difficult words for children. Visitors could collect the cards as they walked through the exhibition and later take them home.

Mijn naam is Babette en ik vond het WK-broekje
uit '84 een stuk geiler dan de EK-broek van nu.
een wijde broek
biedt meer
vrijheid maar
een strakke
kleedt beter af
uit de serie
ALLES OVER VOETBAL
deel 6 het broekje

MIJN NAAM IS
BABETTE EN
IK VIND SEKS
BELANGRIJKER
DAN VOETBAL

Verpersoonlijking
De gewone man, de familie doorsnee. Het was een minister die hem ooit de naam Jan Modaal gaf, een eeuw eerder heette hij in de Nederlandse literatuur Jan Salie. Het was de man die hooguit de belangstelling trok van begrafenisverzekeraars, postzegelhandelaren, caravanverkopers of Opel-dealers. En van de vrouw die vreesde over te schieten. Maar de tijden zijn veranderd. De gewone man is 'hot'. Anonimiteit is net als amateurisme interessant geworden. Het ideale fotomodel is eerder ons onopvallende buurmeisje, dan de verpletterende schoonheid van een paar straten verderop. Fotografen zijn meer gefascineerd door de onmiddellijkheid van het ongeposeerde, dan door zorgvuldige mise-en-scène. Suspense zit in het schokkerige videobeeld van The Blair Witch Project en het naturel acteren van de hoofdpersonen in die onverwachte bioscoophit.
Communicatie is als een home video. We zijn allemaal sterren van het witte doek, al is het maar voor de 15 minuten die Andy Warhol ooit beloofde. En die ster mag even fonkelen, ter meerdere eer en glorie van de commercie, de kunst, de diepzinnigheid of het ongecompliceerde plezier. Zo gewoon en daarom zo aantrekkelijk alledaags. Het is de geruststelling die uitgaat van het onvolmaakte, het chaotische en niet speciaal mooie waarmee ontwerpers een nieuw terrein konden ontginnen. Het terrein van de tevredenheid.

MIJN NAAM IS BABETTE EN MIJN ZIEKE
GEEST HUIST IN EEN GEZOND LICHAAM

Personalization
The ordinary man, the average family. It was a government minister who first dubbed him 'Jan Modaal', or John Average. A century earlier, Dutch literature referred to him as 'Jan Salie'. He was the man who, at best, attracted the attentions of funeral insurance firms, postage stamp dealers, caravan salesmen or Opel dealers – and of the woman afraid of setting her sights too high. But times have changed. The average man is hot. Like amateurism, anonymity has become interesting. The ideal photo model is sooner our plain, unprepossessing girl next door than the stunning beauty several doors down. Photographers are more fascinated by the immediacy of the un-posed than by the careful staging of the mise-en-scène. There is suspense in the shocking video images from the Blair Witch Project and the natural acting of that unexpected cinema hit's protagonists.
Communications are like a home video. We are all stars of the big screen, if just for the 15 minutes that Andy Warhol once promised us. That star is allowed to sparkle, all the more so for the glory of commerce, of art, profound ideas or simply uncomplicated pleasure. It is so everyday, and therefore so appealingly ordinary. This is the reassurance that comes from imperfection, from the chaotic and not too beautiful, with which designers can cultivate fallow ground – the land of contentment.

Babette, Joost Overbeek
Opdrachtgever: Boomerang

Babette – 'het geweten van spiritueel Nederland' – is in het leven geroepen door ontwerper Joost Overbeek, die met zijn vormgeving balanceert op de rand van goede en slechte smaak. Babette is de perfecte mix van beide. In 2000 kregen we regelmatig haar ongevraagde mening over liefde, voetbal en andere zaken van levensbelang.

Babette, Joost Overbeek
Client: Boomerang

Babette – 'the conscience of a spiritual Netherlands' – was brought to life by designer Joost Overbeek, whose work balances on the borderline between good and bad taste. Babette is the perfect mix of the two. During the year 2000 we were regularly subjected to her unsolicited opinions on love, football and other matters of vital importance.

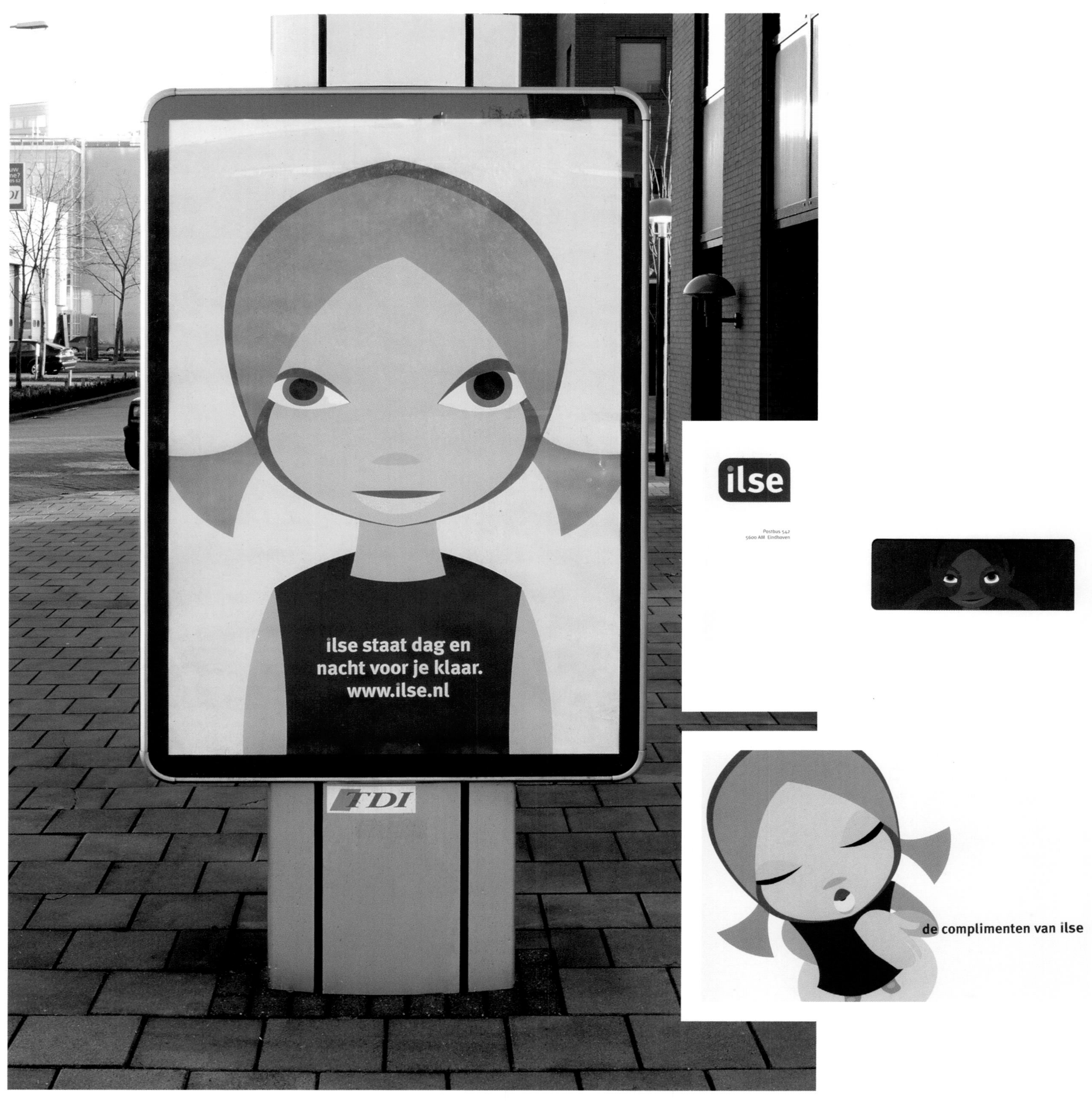

Ilse, KesselsKramer
Opdrachtgever: Ilse

Ilse is de grootste Internet-zoekmachine van Nederland. De online en offline communicatie versterken elkaar met het ondeugende meisje Ilse, dat altijd op een verrassende manier opduikt. Zo waren er dag- en nachtposters ('Ilse staat dag en nacht voor je klaar') en ook binnen de huisstijl komt ze steeds op een andere manier tevoorschijn.

Ilse, KesselsKramer
Client: Ilse

Ilse is the largest Internet search engine in the Netherlands. On-line and off-line communications reinforce one another with the help of Ilse, the naughty little girl who always pops up as an unexpected surprise. So it is with the night-and-day posters ('Ilse is always ready for you') and in the house style, where she keeps reappearing in different ways.

CERTIFICAAT//UIT DE COLLECTIE
No. 050.103.007
LENETTE
VAN DONGEN
EEN ECHTE VAN DONGEN
collectie LVD

Een echte Van Dongen, Vandejong
Opdrachtgever: Harry Kies Theaterprodukties

Opmerkelijk drieluik ter aankondiging van een theatershow van cabaretière Lenette van Dongen. Een miniem kenmerk – de moedervlek – suggereert meer dan met woorden gezegd kan worden. Winnaar van de Theateraffiche Jaarprijs 2000.

Een echte Van Dongen, Vandejong
Client: Harry Kies Theaterprodukties

Remarkable triptych announcing the theatre show 'A Real Van Dongen' by the cabaret artiste Lenette van Dongen. A minimal characteristic – the birth mark – suggests more than can be said in words. Winner of the Annual Theatre Poster Prize, 2000.

Massive Music, The Stone Twins
Opdrachtgever: Massive Music

Op het brutale oranje beeldmerk ligt een dikke laag vernis. De visitekaartjes hebben een getekend portret van de medewerker in kwestie, alsmede enige persoonlijke informatie, zoals 'eerste plaat', 'favoriete lp' en 'lievelingsgeluid'. Op de achterzijde onderschreven met een handtekening onder de tekst: 'I, the undersigned, pledge always to produce good music.'

Massive Music, The Stone Twins
Client: Massive Music

On the bold orange logo lies a thick layer of varnish. The visiting cards bear a drawn portrait of the employee in question, as well as some personal information such as 'first record', 'favourite LP' and 'favourite sound'. On the reverse side a signature appears under the text: 'I, the undersigned, pledge always to produce good music.'

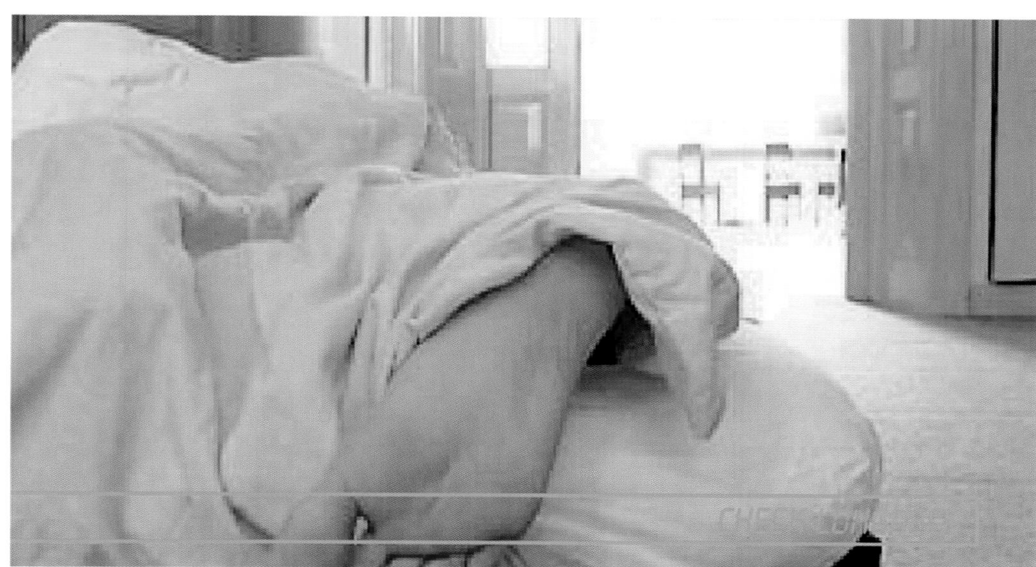

www.longneck.nl, artmiks [vormgevers]
Opdrachtgevers: Heineken, KesselsKramer

De experimentele aanpak die artmiks hanteerde voor de Puree-website wordt doorgezet in deze eigenzinnige, 'interactieve online commercial' ter positionering van het biermerk Longneck.

www.longneck.nl, artmiks [vormgevers]
Clients: Heineken, KesselsKramer

The experimental approach that artmiks used for their 'Puree' website has been carried through in an original 'interactive online commercial' to promote the Longneck beer brand.

Rotterdam 2001
Culturele Hoofdstad
van Europa

Rotterdam 2001
Cultural Capital of
Europe

Rotterdam 2001

Culturele Hoofdstad van Europa

Cultural Capital of Europe

Verwacht: Rotterdam is vele steden

Coming soon: Rotterdam is many cities

2001 R

Capitale Culturelle de l’Europe

Rotterdam comme une pluralité de villes

Kulturstadt Europas

Rotterdam ist viele Städte

歐洲文化中心之都

鹿特丹多樣化城市

Avrupa’nın Kültürel Başkenti

Rotterdam çok şehirler demektir

ontwerp: Mevis & Van Deursen, 1999

Wapens voor Rotterdam, 75B
Opdrachtgever: Rotterdam 2001, Culturele Hoofdstad van Europa

Vier wapens voor de stad Rotterdam, gemaakt als beeldbijdrage voor de programmacatalogus van Rotterdam 2001, Culturele Hoofdstad van Europa. Elk wapen representeert een thema: Rotterdam algemeen, Rotterdam havenstad, Rotterdam cultuurstad en Rotterdam uitgaansstad.

Shields for Rotterdam, 75B
Client: Rotterdam 2001, Cultural Capital of Europe

75B designed four shields for the city of Rotterdam, as a visual contribution to the programme catalogue for Rotterdam 2001, Cultural Capital of Europe. Each of the shields represents a separate theme: Rotterdam as a whole, Rotterdam as a harbour, Rotterdam as a city of culture and Rotterdam as a social and night-life centre.

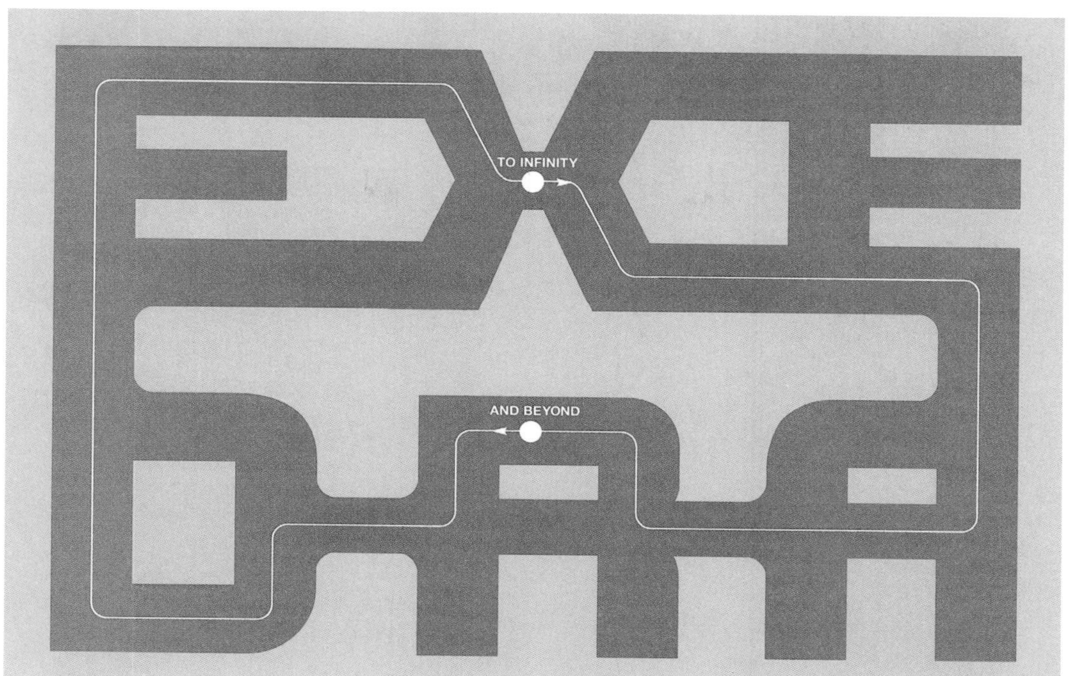
TO INFINITY
AND BEYOND

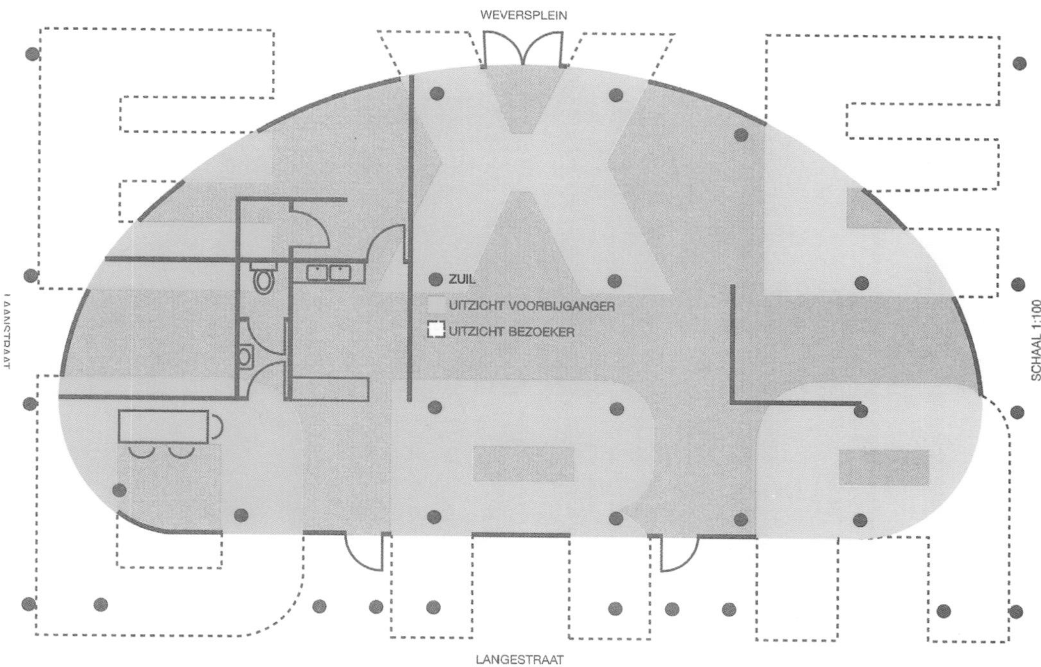
WEVERSPLEIN
ZUIL
UITZICHT VOORBIJGANGER
UITZICHT BEZOEKER
SCHAAL 1:100
LANGESTRAAT

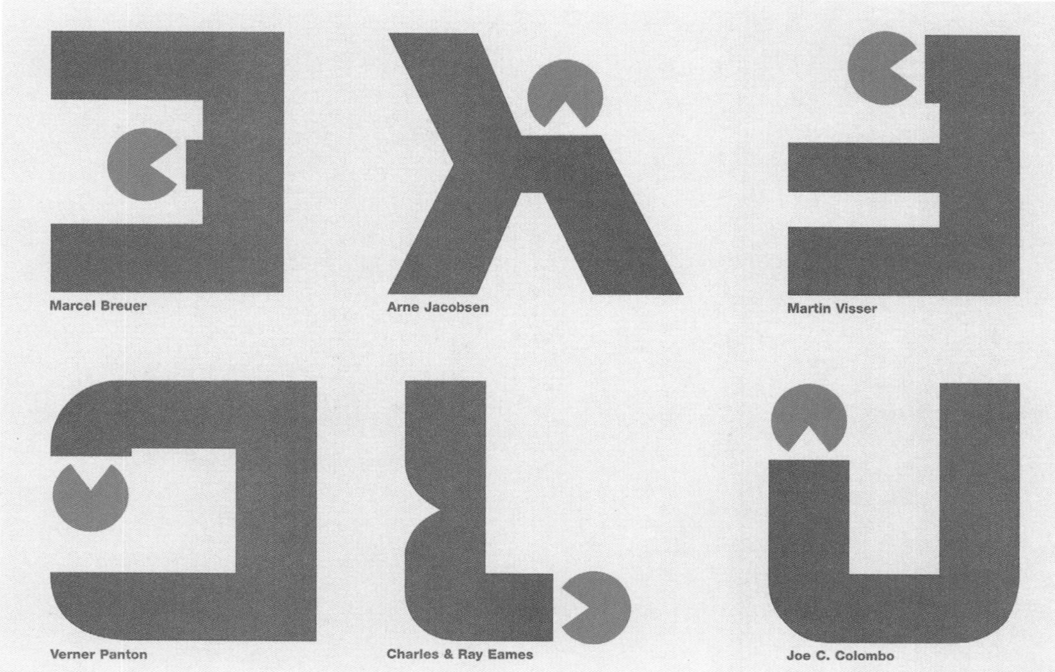
Marcel Breuer
Arne Jacobsen
Martin Visser
Verner Panton
Charles & Ray Eames
Joe C. Colombo

Exedra, Vanessa van Dam
Opdrachtgever: Exedra

De naam 'Exedra' vormt telkens de basis voor het ontwerp van deze reeks uitnodigingskaarten en affiches. Per tentoonstelling kijkt Vanessa van Dam naar de kunstenaar en diens werk en vervolgens vertaalt zij haar indruk in de typografie. 'Tekst wordt beeld en beeld wordt tekst,' aldus de ontwerpster.

Exedra, Vanessa van Dam
Client: Exedra

The name 'Exedra' is used repeatedly as the basis for the design of this series of invitations and posters. For each exhibition, Vanessa van Dam observes the artist and his or her work, then interprets her impression in the typography. 'Text becomes image and image becomes text.'

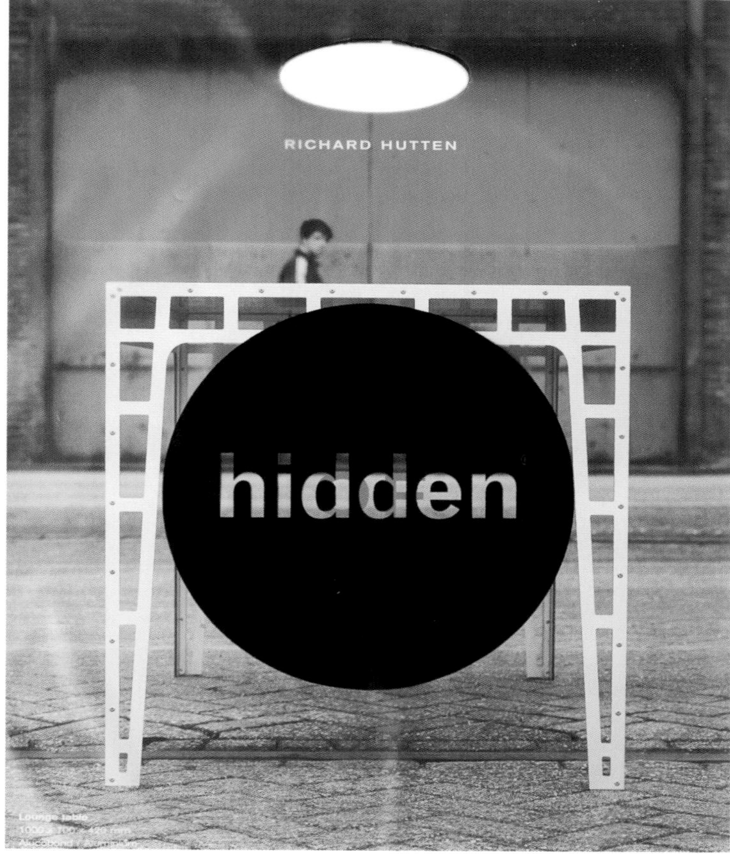

hidden®, Opera Ontwerpers
Opdrachtgever: hidden®

Brochures van het label hidden®, dat 'compromisloze' ontwerpen van een internationale groep meubelontwerpers presenteert. Het omslag is een draagtas en ook de brochures zelf zijn door een uitgestanst handvat draagbaar. Uiterst functioneel wanneer ze uitgedeeld worden aan beursbezoekers.

hidden®, Opera Ontwerpers
Client: hidden®

Brochures of the label hidden® that presents 'uncompromising' designs by an international group of furniture designers. The cover is a carrier bag and the brochures themselves also have a punched-out handle to make them portable. Extremely functional when they are handed out to trade fair visitors.

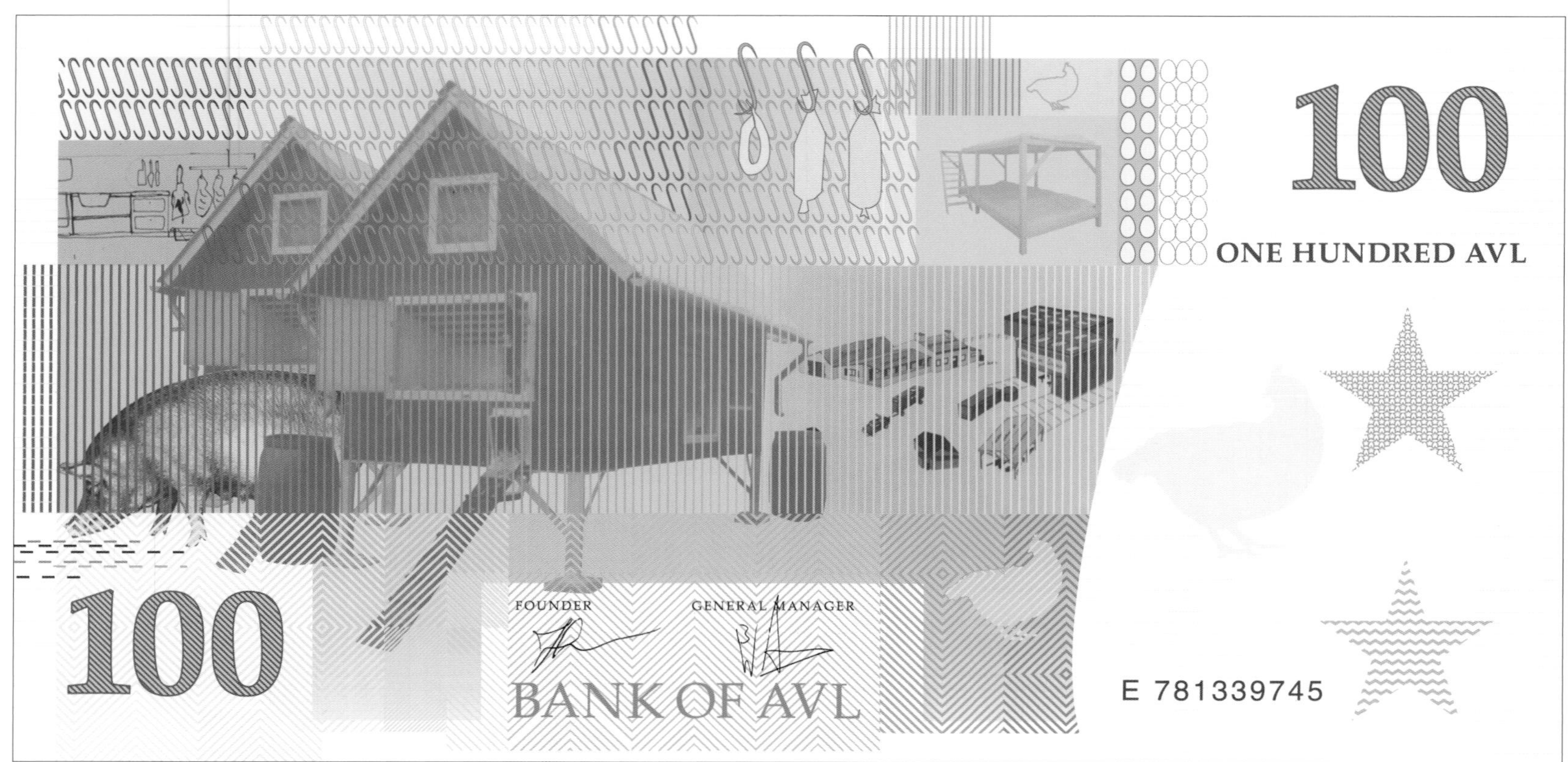
100
ONE HUNDRED AVL
FOUNDER
GENERAL MANAGER
100
BANK OF AVL
E 781339745

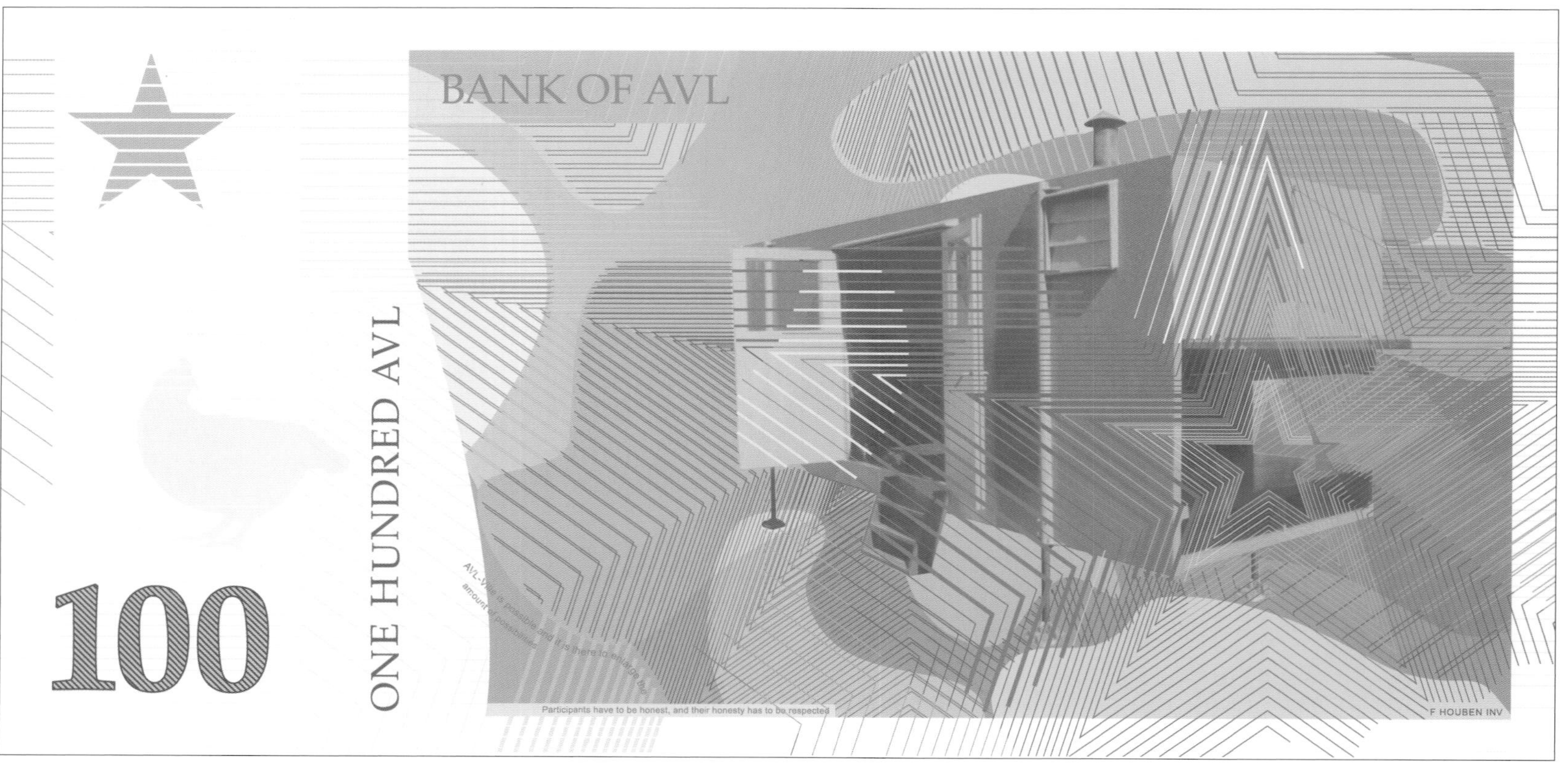
BANK OF AVL
ONE HUNDRED AVL
100
Participants have to be honest, and their honesty has to be respected
F HOUBEN INV

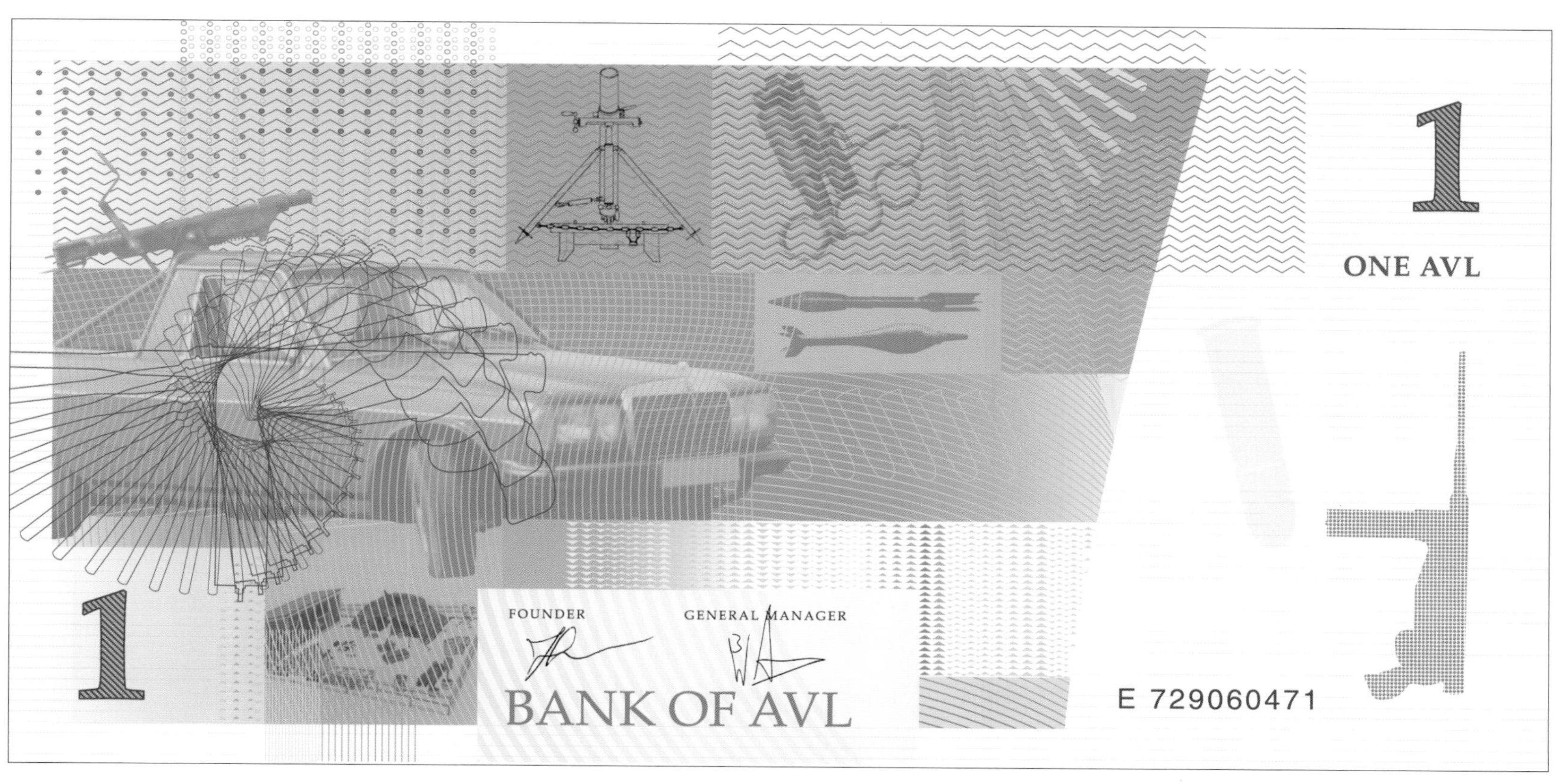

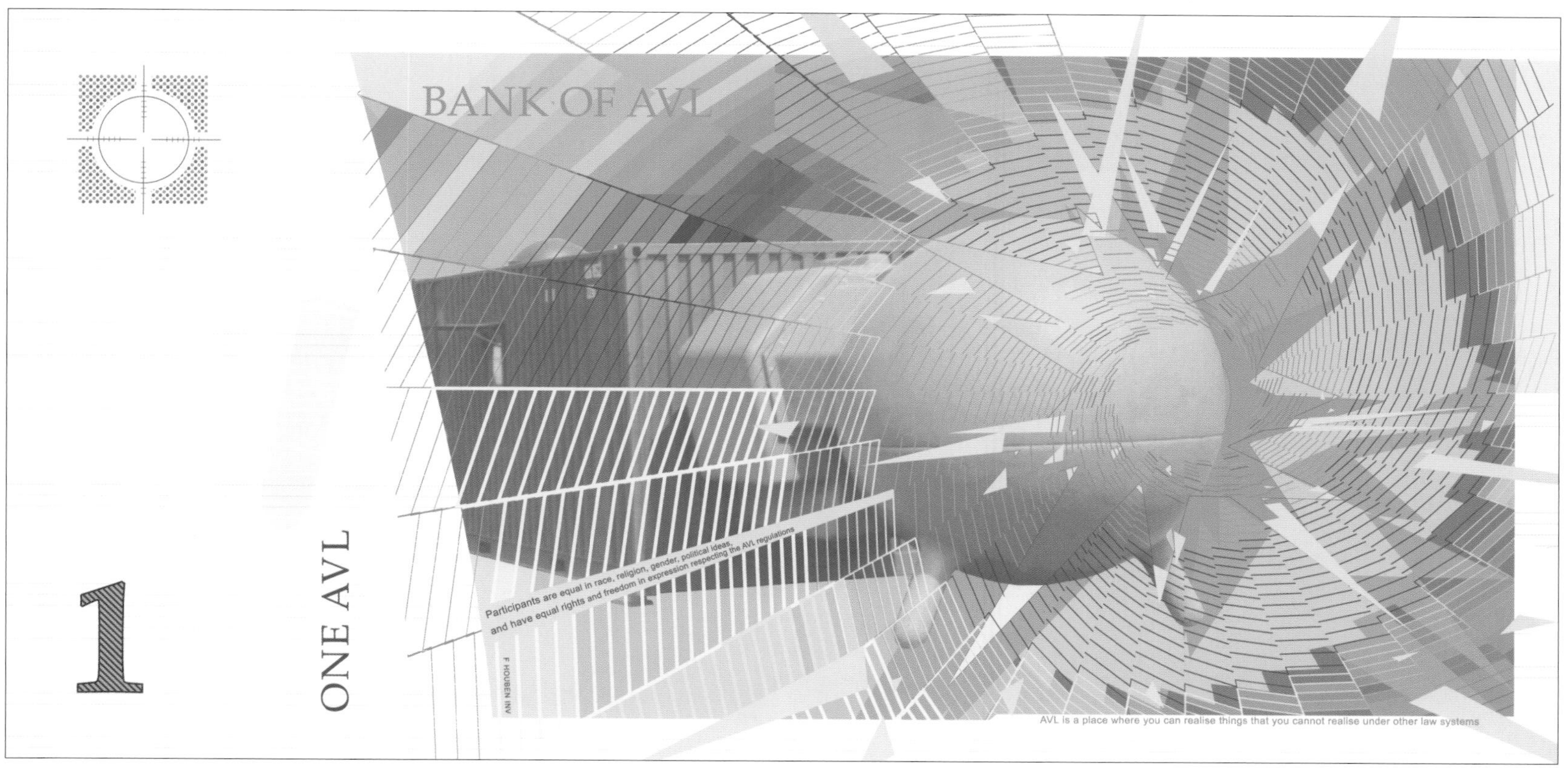

AVL-bankbiljetten, Floor Houben
Opdrachtgever: Atelier van Lieshout

Kunstbedrijf Atelier van Lieshout laat zijn eigen geld drukken – voor Vrijstaat AVL-Ville. Floor Houben tekende voor het ontwerp en waagde zich hiermee aan het ontwerpen van bankbiljetten, iets waar slechts weinig vormgevers ooit mee te maken krijgen. Op de afzonderlijke biljetten is een aantal binnen het werk van Atelier van Lieshout belangrijke thema's terug te vinden, zoals macht, seks en vrijheid. Houben koos voor een vorm die dermate non-descript, om niet te zeggen euro-achtig is, dat de bankbiljetten warempel geloofwaardig zijn.

AVL bank notes, Floor Houben
Client: Atelier van Lieshout

Atelier van Lieshout is an art studio that prints its own money – for the AVL-Ville Free State. Floor Houben made drawings for the design and ventured into designing bank notes, something few designers ever have anything to do with. Several Atelier van Lieshout themes, such as power, sex and freedom, can be found on the individual notes. Houben selected a form that is so nondescript, not to say Euro-like, that the notes are fully convincing.

Veel organisaties worstelen met vragen die te maken hebben met innovatie, creativiteit en motivatie. Ze raken dan ook aan elkaar. Waar de directie met innovatie zijn concurrentiepositie wil verstevigen, heeft de medewerker van nu behoefte aan motiverend werk. Creativiteit speelt hierin een hoofdrol.
Echte creativiteit betekent meer dan een eenvoudige cursus. Het betekent gemotiveerde mensen die regelmatig de vrijheid hebben om anders te doen en te denken. Het betekent medewerkers die gestuurd worden door heldere visie en doelstellingen. Het betekent samenwerking en ontwikkeling van goede ideeën. En het betekent ondersteuning wanneer ideeën de organisatie in gaan. Voor communicatie of realisatie.
Volgens Tinker hebben al deze aspecten te maken met het leren ontwikkelen en toepassen van ideeën binnen een organisatie. Of hierbij nu de focus ligt op persoonlijke inspiratie, creatieve sessies of een organisatorisch veranderingstraject…

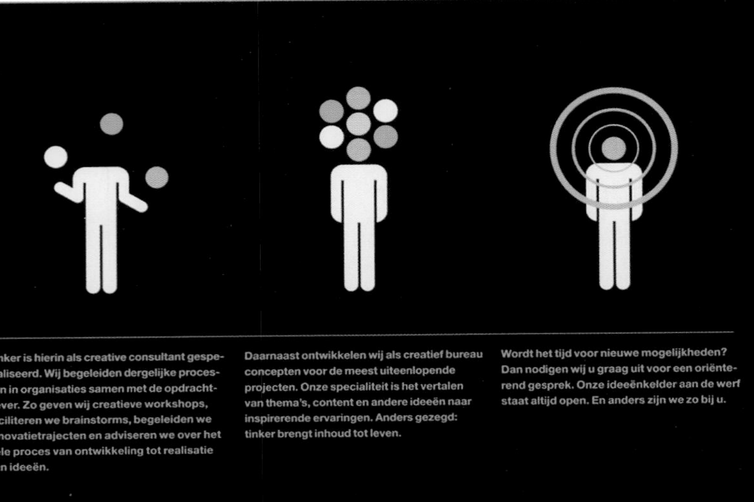

Tinker is hierin als creative consultant gespecialiseerd. Wij begeleiden dergelijke processen in organisaties samen met de opdrachtgever. Zo geven wij creatieve workshops, faciliteren we brainstorms, begeleiden we innovatietrajecten en adviseren we over het hele proces van ontwikkeling tot realisatie van ideeën.
Daarnaast ontwikkelen wij als creatief bureau concepten voor de meest uiteenlopende projecten. Onze specialiteit is het vertalen van thema's, content en andere ideeën naar inspirerende ervaringen. Anders gezegd: tinker brengt inhoud tot leven.
Wordt het tijd voor nieuwe mogelijkheden? Dan nodigen wij u graag uit voor een oriënterend gesprek. Onze ideeënkelder aan de werf staat altijd open. En anders zijn we zo bij u.

Tinker Imagineers, Dietwee communicatie en vormgeving
Opdrachtgever: Tinker Imagineers

Tinker Imagineers is een bedrijf dat oplossingen voor communicatieproblemen verzorgt door middel van visualisatie. Het bedrijf legt eerst de nadruk op het idee achter de oplossing en pas daarna op de visuele uitwerking ervan. Deze bedrijfsfilosofie vindt zijn afspiegeling in de huisstijl.

Tinker Imagineers, Dietwee communicatie en vormgeving
Client: Tinker Imagineers

Tinker Imagineers is a company that uses visualisation to provide solutions for communications problems. They first draw attention to the idea behind the solution and only then to the visual resolution itself. This company philosophy is reflected in this house style.

Ben er #2, Harmine Louwé
Opdrachtgever: Ben

Interne publicatie voor medewerkers van Ben. Omdat dit een interne publicatie is draagt zij niet het kenmerkende karakter van de andere uitingen van Ben. Dat begint al op het omslag: het bekende logo is gereduceerd tot een präge van de meest markante letter ('e') in zacht plastic. Louwé kreeg duidelijk een vrijbrief en leefde zich dan ook uit in (typo)grafische experimenten, waarbij zij een virtuoos spel speelt met de doorzichtigheid van het papier.

Ben er #2, Harmine Louwé
Client: Ben

House magazine for employees of Ben. Since it is an internal publication it does not bear the distinctive character of Ben's other manifestations. It begins already on the cover: the well-known logo is reduced to an intaglio of the most prominent letter ('e') in soft plastic. Louwé was clearly given a free hand and so she indulged in (typo)graphic experiments, playing a virtuoso game with the transparency of the paper.

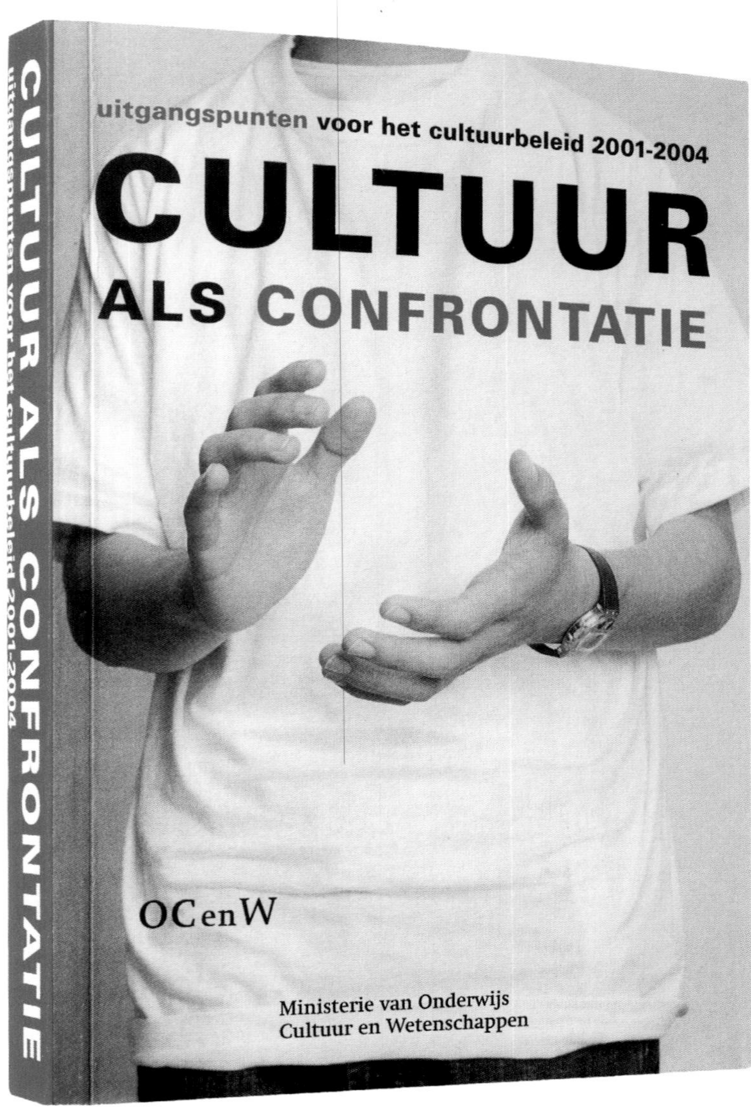

twijfelachtig. Immers, waarom iets subsidiëren waar zo weinig vraag naar is? Die paradox maakte een tweede pijler nodig onder het cultuurbeleid. Naast de autonomie en de kwaliteit van het aanbod werd cultuurparticipatie een belangrijke doelstelling. Daarmee was het cultuurbeleid volgens menig-een 'af'.

Er zijn echter vier redenen waarom dit model van aanbod- en participatiebeleid niet meer voldoet:

1 **Wisselwerking tussen aanbod en publiek**
In de eerste plaats kan zelfs een oppervlakkige waarnemer constateren dat op de pijler van het aanbod een bouwwerk van instandhoudingsubsidies rust, terwijl de pijler van de participatie een bijna lege sokkel is gebleven. De overheid is er niet in geslaagd, anders dan kleinschalig en marginaal, zijn maatschappelijke ambities te vertalen in taakstellende doelen
14 en instrumenten. Ook wordt door nogal wat culturele instellingen het bereiken van burgers buiten de eigen biotoop niet als een kernactiviteit gezien, maar als iets dat men liever aan anderen overlaat of waartoe men alleen bereid is als de overheid er extra geld bij legt. Zo wordt het belijden van de participatiegedachte een rituele bezweringsdans, waarna men zich met des te meer overgave kan wijden aan de verdeling van de subsidies.

Dat teleurstellende resultaat is begrijpelijk zolang aanbod en publiek als twee gescheiden grootheden worden gezien, waarbij het er 'slechts' op aankomt voor het aanbod ook een publiek te vinden. Paul Schnabel, directeur van het Sociaal en Cultureel Planbureau, omschreef het aldus: 'Nog altijd overheerst de gedachte dat kunst – 'dat wat wij maken' – goed is voor mensen en dat de mensen dus 'moeten' komen, terwijl de gedachte dat het vooral goed is voor de kunst, zeker voor de uitvoerende kunst, als er publiek komt, nog maar moeilijk geaccepteerd wordt.'[13] Juist in de confrontatie met het publiek komt de cultuur tot leven. Dat vereist van de in-stel-

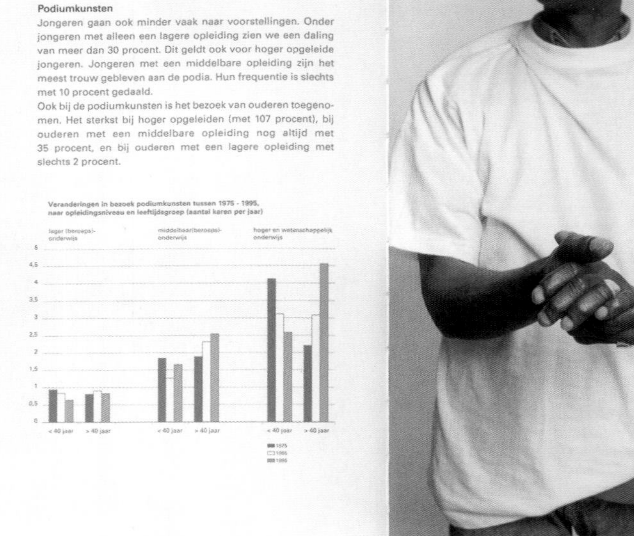

Podiumkunsten
Jongeren gaan ook minder vaak naar voorstellingen. Onder jongeren met alleen een lagere opleiding zien we een daling van meer dan 30 procent. Dit geldt ook voor hoger opgeleide jongeren. Jongeren met een middelbare opleiding zijn het meest trouw gebleven aan de podia. Hun frequentie is slechts met 10 procent gedaald.
Ook bij de podiumkunsten is het bezoek van ouderen toegenomen. Het sterkst bij hoger opgeleiden (met 107 procent), bij ouderen met een middelbare opleiding nog altijd met 35 procent, en bij ouderen met een lagere opleiding met slechts 2 procent.

Cultuur als confrontatie, Thonik
Opdrachtgever: Ministerie van OCenW

De staatssecretaris van Cultuur, Rick van der Ploeg, zet in deze nota de uitgangspunten voor zijn beleid van de komende vier jaar uiteen. De foto's van klappende handen vormen een filmpje. Ze kunnen staan voor de publieksgerichtheid die Van der Ploeg nastreeft, of is het applaus voor de nota zelf?

Cultuur als confrontatie, Thonik
Client: Ministry of Education, Culture & Science

The Minister of State for Culture, Rick van der Ploeg, sets out in this paper the principles of his policy for the coming four years. The photographs of clapping hands form a little film. Do they represent the new audiences that Van der Ploeg is aiming at, or applause for the paper itself?

I Think This is the Beginning of a Beautiful Friendship, Marjet van Hartskamp, Evelien van Vugt
Eigen initiatief

De projecten die Evelien van Vugt samen met Marjet van Hartskamp realiseerde voor het Filmfestival Rotterdam, geven blijk van een stugge onwil om voor gebruikelijke dragers te kiezen. Per festivaleditie voerden beide ontwerpsters een eigen initiatief uit. In 1998 maakten zij flipboekjes van scènes uit films die op het festival draaiden. Het jaar daarop realiseerden zij neonbeelden van filmstills. Hun vermogen om gebruik te maken van context komt het sterkst naar voren in het meest minimale project tot nu toe: een lintje dat filmbezoekers om de arm geknoopt kregen, met daarop de tekst: 'I think this is the beginning of a beautiful friendship'. Was getekend: 'M + E'. Filmliefhebbers weten dat deze tekst de laatste zin is uit de klassieker 'Casablanca', uitgesproken door Humphrey Bogart.

I Think This is the Beginning of a Beautiful Friendship, Marjet van Hartskamp, Evelien van Vugt
Designer initiative

The initiatives that Evelien van Vugt and Marjet van Hartskamp realized for the Rotterdam Film Festivals are evidence of a stubborn tendency not to use ordinary means to relay a message. The two designers completed projects of their own for each festival. In 1998, they made flip-over booklets of scenes from the films being shown. The following year, they created neon images from film stills. Their capacities for using context is most strongly revealed in their most minimal project to date, a small ribbon that visitors wore tied around their arms, with the words 'I think this is the beginning of a beautiful friendship', signed, 'M + E'. Film fans know that this text is Humphrey Bogart's final sentence in the classic film, 'Casablanca'.

Stedelijkheid

De stad is podium en acteur, plek en verbeelding, dag en nacht. De stad beschrijft en herschrijft zichzelf telkens opnieuw. Alle domeinen, van het openbare tot het meest private, liggen besloten in een grote optelsom van stedelijke ervaring die aan permanente verandering onderhevig is. Planologen en bestuurders, architecten en bewoners, kunstenaars en ondernemers: iedereen sleutelt aan een mechanisme dat ondanks al die ingrepen zijn eigen dynamiek bewaart. Misschien is dat wel de meest aantrekkelijke context die de stad ontwerpers op dit moment te bieden heeft: het besef van instabiliteit binnen een min of meer vaste structuur. Hoewel? De stad bouwt en sloopt, bewoners komen en gaan, functies ontstaan soms even snel als ze weer verdwijnen. Het is die tijdelijkheid waar ontwerpers op kunnen reageren, zoals Steffen Maas en Marc Bijl dat deden in Berlijn, waar zij op verschillende bouwborden in de stad hun 'corporate graffiti' achterlieten. Geen gebaar met eeuwigheidswaarde, eerder een korte interventie. Tegelijk moet ook alle plannenmakerij worden gedocumenteerd – en dus vorm krijgen – en manifesteert de stad zich met tijdelijke metamorfoses en langdurige veranderingsprocessen die in de ene ontwerper een guerrilla wakker maken en in de ander een cartograaf. De stad is de belichaming van voortdurende communicatie: een zwembad vol schreeuwende kinderen die soms alleen te horen zijn wanneer zij fluisteren. En de slimsten wachten tot het even wat rustiger wordt voordat zij hun stem verheffen.

Urbanity

The metropolis is both podium and actor, solid ground and imaginary, day and night. It describes and redescribes itself over and over again. Every domain, from the wide-open public to the most intimately private, lies enclosed in the great sum of urban experience that is subject to permanent change. Urban planners and city fathers, architects and residents, artists and businessmen – everybody chisels away at a mechanism that keeps up a dynamic of its own, despite all this interference. Perhaps this is the most attractive context that the city has to offer designers at the moment: an awareness of instability within a more or less fixed structure. Although…? A city builds and demolishes, residents come and go. Positions come up sometimes as fast as they disappear again. This is the temporary state to which designers can respond, as Steffen Maas and Marc Bijl did in Berlin, where they left their 'corporate graffiti' behind on several billboards throughout the city. It was not a gesture of eternal value, just a fleeting intervention. At the same time, all planmaking is registered and documented – and takes on form – and the city manifests itself in temporary metamorphoses and long-term processes of change that awaken the gorilla in one designer and the cartographer in the other. The city is the very embodiment of constant communication, a swimming pool full of screaming children who are sometimes only heard when they whisper. The cleverest wait until things are a bit quieter before raising their voice.

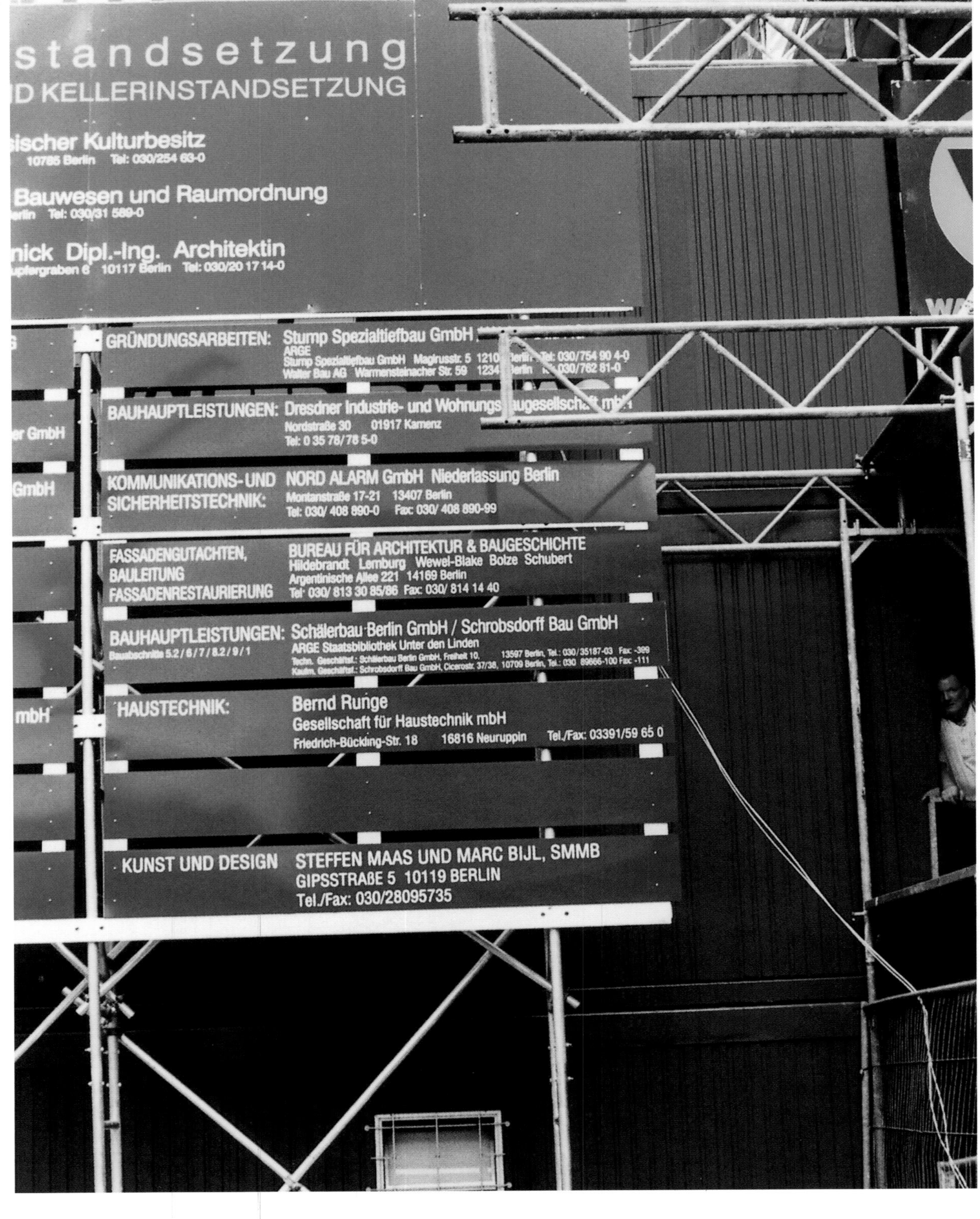

Wir bauen für uns!, Marc Bijl, Steffen Maas
Eigen initiatief

Steffen Maas en Marc Bijl plaatsten ongevraagd informatieve borden bij bouwplaatsen in Berlijn. Zij betitelen deze ingreep als 'corporate graffiti'. 'Graffiti' slaat op het ongevraagde; 'corporate' op de stijl: deze is afgemeten en verzorgd, en straalt het gezag van overheid of grote onderneming uit. Door op subversieve wijze hun naam te verbinden aan grote bouwprojecten, wilden Maas en Bijl delen in wat zij noemen 'de droom van de architect'.

Wir bauen für uns!, Marc Bijl, Steffen Maas
Designer initiative

Steffen Maas and Marc Bijl placed, without being asked, informative notice boards next to building sites in Berlin. They call this intervention 'corporate graffiti'. 'Graffiti' refers to the unasked for; 'corporate' to the style, which is dignified and polished, exuding the authority of government or big business. By subversively linking their names to major construction projects, Maas and Bijl wanted to share in what they call 'the architect's dream'.

Thomas Bromm Grafikdesign,

+ Thermische Bauphysik:
Heinrichs
mer Straße 12
64572 Büttelborn
Tel.: 06152-949 666

Baugrundgutachten/Gründungsberatung:
GuD Geotechnik und Dynamik Consult GmbH
Dudenstraße 78
10965 Berlin
Tel.: 030-789089 0

Brandschutz:
Hosser, Hass + Partner
Hagenplatz 3a
14193 Berlin
Tel.: 030-895955 0

Fachplanung Ausschreibung:
Harms + Partner GbR
Kriegerstraße 44
30161 Hannover
Tel.: 0511-3384 0

Grundbau:
Leonhard Weiss GmbH & Co.
Niederlassung Berlin
Heinrich-Roller-Straße 15
10405 Berlin
Tel.: 030-443 713 0

Generalunternehmer:
Philipp Holzmann AG
Direktion Nord/Ost
Podbielskistraße 333
30659 Hannover
Tel.: 0511-62 65 0

Kunst + Design:
Studio SMMB/ Berlin + Rotterdam
Steffen Maas und Marc Bijl
Gipsstraße 5
10119 Berlin
Tel.: 030/28095735

Land Rheinland-Pfalz
vertreten durch Ministerium der Finanzen Rheinland-Pfalz
vertreten durch Staatsbauamt Koblenz

Hier entstehen ca. 21.000 m² Bürofläche

Projektbeteiligte

Bauherr Despa
Despa Deutsche Sparkassen Immobilien-Anlage GmbH
Mainzer Landstraße 37
60329 Frankfurt am Main
Telefon: 069/7147-0
Telefax: 069/7147-3529

Projektsteuerung
Drees & Sommer
Projektmanagement und bautechnische Beratung GmbH
Bernburger Straße 27
10963 Berlin
Telefon: 030/254394-0
Telefax: 030/254394-900

Gründung
Ingenieurbüro Elmiger & Karstedt
Limastraße 25a
14163 Berlin
Telefon: 030/809926-0
Telefax: 030/8011493

Statik und Haustechnik
CBF Engineering
Ein Unternehmen der Carl Bro Gruppe
Rollbergstraße 70
12053 Berlin
Telefon: 030/62786-0
Telefax: 030/62786-300

Fassadenberatung
IFFT Institut für Fassadentechnik
Karlotto Schott
Niedenau 45
60325 Frankfurt am Main
Telefon: 069/971248-0
Telefax: 069/971248-33

Prüfingenieur
Dipl.-Ing. Ingo Bruchmann
Prüfingenieur für Baustatik
Sembritzkistraße 26
12169 Berlin
Telefon: 030/7960-469
Telefax: 030/7960-668

Brandschutz
Hosser, Hass und Partner
Ingenieur... aft mbH
Am Bruc...
38100 Br...
Telefon: ...9-0
Telefax: ...9-20

Architekt und Generalplaner
NHT
Nägele Hofmann Tiedemann und Partner GbR
Eschersheimer Landstraße 311
60320 Frankfurt am Main
Telefon 069/956710-0
Telefax 069/567173

Generalunternehmer
Müller-Altvatter
Bauunternehmung GmbH & Co. KG
Monchhaldenstraße 26
70191 Stuttgart
Telefon 0711/25007-0
Telefax 0711/25007-150

Bauphysik und Akustik
DS-Plan GmbH
Institut für Bauphysik
Horst Grün GmbH
Mainstraße 1
45479 Mülheim an der Ruhr
Telefon: 0208/46969-0
Telefax: 0208/46969-60

Freianlagen
Büro Heinz H. Eckebrecht
Freier Landschaftsarchitekt BDLA
Nachtigallenweg 17
65779 Kelkheim
Telefon: 06795/63424
Telefax: 06795/63430

Aufzugsplanung
Jappsen und Stangler
Oberwesel GmbH
Hartweg 10
55430 Oberwesel
Telefon: 06744/9308-0
Telefax: 06744/9608-15

Vermessung
Hemminger Ingenieurbüro
GmbH & Co. KG
Puschkinallee 4
12435 Berlin
Telefon: 030/217392-0
Telefax: 030/217392-4

Kunst und Design
Steffen Maas und Marc Bijl, SMMB
Gipsstraße 5
10119 Berlin
Telefon: 030/28095735
Telefax: 030/28095735

1 APR - 30 JUN 2000

GE

NT

Keizer Karel 1500-2000. Een rijk waar de zon niet ondergaat

Over the Edges, Thonik
Opdrachtgever: Stedelijk Museum voor Actuele Kunst Gent

Tijdens de manifestatie 'Over the Edges' was kunst te zien op de hoeken van de straten in Gent. Het geheel werd kracht bijgezet met een veelheid aan visuele uitingen: een huisstijl, een tv-commercial, advertenties, folders, een plattegrond, uitnodigingen, vaandels, etcetera. Blikvanger was de grote letter 'E', die verwijst naar het woord 'Edges' uit de titel. De witte poster bevat alle informatie en is uitgangspunt voor vier rode posters, die elk een gedeelte van de informatie bevatten.

Over the Edges, Thonik
Client: Stedelijk Museum for Contemporary Art Ghent

During the exhibition 'Over the Edges' art was to be seen on street corners in Ghent. Force was added to the whole event with an abundance of visual expressions: a logo, a TV commercial, advertisements, folders, a map, invitations, flags, etc. The eye-catcher was the big 'E', referring to the word 'Edges' in the title. The white poster contains all the information and serves as the basis for four red posters containing part of the information.

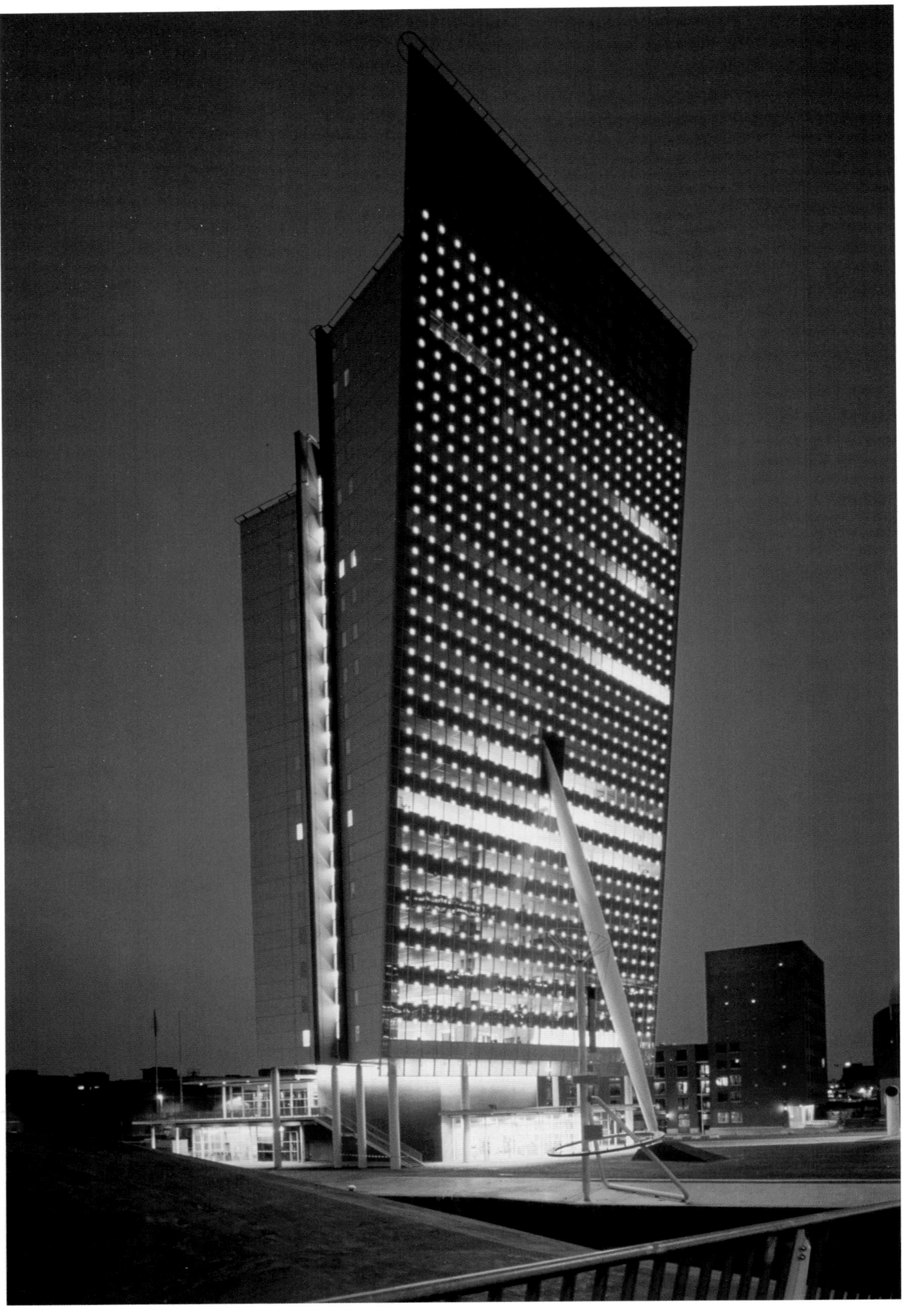

Lichtwand KPN-gebouw, Studio Dumbar
Opdrachtgever: KPN Vastgoed & Facilities

Aan de oostkant van dit façade-achtig gebouw van Renzo Piano is de grootste lichtwand van Europa bevestigd. Hij beslaat 80 x 40 meter en bestaat uit 896 lampen (ontwerp en uitvoering Studio Dumbar). Ooit is overwogen om van dit groen/zwarte pixelscherm een democratisch mededelingenbord te maken, toegankelijk via Internet. Nu worden er om het uur andere animaties op vertoond – commerciële en artistieke.

Light Wall for the KPN Building, Studio Dumbar
Client: KPN Real Estate & Facilities

Europe's largest light wall is on the reverse side of this façade-like building, designed by Renzo Piano. The wall is 80 x 40 metres and made up of 896 lights (designed and produced by Studio Dumbar). It was debated whether to make this greenish-black pixel screen a democratic bulletin board, accessible through the Internet, but it is now used to present different hourly commercial or artistic animations.

GENETIC CONVERTIONS
We thank you for using GC's services! We hope that the delivered product meets all of your standards and desires. GC has helped companies and private persons in making their choices, feel free to ask any questions you might have. Our products have served thousands in getting the animals they always dreamed of.
G.C.: SHAPING YOUR WISHES.
ANIMAL--> ARC 670-01619-0802G
TYPE: RBT.-02121-3 /CT-72767/CR03
5846-77790940-111000-272
BEZET#20 DESIGNED BY DEPT©01.08.00 FREE EVERY SATURDAY: MUSEUMPLEIN / LEIDSEPLEIN / REMBRANDTSPLEIN / KALVERSTRAAT / DAM CHECK WWW.BEZET.NL

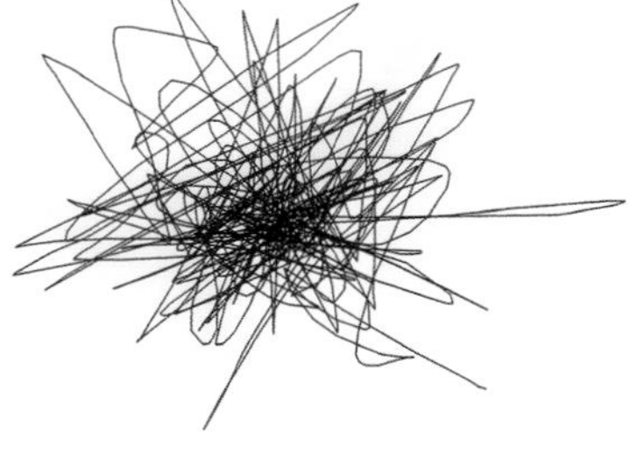

ERRORISM

CHOOSE
YOUR
MISSION
IT'S YOUR TIME TO SHINE.
FULL RESISTANCE.
NO SURRENDER.
BEZET#13 DESIGNED BY DEPT©01.01.00 FREE EVERY SATURDAY: MUSEUMPLEIN /LEIDSEPLEIN /REMBRANDTSPLEIN/KALVERSTRAAT/DAM

Bezet, Mark Klaverstijn, Leonard van Munster, Paul du Bois-Reymond (voorheen DEPT)
Eigen initiatief, mogelijk gemaakt en verspreid door Bert Zuidema

Een project dat bestaat uit maandelijkse statements op plastic tassen. Deze zijn steeds gratis af te halen op verschillende plekken in de stad. Niet alleen is de keuze van het medium origineel, het levert ook krachtige beelden op. Zie ook www.bezet.nl.

Bezet, Mark Klaverstijn, Leonard van Munster, Paul du Bois-Reymond (formerly DEPT)
Designer initiative, made possible and distributed by Bert Zuidema

The project comprises monthly statements printed on plastic bags. The bags can be picked up free at different locations throughout the city. The choice of medium is not only original, but has produced some powerful images. See also www.bezet.nl.

you

light up my life

This poster is an endless tribute to You, source of beauty, love and inspiration.
'You light up my life' is the title of a song by Debbie Boone, daughter of famous religious singer Pat Boone. The song was a huge hit in the USA in 1977.
The other words 'for the strength..' are taken from the song 'I turn to You' a recent release from teen-singer Christina Aguilera.

Zien is Geloven / Kunstestafette Gouda
ErikWong@xs4all.nl / ©2000

for the strength to be strong, for the will to carry on,
for everything you do, I turn to

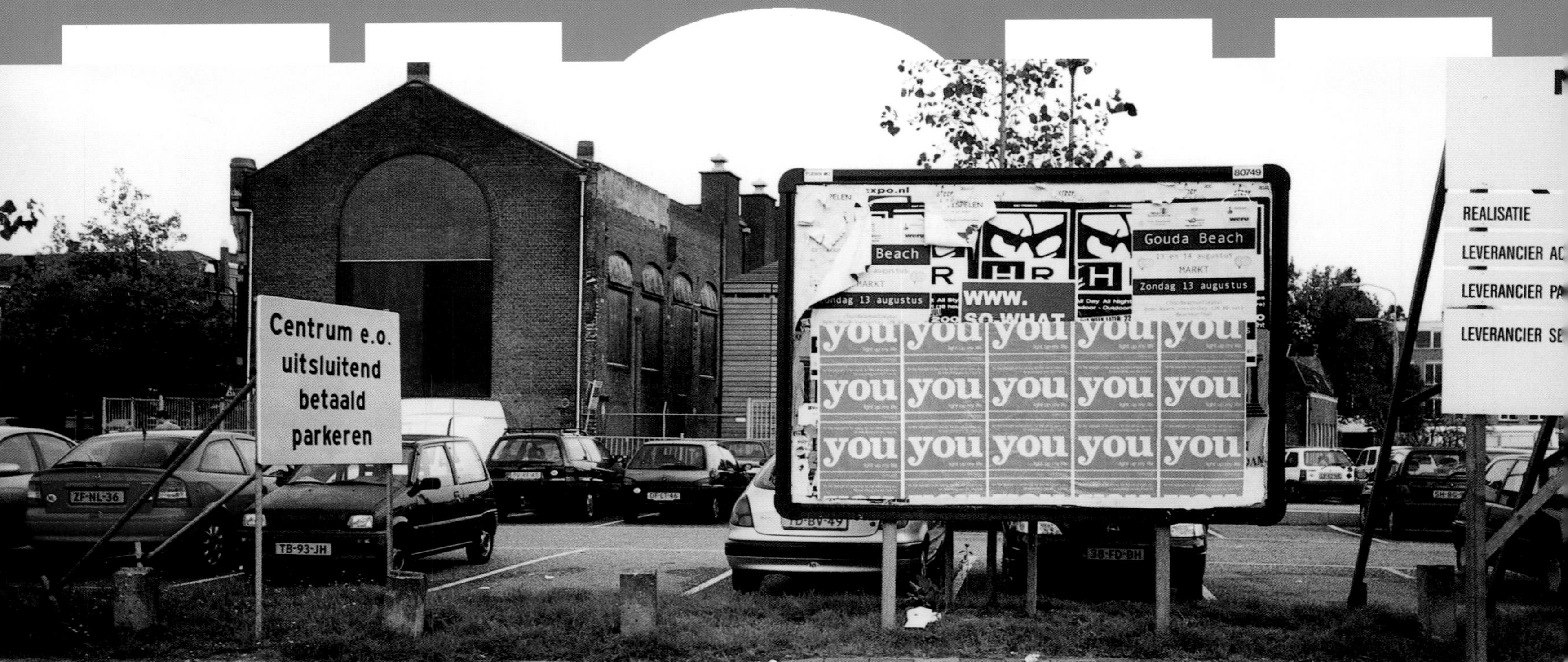

An Endless Tribute to You, Erik Wong
Opdrachtgever: Gemeente Gouda

Het affiche fungeerde als uitnodiging (gevouwen, met drukgang in zwart) en tegelijkertijd als bijdrage aan de tentoonstelling 'Zien is Geloven'. Aan de deelnemers van de tentoonstelling was gevraagd een eigentijds icoon te maken. Erik Wong heeft dat gedaan in de vorm van een 'eindeloos' typografisch affiche.

An Endless Tribute to You, Erik Wong
Client: City of Gouda

The poster functioned as invitation (folded, with printing in black) and at the same time as a contribution to the exhibition 'Zien is Geloven' (Seeing is Believing). The participants in the exhibition were asked to make a contemporary icon. Erik Wong did this in the form of an 'infinite' typographical poster.

Japan.

Towards Total scape

Contemporary Japanese Architecture, Urban Design and Landscape - Edited by Moriko Kira and Mariko Terada

NAi Publishers

Japan. Towards Total Scape, Mevis & Van Deursen
Opdrachtgever: NAi

In de tentoonstelling en catalogus werd recente Japanse architectuur behandeld in relatie tot de bijbehorende lokale context. Een alomtegenwoordig grid van fotokaders – al dan niet ingevuld – lijkt te zeggen dat context altijd aanwezig is, of die nu wordt opgemerkt of niet.

Japan. Towards Total Scape, Mevis & Van Deursen
Client: NAi

In both the exhibition and the catalogue, recent Japanese architecture has been looked at in relationship to its appropriate local context. A ubiquitous grid of photographic frames – filled or empty – seems to say that context is always there, whether it is noticed or not.

024 SUPERDUTCH

of course, more complicated than that – there was perhaps a tongue-in-cheek element to Neutelings's pronouncement – however, a certain common signature can be detected among all the architects concerned. Van Berkel and Bos speak of 'mobile forces', and MVRDV coined the term 'datascapes'.[16] Although the work produced by these firms differs widely, these labels aptly characterize the new situation. Van Berkel and Bos try to collect all possible information relating to a project, and then use the computer's power to synthesize it to create a 'diagram' that then forms the basis of the design. The datascapes of MVRDV, on the other hand, are rather like elaborated versions of what used to be called the 'situation' of the design. The situation was understood to mean the physical place where the design was to be embedded into the existing morphology. Nowadays, however, many more intangible factors have a bearing on the architectural situation, including the planning envelope, laws and regulations on the allowance of natural light and potential noise nuisance, constructional requirements and the needs and wishes of users and neighbouring residents. MVRDV visualizes the outcome of these factors in standardized diagrams or datascapes. Again using computers datascapes are then superimposed on one another – mapped – to reveal the project's constraints before the negotiation process is started up with those involved. This approach ultimately leads to a design in which different layers and fractures within the process remain visible. Datascapes can be extrapolated to a larger scale, to theoretical exercises about the growth of cities, in which the consequences of future scenarios can be visually investigated.[17]

Whatever the merits of such strategies, by developing them the architect succeeds in preserving a certain measure of control over the project, not in a visionary or authoritarian manner, but as a manager who keeps the process on track – although often not without a personal agenda. The most important quest at present is undoubtedly the maximum differentiation of typologies, with the aim of responding to the problems posed by an ever more differentiated society, a theme that clearly plays an important part in town planning, in housing construction, public buildings and offices in many ways. This search is paralleled by research into new forms of organization, in which transparency and connectivity battle for priority.

At a more abstract level, the personal agenda is not infrequently also influenced by philosophers – Foucault, Derrida, Lyotard, Deleuze, to name a few – although never as emphatically as in the Anglo-Saxon architectural discourse. Ben van Berkel and Caroline Bos, and Lars Spuybroek come closest to the latter and participate explicitly in that discourse. The main difference between these and other Dutch architectural practices is that they seem to be far more interested in the internal coherence of their designs. Their work nonetheless shows serious attention to the need for finding practical solutions to the complex problems of contemporary society. A typical instance of this is the special issue of the New York publication *Any* magazine, entitled 'Diagram Work', for which van Berkel and Bos acted as guest editors. In their introduction they write that the point of departure for their research into the diagram was the observation that 'the repetitive process of the verifying of knowledge deeply inhibits the practice of architecture' and is thereby a threat to architecture's future. 'In order to avoid total disillusionment and exhaustion, architecture must continue to evolve its internal discourse, to adapt in specific ways to new materials and technological innovations, and to engage in constant self-analysis.... The end of the grand narrative does not mean that architects no longer dream their own dreams, different from anyone else's.'[18]

It is thus clear that despite all the potential problems facing Dutch architecture, it enjoys a lively discourse in which practical, political and aesthetic arguments go hand in hand with national traditions and international references. The most important result so far is that a series of interesting and innovative buildings and projects have been built.

16. Ben van Berkel, *Mobile Forces* (Berlin, 1994); Winy Maas, *Datascape: The Final Extravaganza*, in *Daidalos* 69/70, Dec 1998/Jan 1999.
17. MVRDV, *Metacity/Datatown* (Rotterdam, 1999).

18. Ben van Berkel and Caroline Bos, preface to '*Diagram Work*', *Any* magazine, no. 23 (New York, 1998).

Superdutch, Mevis & Van Deursen
Opdrachtgever: Thames & Hudson

Onder de stringente regie van uitgever Thames & Hudson zijn Mevis & Van Deursen erin geslaagd een passende vorm te vinden voor dit boek over recente stromingen in de Nederlandse architectuur. De typografie op het omslag accentueert mooi de nog net zichtbare Nederlandse horizon. Deze figureert ook in het voorwerk, op een vele pagina's breed panorama. De horizontale beweging die hier ingezet wordt, plant zich voort in het gehele boek door de manier waarop de foto's over pagina's heenlopen.

Superdutch, Mevis & Van Deursen
Client: Thames & Hudson

Under the strict editorial supervision of Thames & Hudson publishers, Mevis & Van Deursen succeeded in finding an appropriate form for this book on recent trends in Dutch architecture. The typography on the cover nicely accentuates the Dutch horizon, which is just visible. It is also used inside the book, as a wide panorama spreading over several preliminary pages. The horizontal movement that this sets off is also generated throughout the entire book, thanks to the way the photographs move across the pages

Bewoningsin(ter)venties, Bureau voor Tele(Communicatie), Historiciteit & Mobiliteit
Opdrachtgever: Themazecorporation

'Bewoningsin(ter)venties' is de naam van een project waarin een aantal personen, die verschillende groepen in de samenleving vertegenwoordigden, werd uitgenodigd om met elkaar in gesprek te gaan over 'wonen'. Niet om tot alweer een polder-compromis te komen, maar om verschillende standpunten in kaart te brengen. De huisstijl verbeeldt deze achtergrond van het project en brengt het denkproces bij de geadresseerde alvast op gang met uitspraken en afbeeldingen. De stickers waarmee elke uiting gecompleteerd wordt, stellen de afzender in staat om te ontkomen aan een gefixeerd standpunt.

Bewoningsin(ter)venties, Bureau voor Tele(Communicatie), Historiciteit & Mobiliteit
Client: Themazecorporation

'Bewoningsin(ter)venties' (Living In(ter)ventions) is the name of a project in which a number of people representing different groups in society were invited to hold a discussion with each other about (home)'living'. It was not to come up with the umpteenth suburban compromise, but to identify different points of view. The house style illustrates this background for the project and quickly sets off the thought processes of the recipient with statements and reproductions. The stickers that complete each statement allow the sender to avoid taking a fixed point of view.

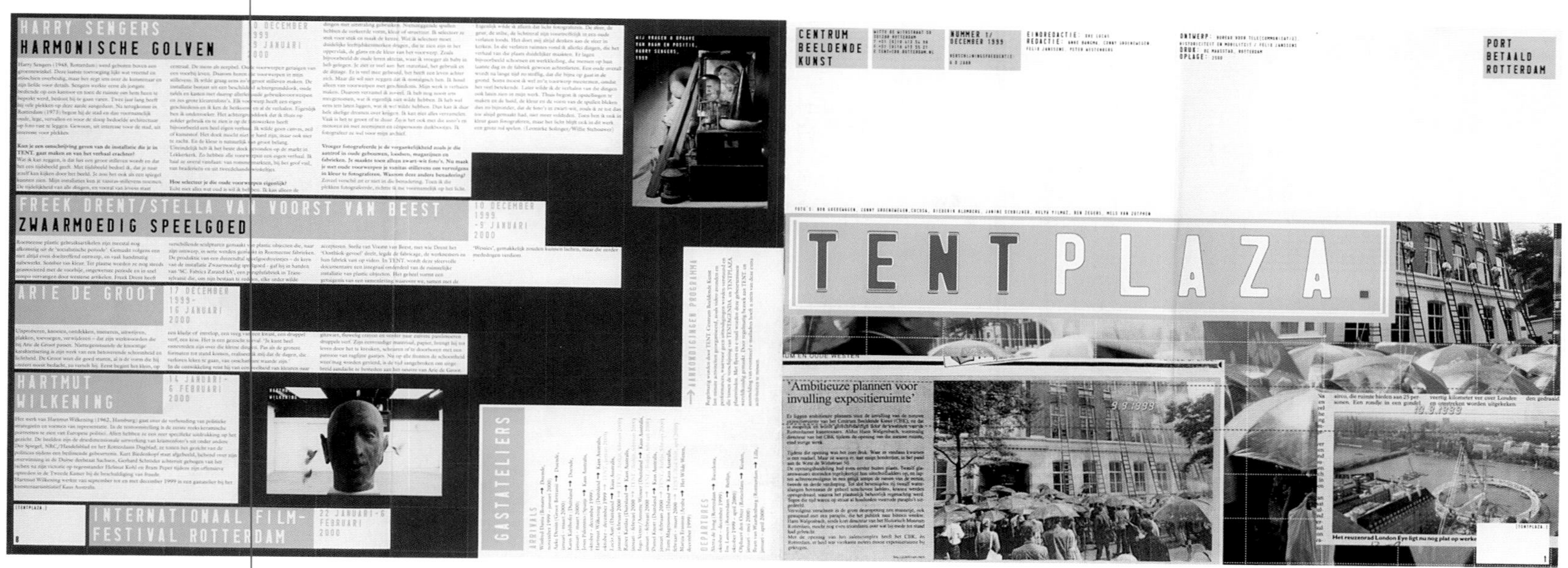

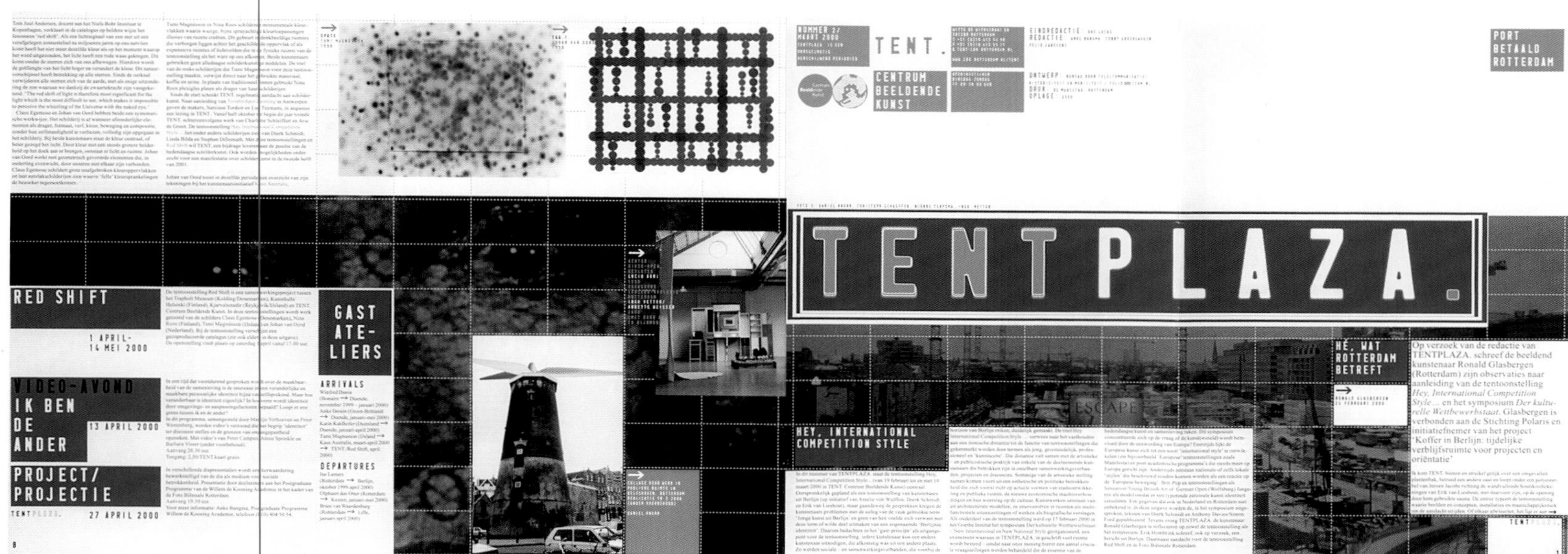

TENTPLAZA., Bureau voor Tele(Communicatie), Historiciteit & Mobiliteit (Anke Bangma, Felix Janssens, Peter Westenberg)
Opdrachtgever: TENT. Centrum Beeldende Kunst

Naast tentoonstellingen organiseert TENT. Centrum Beeldende Kunst in Rotterdam veel kortdurende activiteiten. Het periodiek TENTPLAZA. is bedoeld als een dynamisch ontmoetingspunt voor mensen die betrokken zijn bij TENT. of ermee in aanraking komen. Het heeft dan ook het karakter van een gedrukt prikbord of – in metaforische zin – een open ruimte zoals TENT. zelf is en waar van alles kan gebeuren.

TENTPLAZA., Bureau voor Tele(Communicatie), Historiciteit & Mobiliteit (Anke Bangma, Felix Janssens, Peter Westenberg)
Client: TENT. Centre for Visual Arts

Along with exhibitions, the TENT. Centre for Visual Arts also organizes many short-term activities. TENTPLAZA., a periodical publication, is intended as a dynamic meeting place for people involved with, or coming into contact with TENT. It therefore has the quality of a printed bulletin board or, in the metaphorical sense, an open space where anything can happen, in the same sense that TENT. itself is.

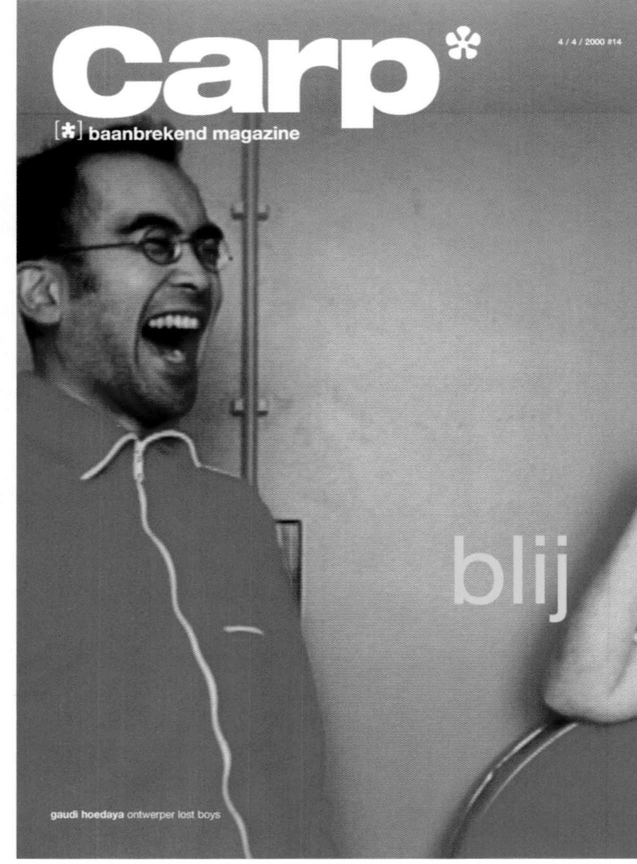

carp*
05 / 9 / 2000 #36
[*] baanbrekend
datahotels
gregor van der mark communicatie manager interxion

Carp, Sabine Verschueren (art direction), Paul van der Groen, Ellen Sanders, Daniëlle van Steenbergen
Opdrachtgever: CrossPoints

Carp is door de onnadrukkelijke, uitgebalanceerde vormgeving een prettig tijdschrift. Het omslagbeleid draagt hiertoe haast ongemerkt bij: op consequente wijze wordt van beeldvullende fotografie gebruikgemaakt om de toon voor elk nummer te zetten.

Carp, Sabine Verschueren (art direction), Paul van der Groen, Ellen Sanders, Daniëlle van Steenbergen
Client: CrossPoints

The unemphatic, perfectly balanced design makes Carp a pleasant magazine. The cover policy contributes to this almost imperceptibly: consistent use is made of full-page photography in order to set the tone for each issue.

Bergweg
New notational systems for urban situations
010 Publishers

016
017
Length
Breadth
Height
BERGWEG
building
parking place
pedestrian
cyclist
tram
car, bus and lorry
Eudokia Tower
Eiffel Tower
Tokyo Tower
Hong Kong Bank
Bank of China
Chrysler Building
Standard Oil
Hancock Tower
Empire State
Sears Tower
Millennium Tower
164

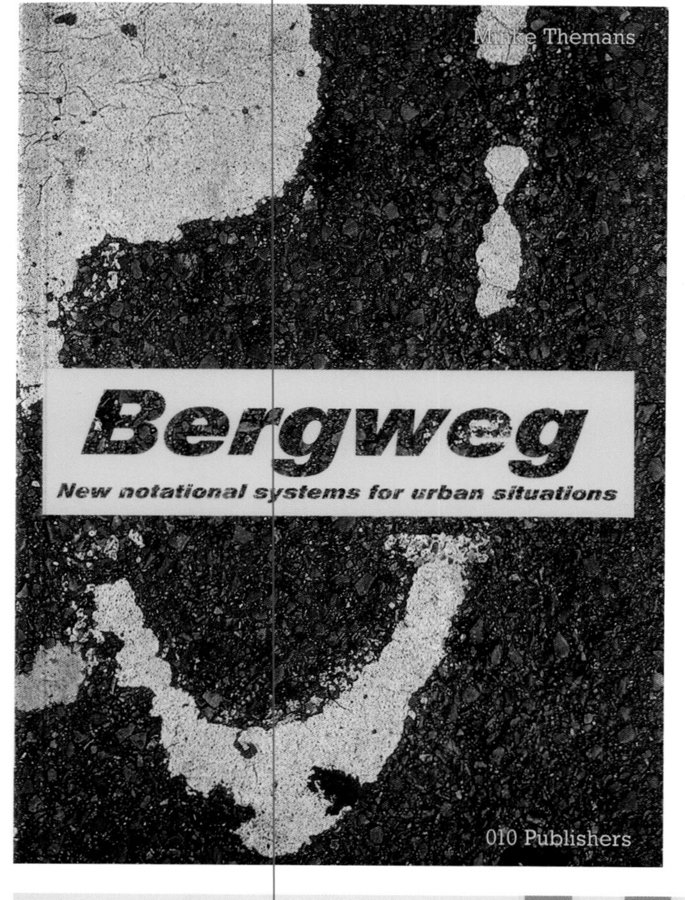

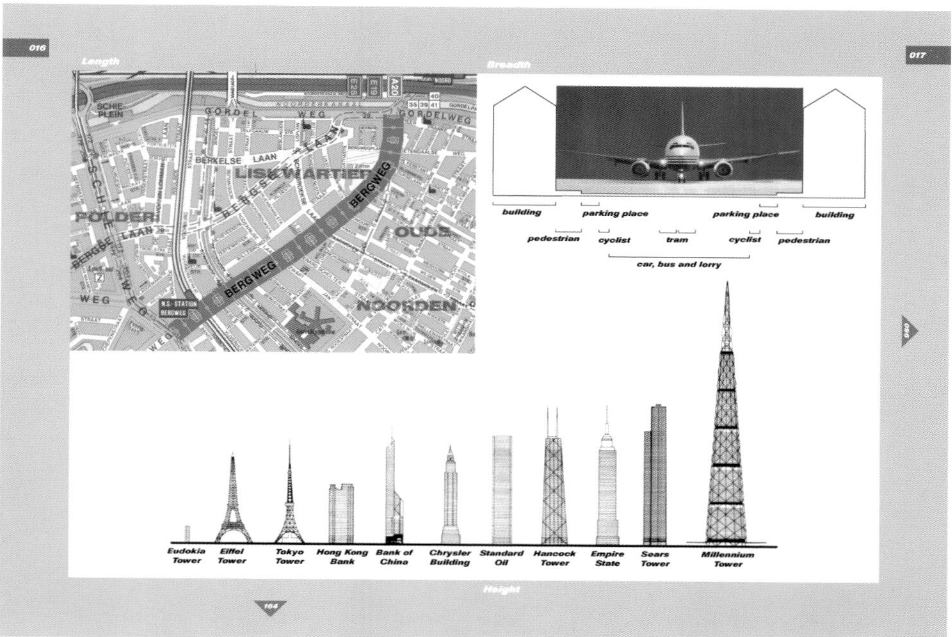

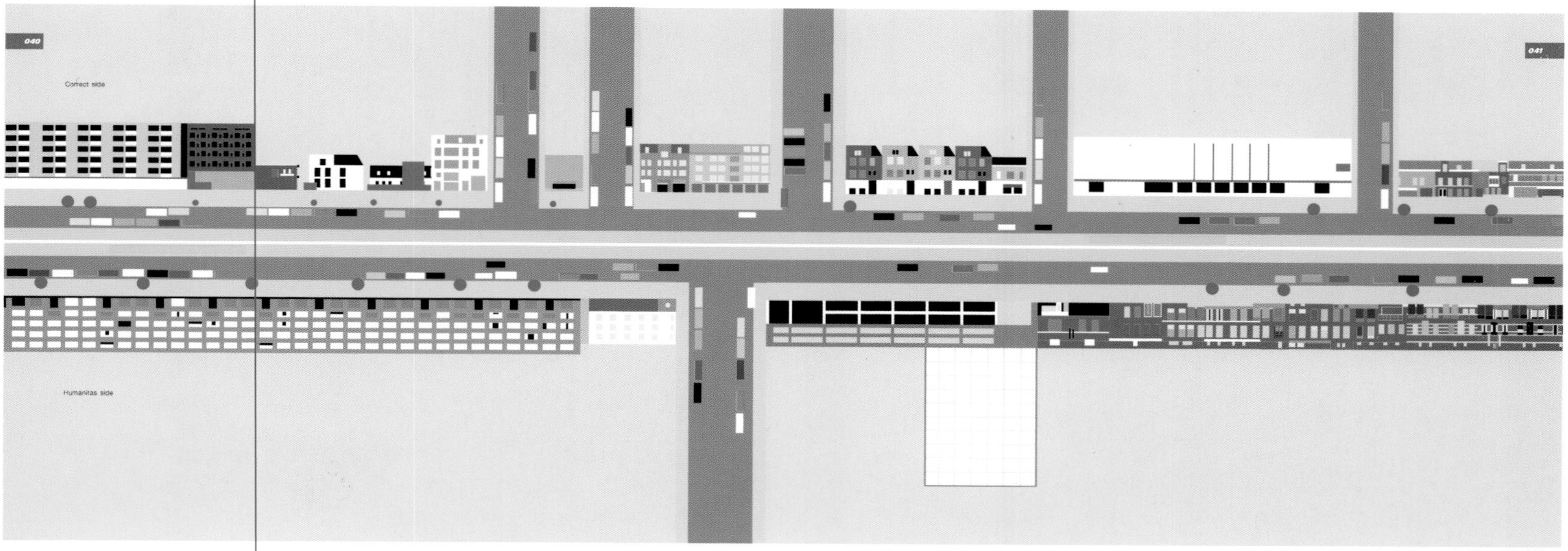

040
041
Correct side
Humanitas side

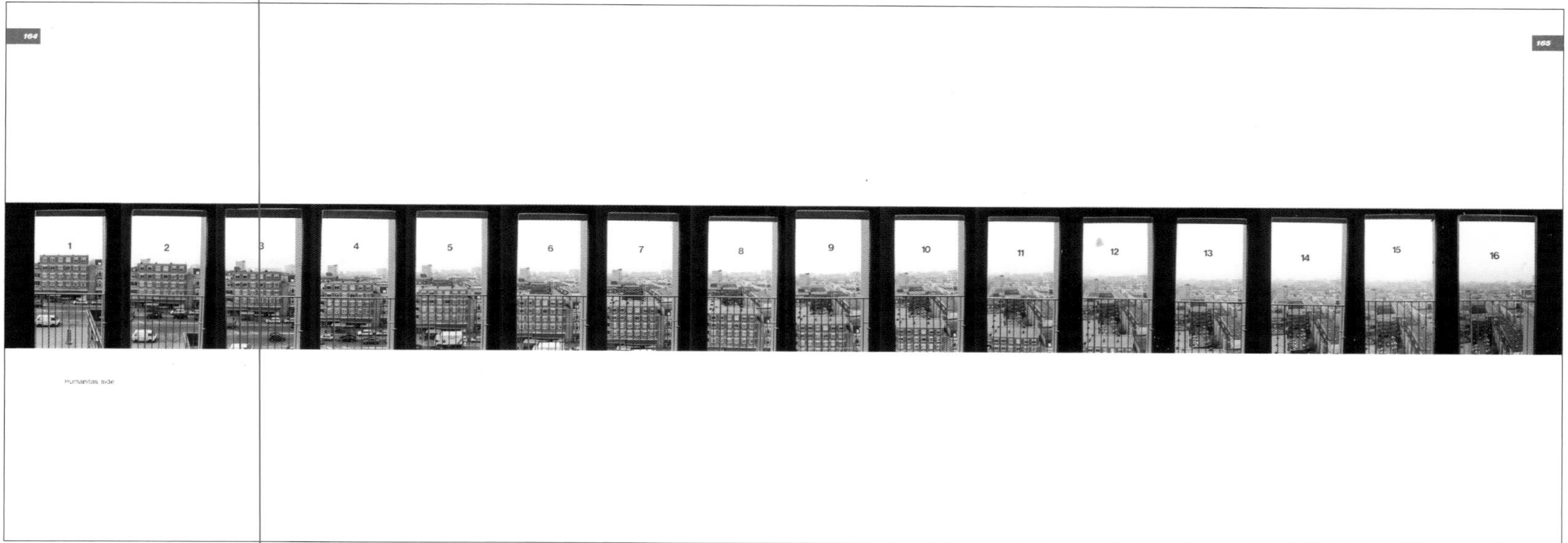

164
165
1
2
3
4
5
6
7
8
9
10
11
12
13
14
15
16
Humanitas side

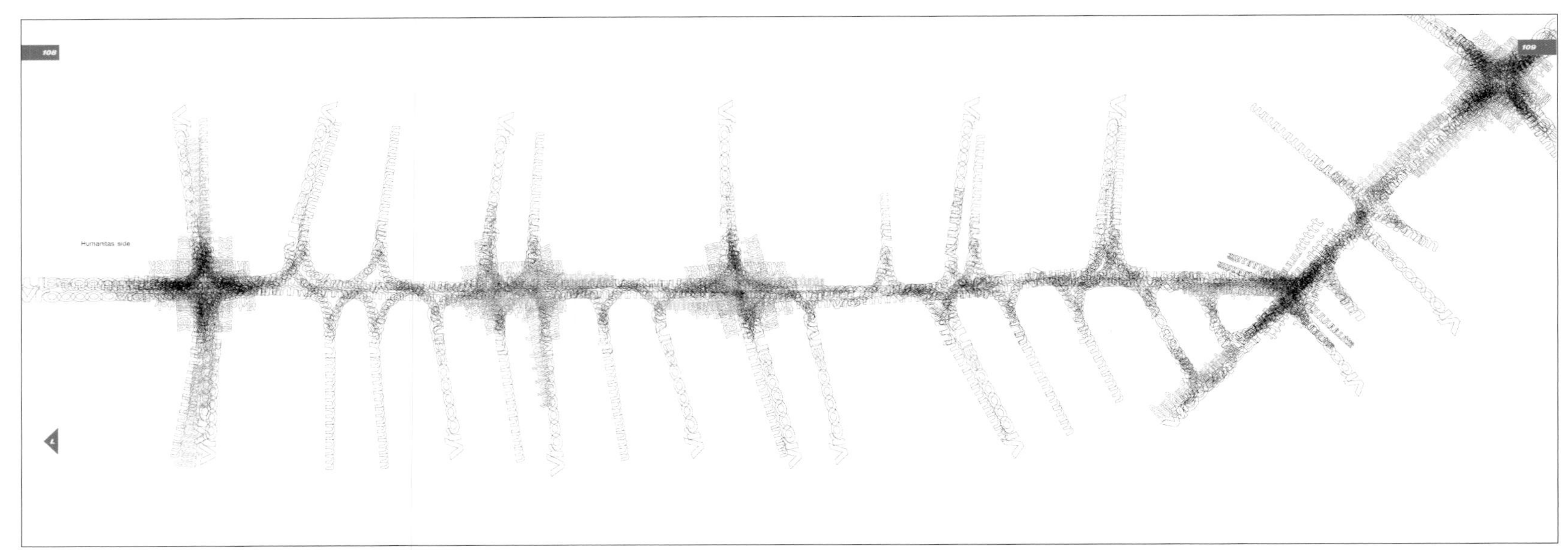

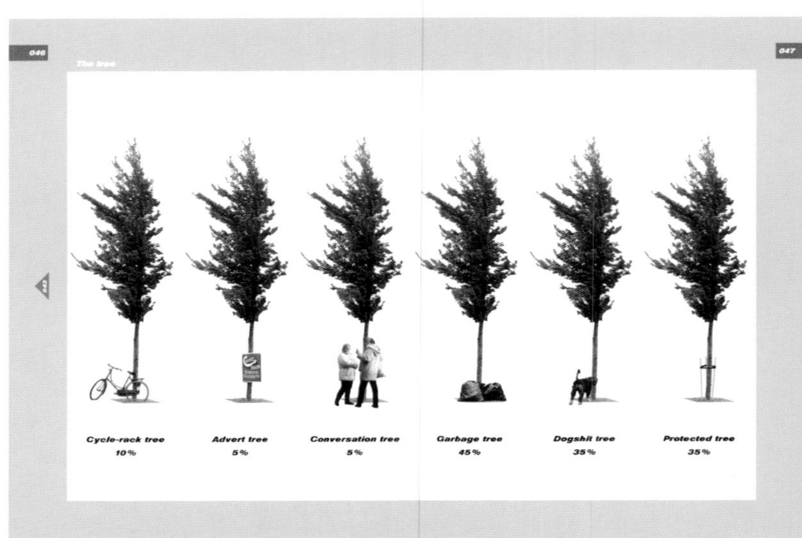

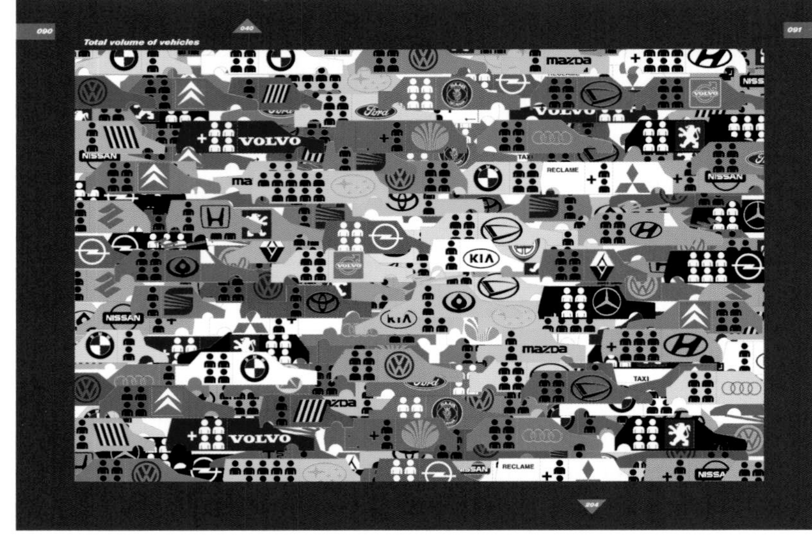

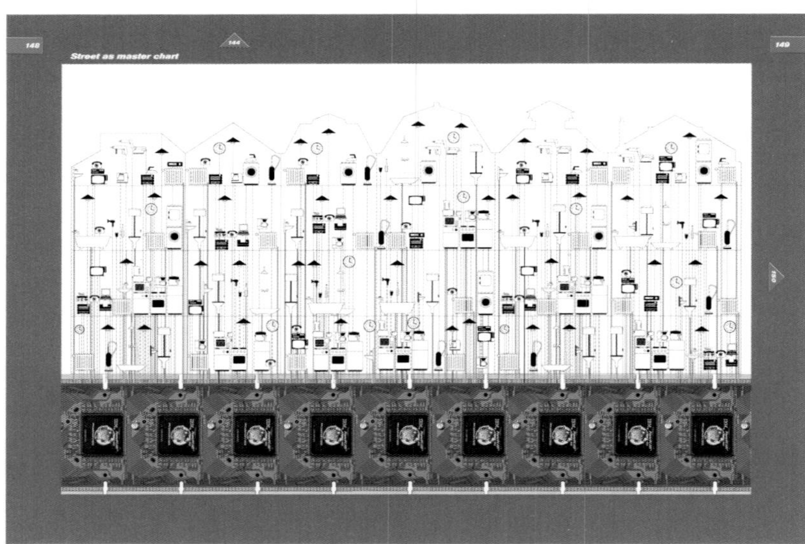

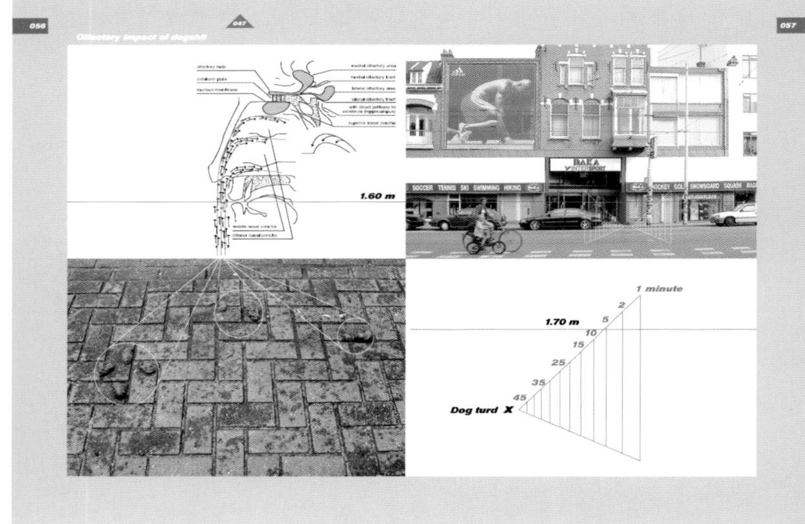

Bergweg. New Notational Systems for Urban Situations, Minke Themans
Eigen initiatief

Minke Themans heeft gezocht naar zoveel mogelijk manieren om de stedelijke ruimte te verbeelden en deed dit op verrassend trefzekere wijze, met inzet van een eindeloze reeks grafische middelen. Onderwerp was de Bergweg, een willekeurig gekozen straat in Rotterdam. Eindexamenproject Post-Academie St. Joost, Breda.

Bergweg. New Notational Systems for Urban Situations, Minke Themans
Designer initiative

Minke Themans looked for as many methods as possible of representing urban space and did this in a surprisingly apt way by deploying an endless series of graphic means. The subject was the Bergweg, an arbitrarily chosen street in Rotterdam. Final exam project, Post-Academy St. Joost, Breda.

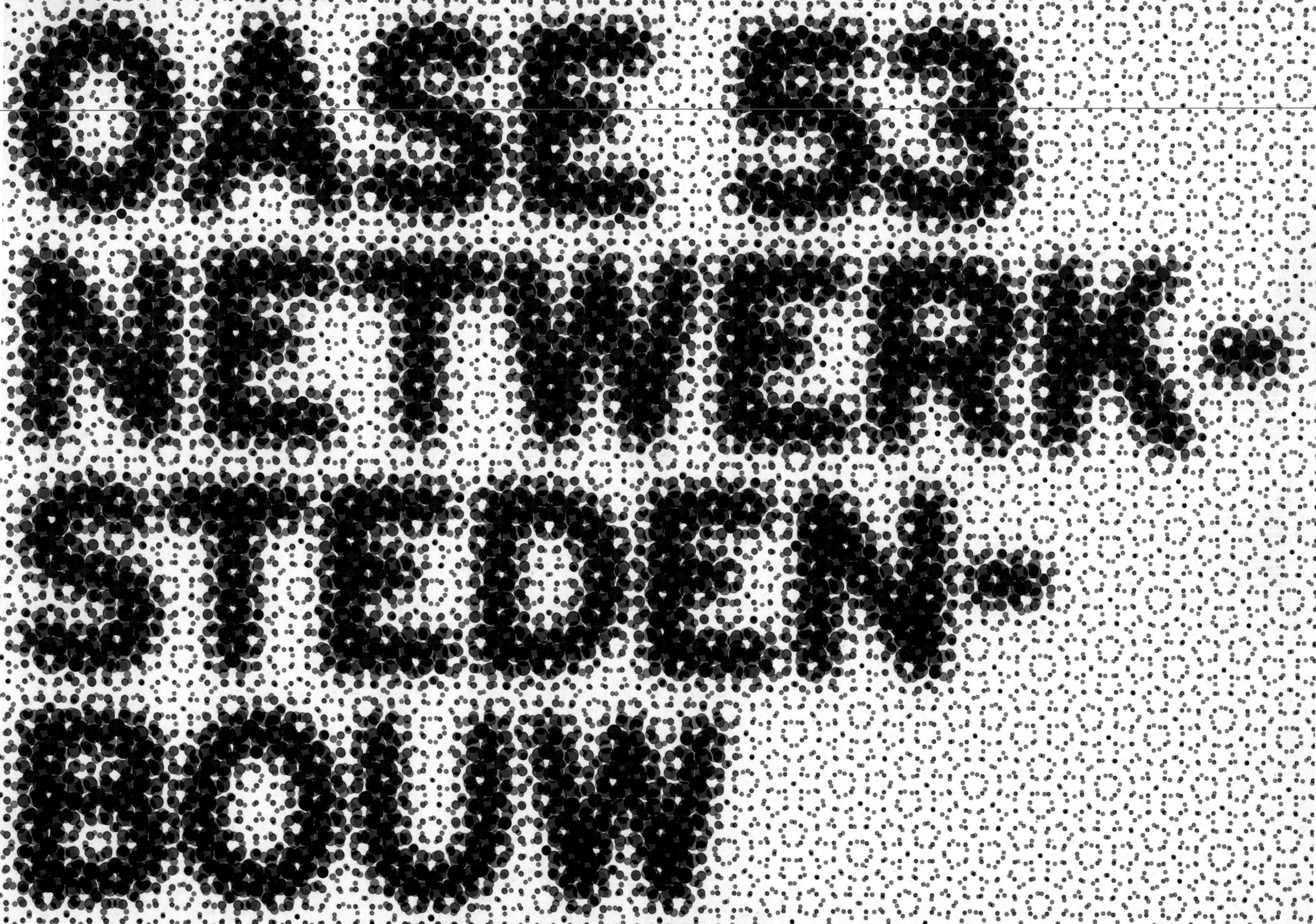
OASE 53
NETWERK-
STEDEN-
BOUW

Kevin Kelly

Zwermen en net-werken

Swarms and networks

De bijenkorf onder mijn kantoorraam ademt rustig wolken bedrijvige beestjes uit en in. Als de zon op zomermiddagen door de bomen filtert en ik de korf met tegenlicht bekijk, zoeven de naderende, door de zon verlichte bijen als lichtspoorkogels met een bocht de donkere opening in. Ik zit nu naar ze te kijken, terwijl ze de laatste schraapsels nectar binnenhalen uit de laatste manzanita-bloesems van het jaar. Weldra komt de regentijd en dan houden de bijen zich verborgen. Ik zal nog steeds naar buiten kijken en zij zullen nog steeds vlijtig werken, maar dan in hun donkere huis. Alleen op de zachtste dagen zal er ik duizenden in de zon mogen aanschouwen.

In mijn jaren als imker heb ik geprobeerd bijenvolken uit gebouwen en bomen te verhuizen als een goedkope manier om thuis een nieuw bijenvolk te starten. Eens haalde ik in het najaar een bijenboom leeg die een buurman had omgehakt. Met een kettingzaag ging ik de gevelde oude tupelo te lijf. De arme boom was verkankerd met bijenraten. Hoe verder ik zaagde in het binnenste van de boom, des te meer bijen trof ik aan. De insecten namen een holte in beslag die zo groot was als ikzelf. Het was een koele grijze herfstdag en alle bijen waren thuis, en raakten nu geagiteerd door de ingreep. Uiteindelijk stak ik mijn hand in de warboel van raten. Het was warm! Minstens 35 graden. Met de dicht opeengepakte 100.000 koudbloedige bijen was de korf een warmbloedig organisme geworden. De verwarmde honing vloeide als dun, warm bloed. Ik had het gevoel alsof ik mijn hand in een stervend dier had gestoken.

Het idee van het collectieve volk als organisme had lang op zich laten wachten. De Grieken en Romeinen waren beroemde bijenhouders, die aanzienlijke hoeveelheden honing vergaarden uit zelfgemaakte korven, maar hun 'kennis' van bijen was op bijna alle punten een misvatting. Laten we dit maar toeschrijven aan de duistere samenzwering van het bijenbestaan, een geheim dat wordt bewaakt door tienduizend uitermate loyale, gewapende soldaten.

Democritus dacht dat bijen dezelfde oorsprong hadden als maden. Xenophon ontdekte de koningin, maar schreef haar abusievelijk leidinggevende verantwoordelijkheden toe die ze niet heeft. Aristoteles krijgt een pluim, want hij had het op veel punten goed, zoals de redelijk accurate observatie

such in their own residential environment. Besides the top-down imposed hierarchy a new bottom-up arrangement is being created based on sociocultural preferences and intersections of individual temporal and spatial budgets. Public space does not vanish in the network city but takes on a new significance and reappears in different places. Sometimes these are places, inside and outside the city, which only take on a particular identity temporarily, because of some event or activity. Apart from them many new collective spaces are being created in the form of multiplex cinemas, sports complexes, shopping centres, motorway service areas, filling stations, car parks, recreation parks and infrastructural interchanges like airports and railway stations. These non-territorial, functional spaces and intersections of physical networks are places where innumerable individual routes and different sociocultural groups cross one another's paths and can become involved with one another. Ambiguities may arise which can give them significance as late modern urban public or collective spaces for many different groups. The task is to increase and exploit flexibility and programmatic complexity so as to create multi-layered spaces capable of being used in different ways, in particular for functional or social purposes different from those for which they were actually designed. While they may perhaps be non-places in Augé's anthropological sense, they are certainly not places without significance in everyday urban life.

Translation: Arthur Payman, Bookmakers

ten. De openbare ruimte verdwijnt niet in de netwerkstad maar krijgt een nieuwe betekenis en komt op nieuwe plekken weer tevoorschijn. Soms zijn dat plekken, zowel in de steden als daarbuiten, die slechts tijdelijk door een evenement of een activiteit een bepaalde identiteit krijgen. Daarnaast ontstaan er vele nieuwe collectieve ruimten in de vorm van mega-bioscopen, sportcomplexen, winkelcentra, wegrestaurants, tankstations, parkeerplaatsen, recreatieparken en knooppunten van infrastructuur als luchthavens en stations. Deze non-territoriale functionele ruimten en knooppunten van fysieke netwerken zijn plekken waar talloze individuele trajecten en verschillende sociaal-culturele groepen elkaar kruisen en op elkaar betrokken kunnen raken. Er kunnen meerduidigheden ontstaan waardoor ze als laatmoderne stedelijke openbare of collectieve ruimten betekenisvol kunnen zijn voor uiteenlopende groepen. De opgave is de flexibiliteit en programmatische complexiteit verder op te voeren en uit te buiten waardoor gelaagde ruimten ontstaan die op verschillende wijzen gebruikt kunnen worden, ook voor andere functionele of sociale doeleinden dan waarvoor ze feitelijk zijn ontworpen. Want het zijn misschien wel nonplaatsen in de antropologische betekenis van Augé, maar zeker geen betekenisloze ruimten in het alledaagse stedelijke leven.

Oase 53, Joris Maltha, Karel Martens, Batia Suter (Werkplaats Typografie)
Opdrachtgevers: Uitgeverij SUN, Stichting Oase

Karel Martens maakt al jarenlang van het architectuurtheoretische tijdschrift Oase iets om naar uit te zien. Het basisontwerp bleef gelijk maar oogt nog steeds vitaal. Martens vervalt nooit in het routineus vullen van kolommen, mede door de hulp in te roepen van jonge collega's. Met de ingetogen beeldredactie wordt regelmatig commentaar geleverd op de inhoud, zonder opdringerige uitspraken te doen. Het thema van Oase nummer 53 was 'netwerk stedenbouw'.

Oase 53, Joris Maltha, Karel Martens, Batia Suter (Werkplaats Typografie)
Clients: SUN Publishers, Oase Foundation

For years Karel Martens has been making Oase, the magazine of architectural theory, something to look forward to. The basic design remains the same but still looks vital. Martens never lapses into routinely filling columns, partly by enlisting the help of young colleagues. The modest picture editing regularly comments on the contents, without making obtrusive statements. The theme of Oase 53 was 'urban networks'.

UNFR#AF01000000B-BA01E13000C

14. AG010000000 (conflicting reservations): Indonesia, Monaco
15. AG01000000A: reserved for Singapore
16. AG310000000: reserved for Japan
17. AG32D35000E: reserved for Tajikistan
18. AG32G35000D: reserved for Lebanon
19. AG010000000: reserved for Thailand
20. AG39C27000A: reserved for Liberia (1st of 2)
21. AG39C28000A: reserved for United States of America
22. AG39C28000E: reserved for Malaysia

PAGE 5

UNFR INDEX

PAGE 6

Complexiteit

Complexiteit is ongetwijfeld het grootste vraagstuk in de hedendaagse vormgeving. Dat gaat in extreme mate op voor een gebied als architectuur, maar complexiteit manifesteert zich ook in het grafisch ontwerpen. Geen vraag leidt nog tot een enkel sluitend antwoord. Hoe breng je steeds ingewikkeldere processen van kennis- of informatieoverdracht overzichtelijk in beeld? Hoe bewaar je de vaak tegenstrijdige gelaagdheden van betekenis en functie binnen een vorm die ook eenduidig genoeg moet zijn om nog te communiceren?

Vergaande diversificatie van media, boodschappen en doelgroepen dwingt ontwerpers tot het definiëren van strategieën die niet meer te legitimeren zijn vanuit objectiviteit of algemene geldigheid. Vrijwel nooit is een enkel gebaar afdoende, ook omdat het netwerk – een van de toverwoorden van de 21ste eeuw – waarvoor de mededeling bedoeld is, zelden een stabiel gegeven blijkt te zijn. Puzzels en vraagtekens lijken als antwoord meer geschikt dan het definitieve beeld. De waarheid was een hooggeprezen ideaal van een eerdere periode, maar inmiddels geldt vrijwel iedere waarheid als een naïeve generalisatie. De ontwerper stelt vragen die alleen door de individuele ontvanger beantwoord kunnen worden. Hij schrijft niet voor, maar omschrijft. Vermoedelijk zijn het vooral opties die in het ontwerp gestalte krijgen en is het aan de uiteindelijke gebruiker om er betekenis aan te geven.

Vooralsnog overheerst een ironische, luchthartige toon. Humor helpt ons de chaos te hanteren. Daardoor krijgt de vormgeving een sterk persoonlijk karakter: geen school, geen methode, maar een individuele repliek.

Complexity

Complexity is undoubtedly the greatest issue in contemporary design. This is true to the extreme for a field such as architecture, but complexity manifests itself in graphic design as well. There is not a problem out there that leads to a single, conclusive answer. How can you continue to visualise increasingly complicated processes of transferring knowledge and information? How do you retain what are often conflicting layers of meaning and function within a form that is still single-minded enough to communicate?

Far-reaching diversification of media, messages and target groups force designers to define strategies that can no longer be legitimised from the standpoint of objectivity or general validity. A single gesture is almost never effective, partly because the network – one of the magic words of the 21st century – for which the message is intended seldom proves to be a stable given. Puzzles and question marks seem to be better suited as answers than a definitive image. Truth was a highly prized ideal for an earlier epoch, but in the meantime, almost every truth is valid merely as a naïve generalisation. The designer asks questions that can only be answered by the individual recipient. He does not prescribe, but describes by circumscribing. These are most likely to be options that take shape in the design. It is up to the final user to give them significance.

For the moment, an ironic, light-hearted tone is most prevalent. Humour helps us manage the chaos. Design therefore takes on a very personal character. No school, no method, just individual repartee.

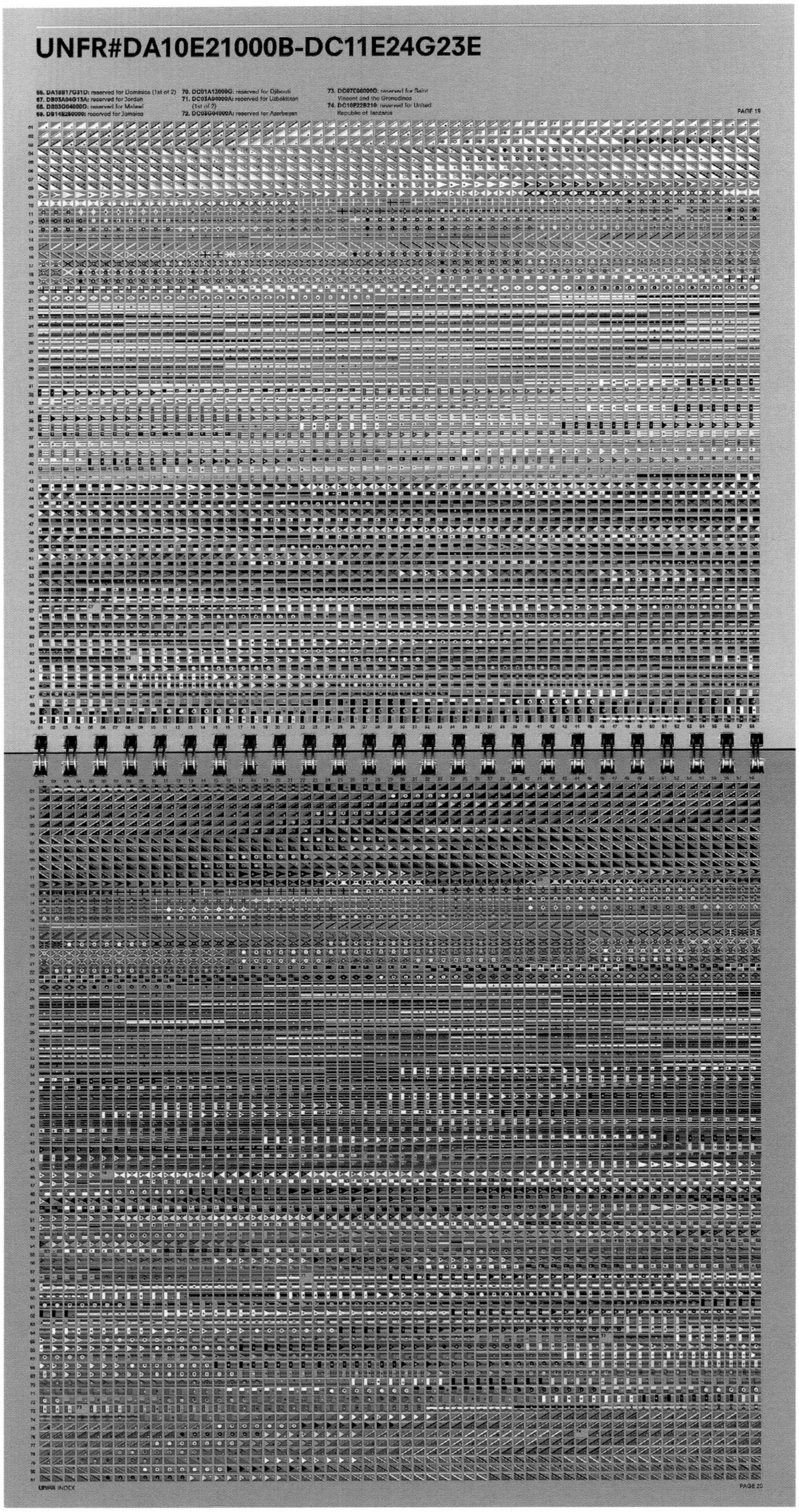

UNFR#DA10E21000B-DC11E24G23E

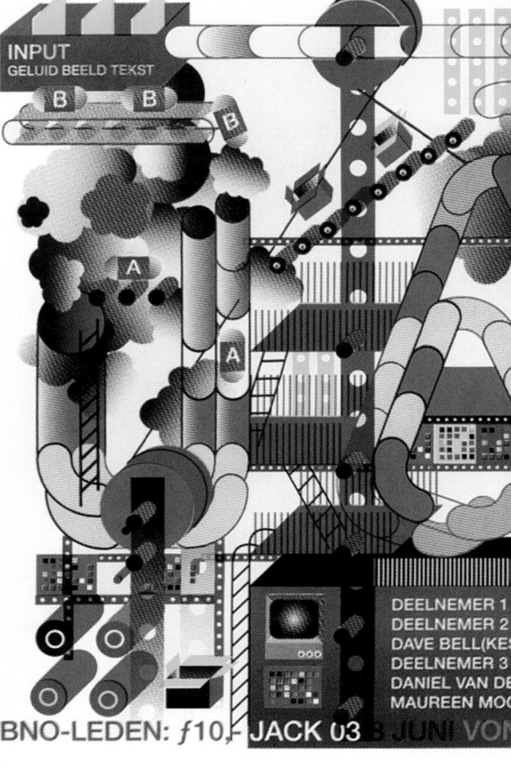

UNFR, Arjan Groot, (020) ontwerpers
Eigen initiatief

In het kader van zijn eindexamen aan de Gerrit Rietveld Academie bedacht Arjan Groot de Universal authority for National Flag Registration als aanleiding om een nog onontdekt element van de beeldcultuur in kaart te brengen: de nationale vlag. Uitgaande van een aantal basisvormen en mogelijke kleurcombinaties worden reeds geclaimde en nog opeisbare vlaggen systematisch in beeld gebracht. Geen overbodige luxe in een tijd waarin talloze territoriumconflicten worden uitgevochten, onafhankelijkheidsstrijders niet bij voorbaat kansloos zijn en hier en daar zelfs een volkslied wordt herzien.

UNFR, Arjan Groot (020) ontwerpers
Designer initiative

For his final exam project at the Gerrit Rietveld Academy, Arjan Groot invented the Universal authority for National Flag Registration to focus on national flags, a hitherto unexplored element of our visual culture. Starting with several basic forms and possible colour combinations, he systematically illustrated flags either already in use or yet to be claimed. In a time when countless territorial conflicts are being fought, freedom fighters are not without hope and the occasional national anthem is in the process of being rewritten, this may not be an extravagance.

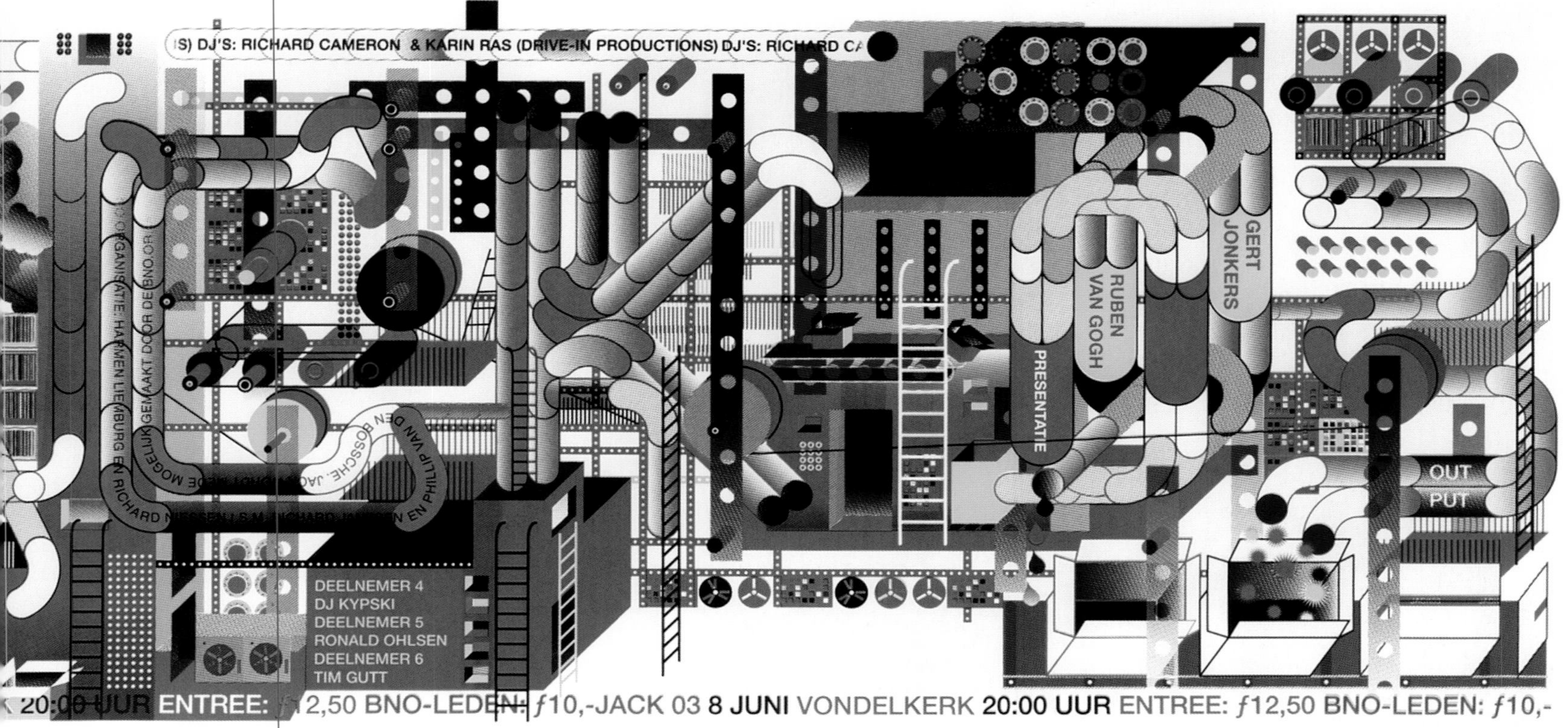

JACK 03, GM
Opdrachtgever: JACK

De projecten waarvoor Harmen Liemburg en Richard Niessen (GM) ontwerpen zijn kleinschalig. De inzet is vrijwel altijd te komen tot sterk geconstrueerde, overvolle, geënsceneerde en desondanks naïeve beelden, waarin een ouderwetse kwestie als het verschil tussen abstractie en figuratie weer actueel wordt. Hoewel ze onmiddellijk aan de schilderijen van Fernand Léger doen denken of een uitbundige variant van Gerd Arntz, onttrekken ze zich toch aan elke gangbare kwalificatie. Ze worden met de computer gemaakt, maar bij voorkeur gerealiseerd in een archaïsche druktechniek – gezeefdrukt zijn ze onweerstaanbaar. JACK is een initiatief van Niessen en Liemburg waarmee zij verbindingen willen leggen tussen schrijvers, muzikanten, beeldend kunstenaars en grafisch ontwerpers. Ze organiseren avonden en ontwerpen het bijbehorende drukwerk.

JACK 03, GM
Client: JACK

GM designers Harmen Liemburg and Richard Niessen design for small-scale projects. Their aim is almost always to achieve strongly structured, overfull, staged yet naïve images that revive old-fashioned questions, such as the difference between figurative and abstract. Although immediately reminiscent of Fernand Léger or an enthusiastic version of Gerd Arntz, they fall outside all the usual qualifications. They are made with the computer, but preferably realized in an archaic printing technique – the silkscreens are irresistable. JACK was initiated by Niessen and Liemburg in order to create a connection between writers, musicians, visual artists and graphic designers. They organized evening activities and designed the accompanying printed material.

Jonus, GM
Opdrachtgever: Jonus

Affiche ter promotie van de Amsterdamse band Jonus. 'Typografie diende als uitgangspunt voor deze in beeld gestolde geluidsexplosie,' aldus Richard Niessen van GM.

Jonus, GM
Client: Jonus

Poster to promote the Amsterdam band Jonus. 'Typography served as the starting-point for this explosion of sound solidified in an image,' says GM's Richard Niessen.

Wallpaper nr. 6, Persijn Broersen
Eigen initiatief

Beeldcollage gemaakt naar aanleiding van Broersens tentoonstelling 'Wallpaper' in Hoorn. Het onderwerp hiervan omschreef hij zelf als volgt: 'Onzichtbare netwerken die over de hele wereld zijn uitgestrekt en die de mensen volledig – bewust of onbewust – in hun macht hebben.'

Wallpaper no. 6, Persijn Broersen
Designer initiative

This is a collage image created for Broersen's 'Wallpaper' exhibition held in the city of Hoorn. He described the design as: 'Invisible networks that have spread over the whole world and – consciously or unconsciously – have people completely in their power.'

The Next Blueprint in Denim, voorheen OK
Opdrachtgever: Fanclub

Psychedelisch ontwerpen anno 2000. Affiche voor Levi's Red als 'niche marketing'-bijlage bij het tijdschrift Sec.06, dat op dat moment werd gesponsord door onder andere Levi's Nederland.

The Next Blueprint in Denim, formerly OK
Client: Fanclub

Psychedelic design in the year 2000. Poster for Levi's Red as 'niche marketing' supplement in the magazine Sec.06, one of whose sponsors at that time was Levi's Nederland.

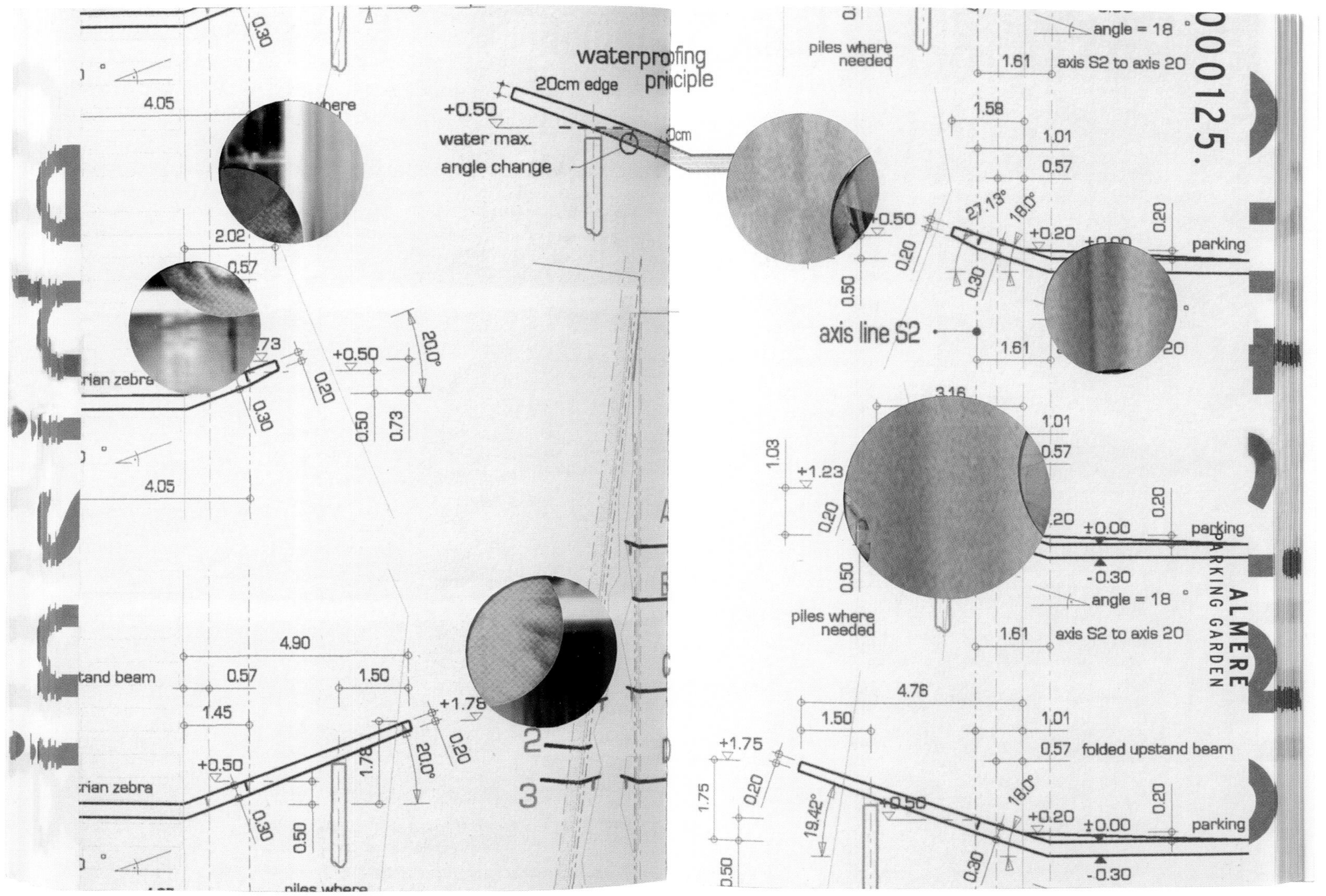

Movements: Introduction to a Working Process, Irma Boom
Opdrachtgevers: Storefront, Inside Outside

Het ontwerpbureau Inside Outside van Petra Blaisse is actief op het gebied van interieur, tuin en landschap. In 'Movements' wordt per project inzicht gegeven in het werkproces. Het doorbreken van de traditionele relatie tussen interieur en exterieur is – zoals ook tot uitdrukking komt in de naam van het bureau – het centrale thema in dit oeuvre. Irma Boom speelt hierop in door een papiersoort toe te passen met een verschillende voor- en achterzijde, waardoor glanzende en matte spreads elkaar afwisselen. Alle pagina's zijn bovendien voorzien van 'vensters', in de vorm van uitgestanste cirkels.

Movements: Introduction to a Working Process. Irma Boom
Clients: Storefront, Inside Outside

Petra Blaisse's design studio, Inside Outside, is actively involved in interior, garden and landscape design. 'Movements' gives an insight into their working process, project by project. Eliminating the traditional division between interior and exterior – as the title of the studio implies – is the central theme of this work. Irma Boom plays with this idea by using a paper that is different on the front and back, so that glossy spreads are alternated with matt spreads. Each page also has 'windows', in the form of circles punched out of the paper.

BESTELFORMULIER

ontdek uw plek in het omroepbestel en win bestel-tv!

Hoofdstuk 3, Afdeling 1, artikel 14, 1c van de Mediawet De omroepvereniging stelt zich blijkens haar statuten ten doel een bepaalde in de statuten aangeduide maatschappelijke, culturele of godsdienstige dan wel geestelijke stroming te vertegenwoordigen en zich in haar programma te richten op de bevrediging van in het volk levende maatschappelijke, culturele, of godsdienstige dan wel geestelijke behoeften.

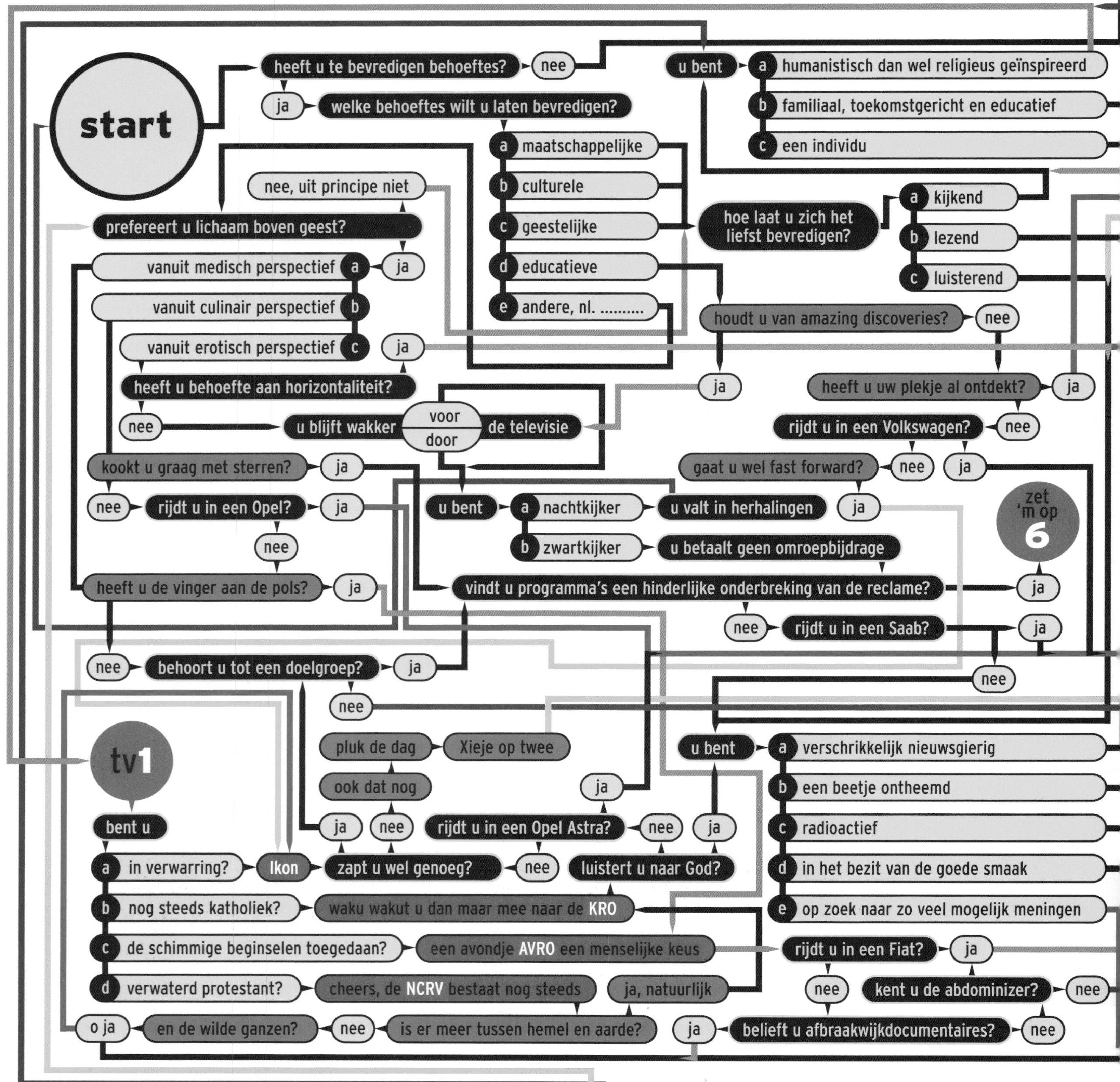

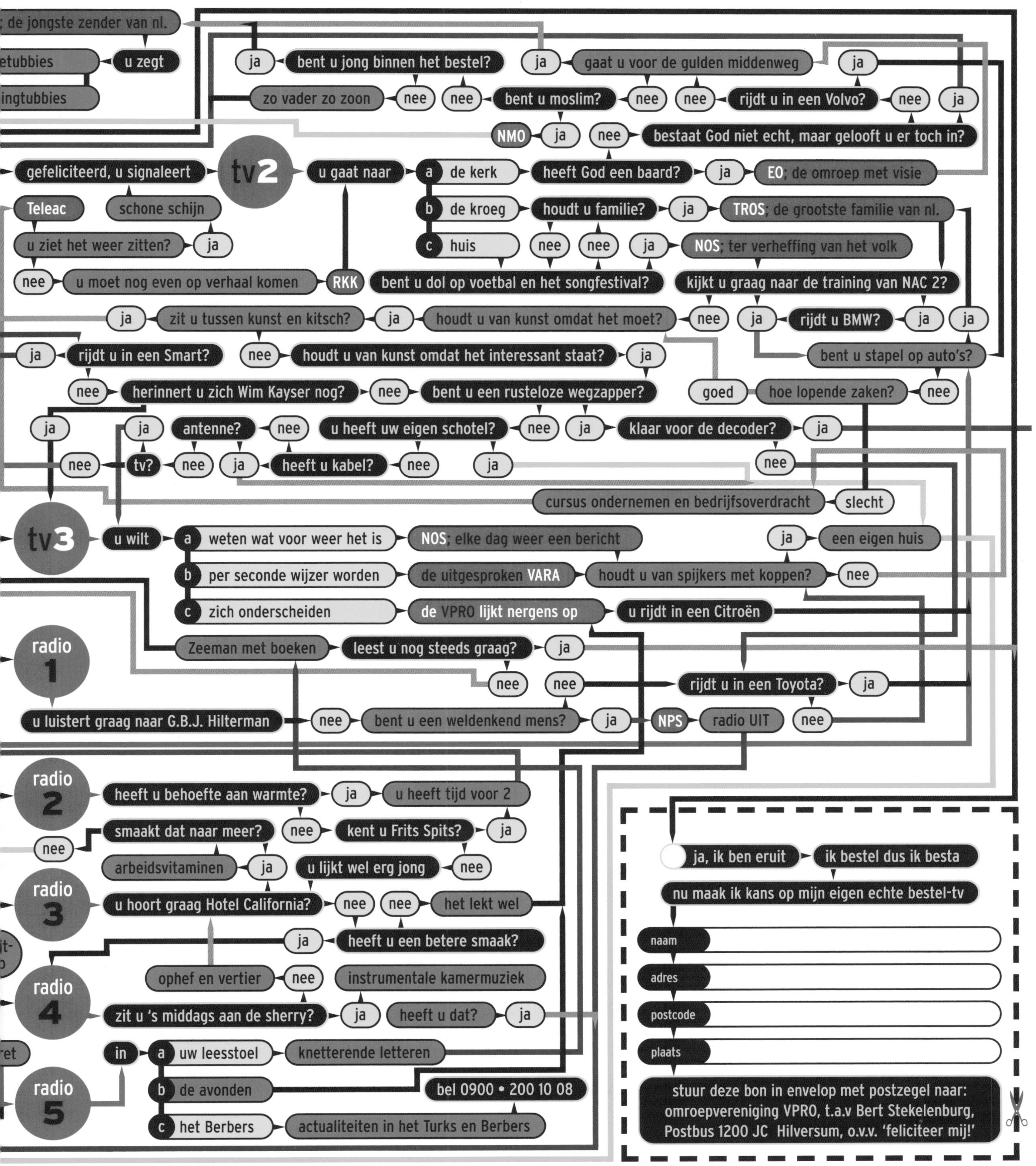

VPRO-onderzoeken, Martijn Engelbregt (EGBG)
Opdrachtgever: VPRO Backstage

Grafische vormgeving als gegevensbeheer. Martijn Engelbregt is een informatieverzamelmaniak. Hij geeft een gezicht aan een vorm van omgaan met informatie – en de doorgeslagen mafheid daarvan – die normaal gesproken voorbijgaat aan vormgevers. De 'doodlopende' enquête is zijn meest geliefde element.

VPRO investigations, Martijn Engelbregt (EGBG)
Client: VPRO Backstage

Graphic design as data management: Martijn Engelbregt is an information-collecting fanatic. He puts a face to a method of dealing with information – and the over-the-top nuttiness of it all – normally overlooked by most designers. The 'dead-end' questionnaire is his favourite element.

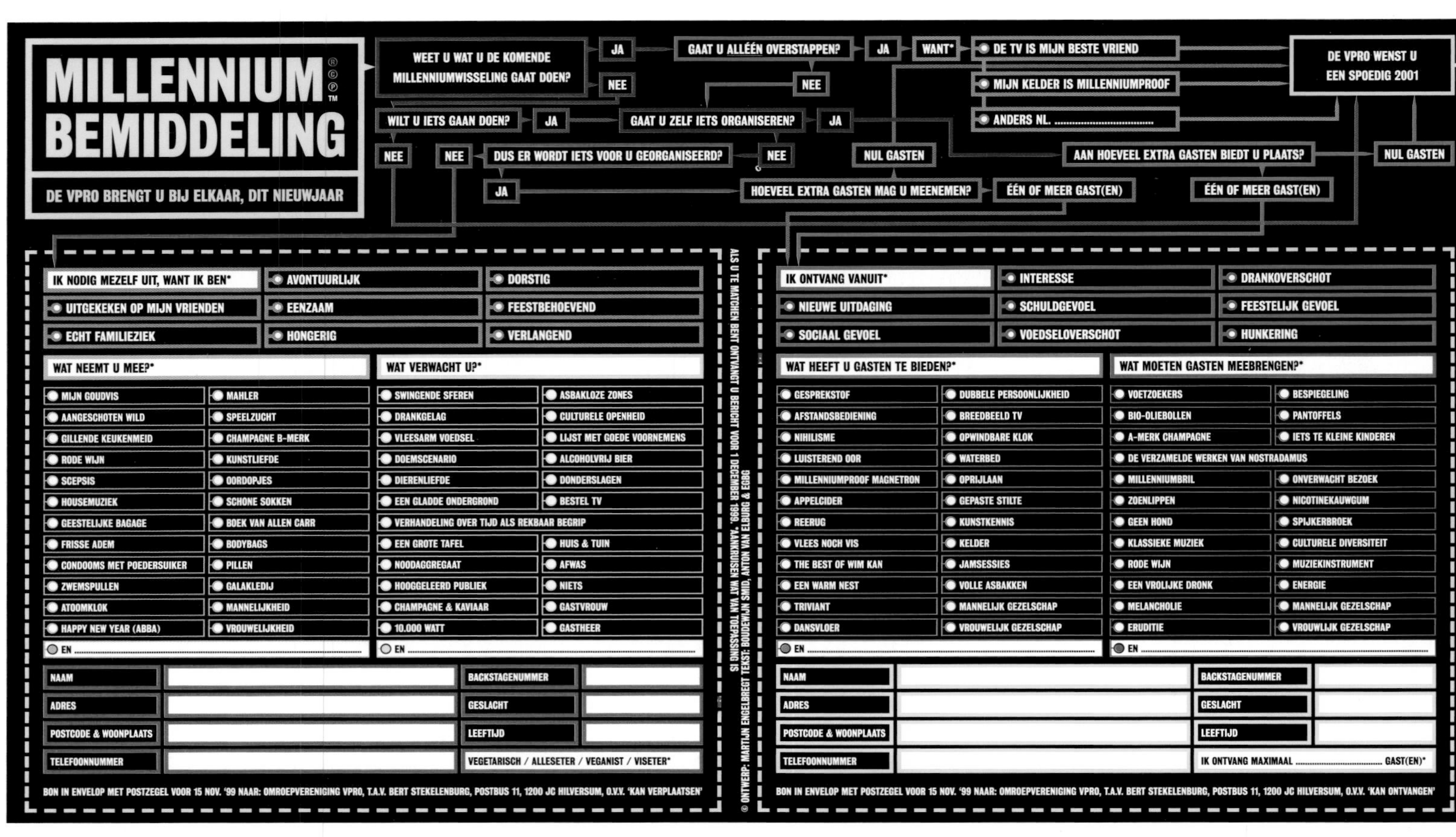

MILLENNIUM BEMIDDELING ®©℗™

DE VPRO BRENGT U BIJ ELKAAR, DIT NIEUWJAAR

WEET U WAT U DE KOMENDE MILLENNIUMWISSELING GAAT DOEN? – JA – GAAT U ALLÉÉN OVERSTAPPEN? – JA – WANT* – DE TV IS MIJN BESTE VRIEND / MIJN KELDER IS MILLENNIUMPROOF / ANDERS NL. ...... – DE VPRO WENST U EEN SPOEDIG 2001

NEE – WILT U IETS GAAN DOEN? – JA – GAAT U ZELF IETS ORGANISEREN? – JA – NUL GASTEN / AAN HOEVEEL EXTRA GASTEN BIEDT U PLAATS? – NUL GASTEN / ÉÉN OF MEER GAST(EN)

NEE – NEE – DUS ER WORDT IETS VOOR U GEORGANISEERD? – NEE / JA – HOEVEEL EXTRA GASTEN MAG U MEENEMEN? – ÉÉN OF MEER GAST(EN)

IK NODIG MEZELF UIT, WANT IK BEN*

AVONTUURLIJK	DORSTIG	UITGEKEKEN OP MIJN VRIENDEN
EENZAAM	FEESTBEHOEVEND	ECHT FAMILIEZIEK
HONGERIG	VERLANGEND	

WAT NEEMT U MEE?*

MIJN GOUDVIS	MAHLER
AANGESCHOTEN WILD	SPEELZUCHT
GILLENDE KEUKENMEID	CHAMPAGNE B-MERK
RODE WIJN	KUNSTLIEFDE
SCEPSIS	OORDOPJES
HOUSEMUZIEK	SCHONE SOKKEN
GEESTELIJKE BAGAGE	BOEK VAN ALLEN CARR
FRISSE ADEM	BODYBAGS
CONDOOMS MET POEDERSUIKER	PILLEN
ZWEMSPULLEN	GALAKLEDIJ
ATOOMKLOK	MANNELIJKHEID
HAPPY NEW YEAR (ABBA)	VROUWELIJKHEID

EN ......

WAT VERWACHT U?*

SWINGENDE SFEREN	ASBAKLOZE ZONES
DRANKGELAG	CULTURELE OPENHEID
VLEESARM VOEDSEL	LIJST MET GOEDE VOORNEMENS
DOEMSCENARIO	ALCOHOLVRIJ BIER
DIERENLIEFDE	DONDERSLAGEN
EEN GLADDE ONDERGROND	BESTEL TV
VERHANDELING OVER TIJD ALS REKBAAR BEGRIP	
EEN GROTE TAFEL	HUIS & TUIN
NOODAGGREGAAT	AFWAS
HOOGGELEERD PUBLIEK	NIETS
CHAMPAGNE & KAVIAAR	GASTVROUW
10.000 WATT	GASTHEER

EN ......

NAAM		BACKSTAGENUMMER	
ADRES		GESLACHT	
POSTCODE & WOONPLAATS		LEEFTIJD	
TELEFOONNUMMER		VEGETARISCH / ALLESETER / VEGANIST / VISETER*	

BON IN ENVELOP MET POSTZEGEL VOOR 15 NOV. '99 NAAR: OMROEPVERENIGING VPRO, T.A.V. BERT STEKELENBURG, POSTBUS 11, 1200 JC HILVERSUM, O.V.V. 'KAN VERPLAATSEN'

ALS U TE MATCHEN BENT ONTVANGT U BERICHT VOOR 1 DECEMBER 1999. *AANKRUISEN WAT VAN TOEPASSING IS

© ONTWERP: MARTIJN ENGELBREGT TEKST: BOUDEWIJN & GUIDO NAJUIN EGBG

IK ONTVANG VANUIT*

INTERESSE	DRANKOVERSCHOT	NIEUWE UITDAGING
SCHULDGEVOEL	FEESTELIJK GEVOEL	SOCIAAL GEVOEL
VOEDSELOVERSCHOT	HUNKERING	

WAT HEEFT U GASTEN TE BIEDEN?*

GESPREKSTOF	DUBBELE PERSOONLIJKHEID
AFSTANDSBEDIENING	BREEDBEELD TV
NIHILISME	OPWINDBARE KLOK
LUISTEREND OOR	WATERBED
MILLENNIUMPROOF MAGNETRON	OPRIJLAAN
APPELCIDER	GEPASTE STILTE
REERUG	KUNSTKENNIS
VLEES NOCH VIS	KELDER
THE BEST OF WIM KAN	JAMSESSIES
EEN WARM NEST	VOLLE ASBAKKEN
TRIVIANT	MANNELIJK GEZELSCHAP
DANSVLOER	VROUWELIJK GEZELSCHAP

EN ......

WAT MOETEN GASTEN MEEBRENGEN?*

VOETZOEKERS	BESPIEGELING
BIO-OLIEBOLLEN	PANTOFFELS
A-MERK CHAMPAGNE	IETS TE KLEINE KINDEREN
DE VERZAMELDE WERKEN VAN NOSTRADAMUS	
MILLENNIUMBRIL	ONVERWACHT BEZOEK
ZOENLIPPEN	NICOTINEKAUWGUM
GEEN HOND	SPIJKERBROEK
KLASSIEKE MUZIEK	CULTURELE DIVERSITEIT
RODE WIJN	MUZIEKINSTRUMENT
EEN VROLIJKE DRONK	ENERGIE
MELANCHOLIE	MANNELIJK GEZELSCHAP
ERUDITIE	VROUWELIJK GEZELSCHAP

EN ......

NAAM		BACKSTAGENUMMER	
ADRES		GESLACHT	
POSTCODE & WOONPLAATS		LEEFTIJD	
TELEFOONNUMMER		IK ONTVANG MAXIMAAL ...... GAST(EN)*	

BON IN ENVELOP MET POSTZEGEL VOOR 15 NOV. '99 NAAR: OMROEPVERENIGING VPRO, T.A.V. BERT STEKELENBURG, POSTBUS 11, 1200 JC HILVERSUM, O.V.V. 'KAN ONTVANGEN'

IK BEN OP VAKANTIE

PLAK DE POSTER GOED ZICHTBAAR ACHTER UW RAAM

☐ ja, ik plak de poster goed zichtbaar achter mijn raam en maak zo kans op onverwacht bezoek

voornaam	achternaam
straat	huisnummer
postcode	woonplaats
ik ben op vakantie van	tot en met

stuur de bon in envelop met postzegel naar:
omroepvereniging VPRO, t.a.v. Bert Stekelenburg, Postbus 1200 JC Hilversum, o.v.v. 'bon voyage!'

UITSLAG VPRO CONSUMENTEN-ONDERZOEK

DIT IS UW LEVEN

De commerciële potentie van de achterban lijkt niet indrukwekkend. Dat is de onvermijdelijke conclusie van het VPRO Consumentenonderzoek. Het VPRO-lid bekijkt of beluistert bewust gemiddeld slechts 0,89 reclameblok per dag. Een positieve uitkomst van het onderzoek is dat nu eindelijk het profiel van het VPRO-lid smoel heeft gekregen.

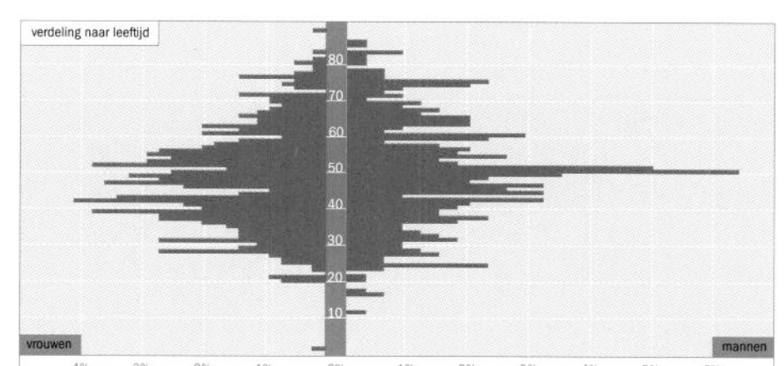

Anoniem: 'Uw hang naar commercie heeft niets te maken met hoeveel papier ik mijn kont afveeg.' • Mevr. L. te D.: 'Ik ben eigenlijk gek dat ik mee doe en boodschappen hoef ik [...]et.' • Dhr. G. te W.: 'Ik heb een kat die vis eet.' • Dhr. v. D. te U.: 'Kom maar op met dat winkelwagentje. Reeds! • Mevr. W. te A.: 'Braaf he, dat ik hem eerlijk invul' • Dhr. W. te A.: 'Laat [...]t formuleren van vragen aan een professional over' • Mevr. H. te A.: 'Ik vraag me altijd af of dit soort onderzoeken serieus zijn of een grap?!' • Mevr. M. te B.: 'Gegevens niet door[...]rkopen, svp' • Dhr. L. te G.: 'Welke supermarkt heeft het grootste winkelwagentje?' • Mevr. H. te M.: 'Jammer dat u geen biologische groene winkels in uw onderzoek betrekt' •

Onder de kop *Commercie onder de leden?* presenteerde de VPRO in het vorige nummer van Backstage op de middenpagina's een uitgebreide enquête. Dit om alvast de commerciële potentie van de achterban in kaart te brengen mocht het publieke bestel ooit een te dwingend keurslijf worden, en er adverteerders nodig zouden zijn om de VPRO in de lucht te houden. Van de 216.228 vijftien-gulden-leden namen 2.318 mensen de moeite de lijst in te vullen en op te sturen naar de VPRO. Een zeer hoog responspercentage, dat aangeeft hoezeer het VPRO-lid zich betrokken voelt bij de toekomst van de omroep. Hoewel de enquête veelal zonder morren is ingevuld, voorzag bijna eenderde de vragenlijst van commentaar. De omvang van de respons genereert keiharde cijfers en rechtvaardigt een aantal minstens zo harde conclusies. Wat te denken van de mediaconsumptie. In het bezit van 3,16 radio's en tv's kijkt het gemiddelde VPRO-lid 2,4 uur per dag tv en luistert 2,54 uur per dag naar de radio. Bovendien wordt ook nog 0,59 uur gesurfd op Internet. De vraag dringt zich op of er wel genoeg tijd rest voor werken, eten, slapen en lezen. Maar ondanks het gulzige mediagebruik, blijkt het VPRO-lid nauwelijks ontvankelijk voor reclame. Slechts 0,89 reclameblok per dag wordt bewust ondergaan. Wat de adverteerder moed kan geven is dat van de 54 procent die regelmatig ongeadresseerd reclamedrukwerk ontvangt, 52,2 procent er ook aandacht aan besteedt. Naast het reclamedrukwerk leest 36 procent de Volkskrant, 25 procent het NRC en 1 procent het Nederlands Dagblad. Bovendien leest 40,3 procent van de vijftien-gulden-leden regelmatig de VPRO-gids. De leesmap is niet erg populair onder VPRO-volk: 0,7 procent heeft een abonnement.

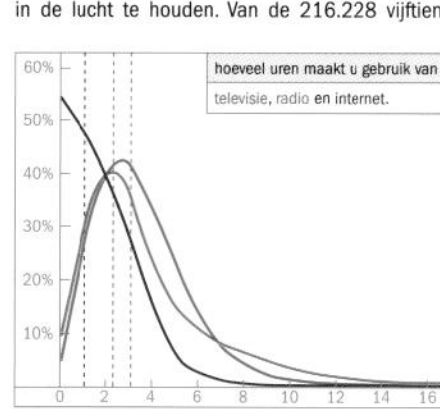

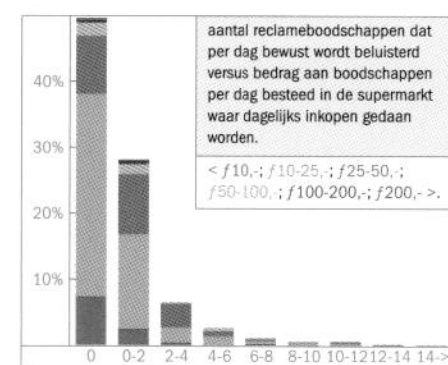

WIJ DANKEN DE DEELNEMERS VOOR HUN MEDEWERKING AAN HET ONDERZOEK. DE VERKREGEN GEGEVENS ZULLEN OP GEEN ENKELE COMMERCIËLE WIJZE WORDEN UITGEBUIT.

ADVERTENTIEPOTENTIE

De adverteerders rond VPRO-programma's moeten het dus doen in 0,89 reclameblok. Een product dat volop door leden geconsumeerd wordt, is toiletpapier. Het VPRO-lid spoelt maar liefst 2,28 rol per week *down the drain*. Droogtrommeldoekjesfabrikanten hebben weinig te zoeken bij de VPRO. De drie procent gebruikers lijken hoge advertentiebestedingen niet te rechtvaardigen. Wel ligt er een markt voor fabrikanten van *personal care* producten. Hoewel 71,6 procent van de respondenten aangaf tevreden tot zeer tevreden te zijn over hun uiterlijk, lijken vooral de uitkomsten van het haar- en huidonderzoek aanknopingspunten te geven: 6,9 procent heeft last van roos, 8,8 procent weinig tot geen haar en 0,1 procent biechtte zelfs op over geïmplanteerd haar te beschikken. Kortom: mogelijkheden te over voor shampoofabrikanten (Unilever!) en hairfusionspecialisten. Ook de huid van het VPRO-lid heeft commerciële potentie. Wat te denken van eenvijfde deel van de leden, dat rondloopt met een droge huid en de 0,6 procent die te kampen heeft met hardnekkige acne? Ondanks deze huid- en haarproblemen blijkt toch het merendeel van de VPRO-leden gelukkig tot zeer gelukkig te zijn (72,9 %).

ROOSDRAGERS LIJDEN AAN EEN VERMINDERDE INTERESSE IN ANDERE CULTUREN

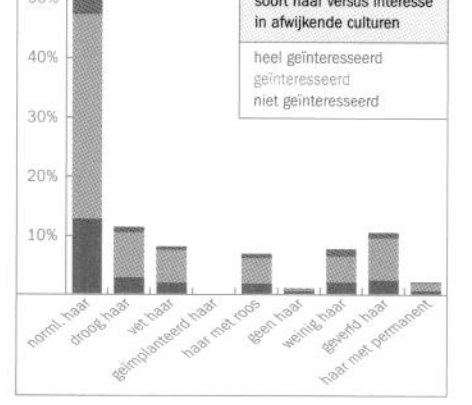

feit dat slechts 4,7 procent sherry opgeeft als lievelingsdrank, wijst erop dat onder de respondenten relatief weinig ongelukkige huisvrouwen zitten. Gerookt wordt er ook: 2,57 tabakhoudende consumpties per dag. Helaas voor tabak- en alcoholproducenten: adverteren op radio en tv is of wordt verboden.

• Mevr. O. te A.: 'Ik wil graag de uitslag weten...' • Dhr. S. te H.: 'Liever alleen zinnige post' • Mevr. H. te A.: 'Ik stuur het gewoon op!' • Mevr. W. te A.: 'Knap hoor, pas bij het toiletpapier besefte ik dat dit gekheid is.' • Dhr. R. te R.: 'Vroeger zeiden we: je kan niet gek worden als je het wilt...' • Dhr. A. te W.: 'Ik ben blij dat ik kan helpen' • Dhr. N. te R.: 'Geen piercing, wel geheime tatoo' • Dhr. H. te U.: Uit solidariteit ingevuld' • Dhr. J. te D.: 'Briljant onderzoek. Graag meer! (Naakt!)' • Mevr. L. te U.: 'Welke alcoholische consumpties werden er tijdens het samenstellen van de vragenlijst genuttigd en hoeveel?' • Anoniem te H.: 'Een vpro lid lijkt nergens op' • Mevr. P te A.: 'Hoeveel punten? Wat voor type?' •

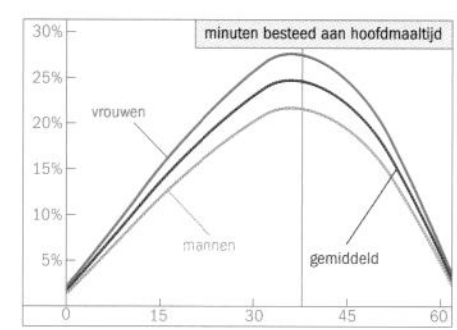

GENOTMIDDELEN

Opvallend is de correlatie tussen drankgebruik en de mate waarin mensen tevreden zijn over hun uiterlijk. Ongeveer 33 procent van de mensen die meer dan 8 glazen alcohol per dag drinken, is ontevreden met hun spiegelbeeld. Gelukkig drinkt de gemiddelde VPRO-er maar 1,48 alcoholhoudende consumptie per dag. Wijn is de favoriete drank (26%), waarmee dus het vooroordeel zonder meer bevestigd is dat VPRO-leden wijndrinkers zijn. Het

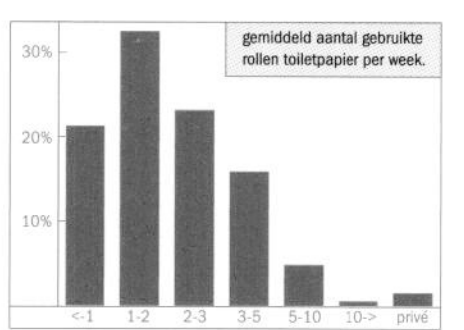

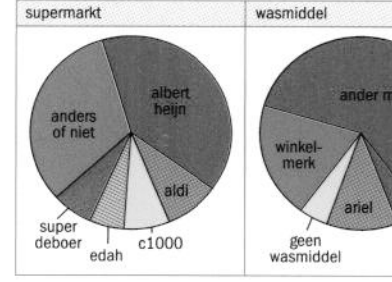

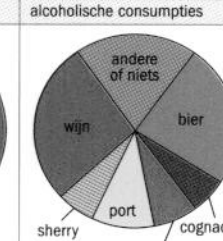

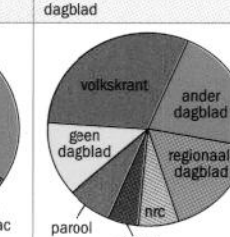

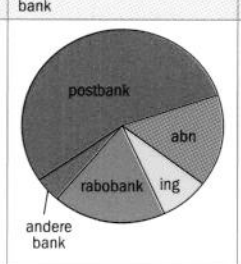

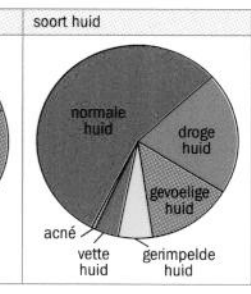

VPRO's Backstage onderzoeken, Martijn Engelbregt (EGBG)
Opdrachtgever: VPRO Backstage

Reeks satirische 'enquêtes' voor VPRO's ledenblad Backstage, die Martijn Engelbregts vaste bijdrage aan het blad vormen. Vertrekpunt is steeds een actueel thema. In de vierde aflevering (Consumentenonderzoek) werden aan de lezer vragen gesteld over persoonlijke aangelegenheden. Er kwamen zoveel reacties, dat de uitkomsten in de volgende aflevering gepubliceerd werden, compleet met grafieken. Kennelijk vond niet iedereen dat de enquête halverwege de grens van het betamelijke overschreed.

VPRO's Backstage Research, Martijn Engelbregt (EGBG)
Client: VPRO Backstage

A series of satirical 'questionnaires' made for 'Backstage', the members publication of the VPRO broadcasting company. The questionnaires are Martijn Engelbregt's regular contribution to the magazine, each focusing on a specific actual theme. In the 'Consumer Study', the fourth in the series, readers were asked about their personal affairs. The response was so overwhelming that the results were published in the next issue, complete with graphs. Apparently not everyone thought that the questionnaire overstepped the limits of decency.

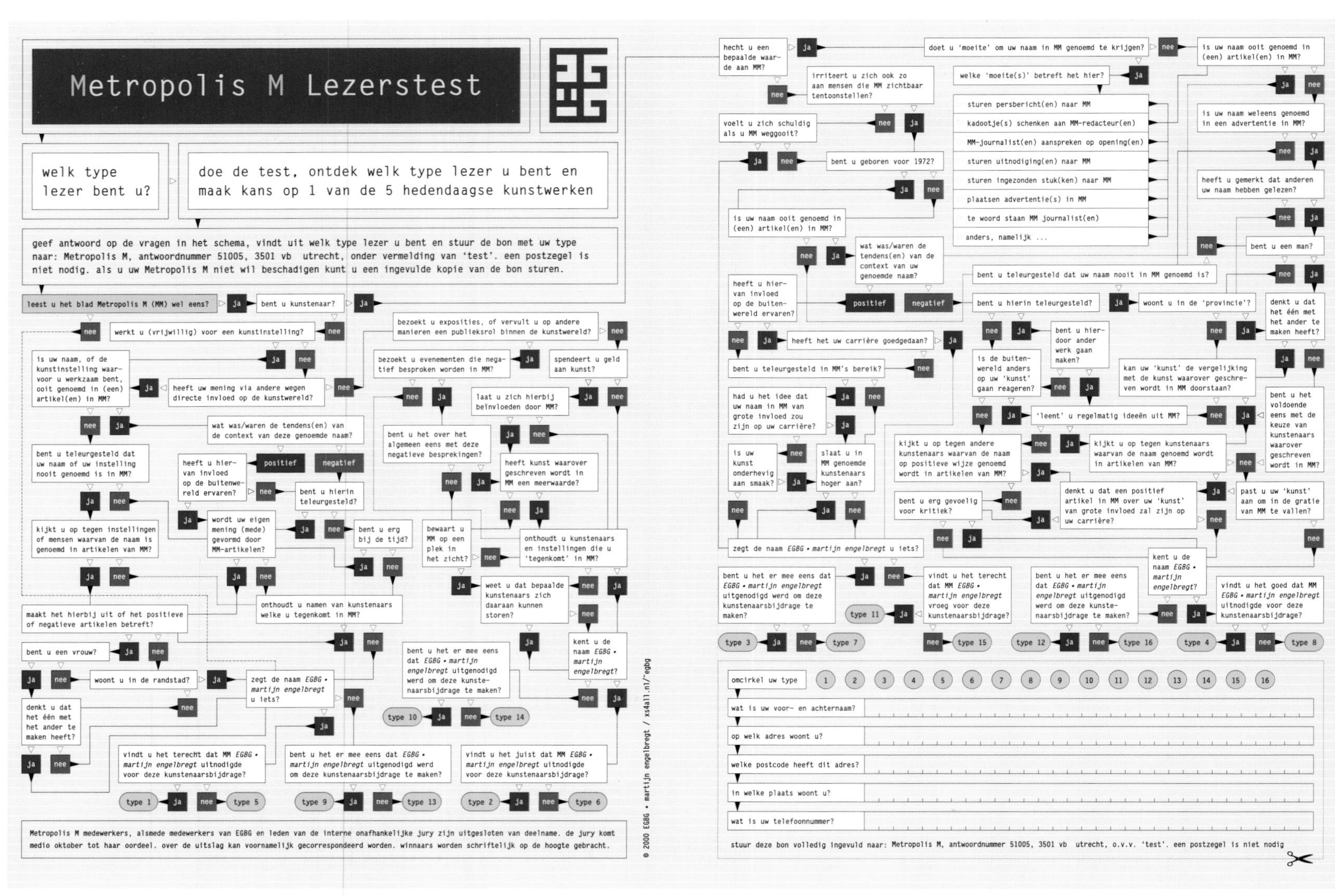

lezerstest@egbg.nl	EGBG uitslag Metropolis M lezerstest																	tot.
type	1	2	3	4	5	6	7	8	9	10	11	12	13	14	15	16	17	
kunstenaar	nee	nee	ja	ja	nee	nee	ja	ja	nee	nee	ja	ja	nee	nee	ja	ja		38
geen kunstenaar, wel invloed op kunstwereld	ja	nee			ja	nee			ja	nee			ja	nee				11
kunstenaar en positief genoemd in MM			ja	nee			ja	nee			ja	nee			ja	nee		8
bekend met EGBG • martijn engelbregt	ja	ja	ja	ja	ja	ja	ja	ja	nee	nee	nee	nee	nee	nee	nee	nee		21
eens dat EGBG • martijn engelbregt is gevraagd	ja	ja	ja	ja	nee	nee	nee	nee	ja	ja	ja	ja	nee	nee	nee	nee		47
aantal	4	2	3	8	1	1	1	1	4	3	3	20	2	1	1	1	1	57
winnaars	Saskia Cornelissen							Rosanne Veger		Willem Ubaghs			Piet Postema			Paul Meeuwesse		

Metropolis M Lezerstest, Martijn Engelbregt (EGBG)
Opdrachtgever: Metropolis M

Naar aanleiding van het thema 'Publiek' nodigde het kunsttijdschrift Metropolis M Martijn Engelbregt uit om een enquête onder zijn lezers te houden.

Metropolis M Readers' Questionnaire, Martijn Engelbregt (EGBG)
Client: Metropolis M

The contemporary art magazine Metropolis M invited Martijn Engelbregt to conduct a study of its readership in the context of the theme 'Public'.

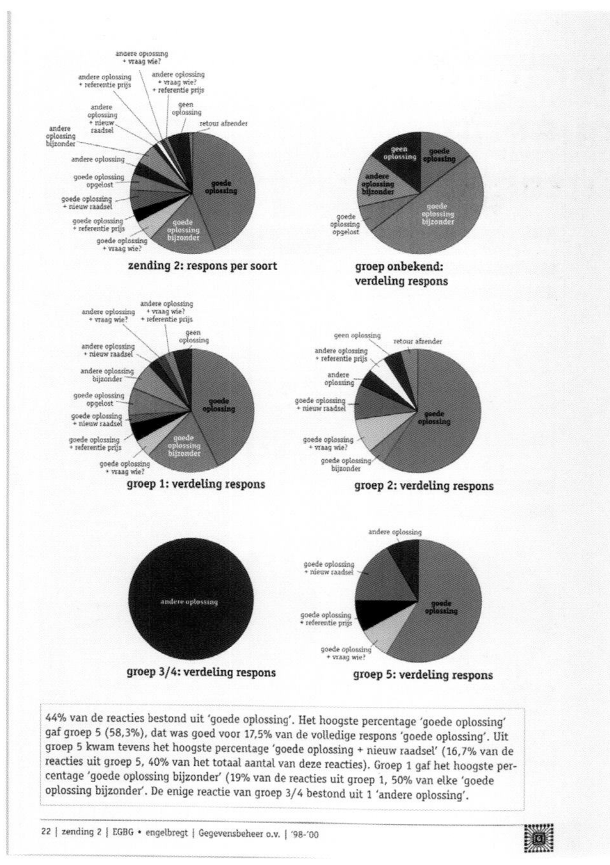
zending 2: respons per soort

groep onbekend: verdeling respons

groep 1: verdeling respons

groep 2: verdeling respons

groep 3/4: verdeling respons

groep 5: verdeling respons

44% van de reacties bestond uit 'goede oplossing'. Het hoogste percentage 'goede oplossing' gaf groep 5 (58,3%), dat was goed voor 17,5% van de volledige respons 'goede oplossing'. Uit groep 5 kwam tevens het hoogste percentage 'goede oplossing + nieuw raadsel' (16,7% van de reacties uit groep 5, 40% van het totaal aantal van deze reacties). Groep 1 gaf het hoogste percentage 'goede oplossing bijzonder' (19% van de reacties uit groep 1, 50% van elke 'goede oplossing bijzonder'. De enige reactie van groep 3/4 bestond uit 1 'andere oplossing'.

22 | zending 2 | EGBG • engelbregt | Gegevensbeheer o.v. | '98-'00

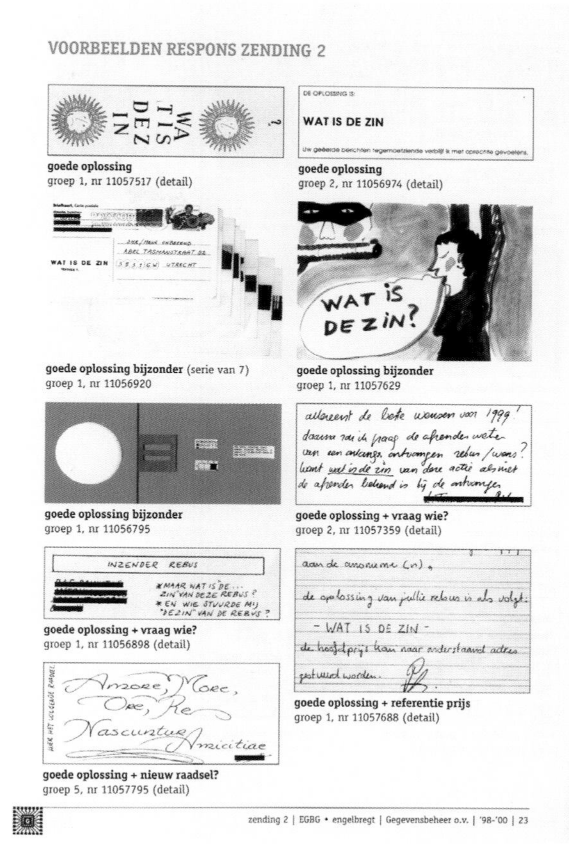
VOORBEELDEN RESPONS ZENDING 2

goede oplossing
groep 1, nr 11057517 (detail)

goede oplossing
groep 2, nr 11056974 (detail)

goede oplossing bijzonder (serie van 7)
groep 1, nr 11056920

goede oplossing bijzonder
groep 1, nr 11057629

goede oplossing bijzonder
groep 1, nr 11056795

goede oplossing + vraag wie?
groep 2, nr 11057359 (detail)

goede oplossing + vraag wie?
groep 1, nr 11056898 (detail)

goede oplossing + referentie prijs
groep 1, nr 11057688 (detail)

goede oplossing + nieuw raadsel?
groep 5, nr 11057795 (detail)

zending 2 | EGBG • engelbregt | Gegevensbeheer o.v. | '98-'00 | 23

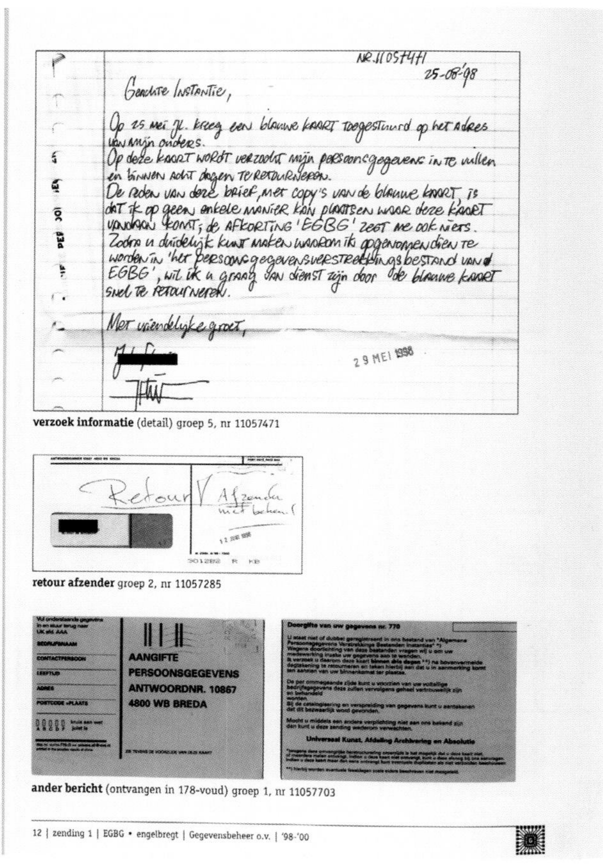
NR 11057471
25-05-98

Geachte Instantie,

Op 25 mei jl. kreeg een blauwe KAART toegestuurd op het adres van mijn ouders.
Op deze KAART WORDT verzocht mijn persoonsgegevens in te vullen en binnen acht dagen te retourneren.
De reden van deze brief, met copy's van de blauwe KAART, is dat ik op geen enkele manier kan plaatsen waar deze KAART vandaan komt; de afkorting 'EGBG' zegt me ook niets.
Zodra u duidelijk kunt maken waarom ik opgenomen dien te worden in 'het persoonsgegevensverstrekkingsbestand van d EGBG', wil ik u graag van dienst zijn door de blauwe kaart snel te retourneren.

Met vriendelijke groet,

verzoek informatie (detail) groep 5, nr 11057471

retour afzender groep 2, nr 11057285

ander bericht (ontvangen in 178-voud) groep 1, nr 11057703

12 | zending 1 | EGBG • engelbregt | Gegevensbeheer o.v. | '98-'00

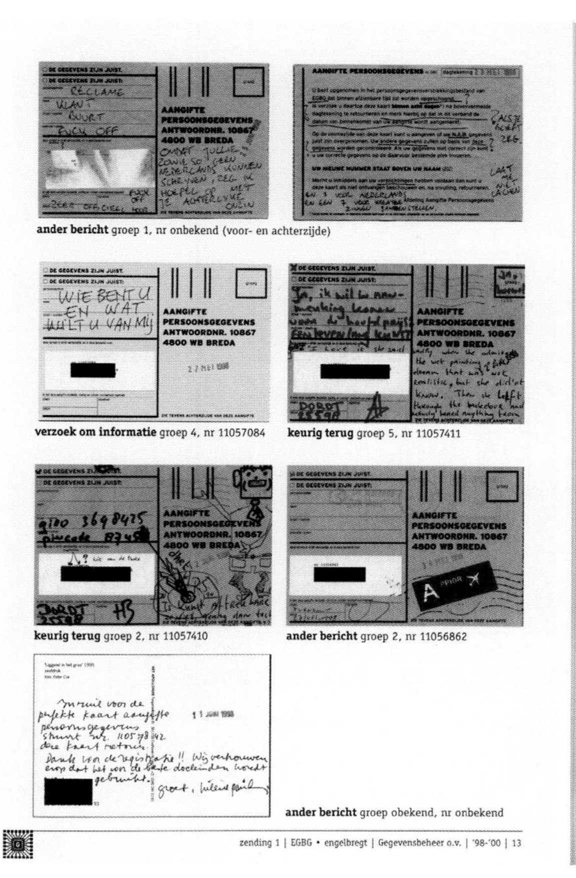
ander bericht groep 1, nr onbekend (voor- en achterzijde)

verzoek om informatie groep 4, nr 11057084

keurig terug groep 5, nr 11057411

keurig terug groep 2, nr 11057410

ander bericht groep 2, nr 11056862

ander bericht groep obekend, nr onbekend

zending 1 | EGBG • engelbregt | Gegevensbeheer o.v. | '98-'00 | 13

Gegevensbeheer o.v.,
Martijn Engelbregt (EGBG)
Opdrachtgever: Lokaal 01

EGBG heeft onderzoek gedaan naar het 1272 adressen tellende adressenbestand van kunststichting Lokaal 01 uit Breda. Elk adres uit het bestand ontving in een tijdsbestek van vijftien maanden drie verschillende poststukken, die niet met elkaar in verband waren te brengen. Elk poststuk riep op een geheel eigen manier op tot reactie. Het verslag 'Gegevensbeheer o.v.' geeft, naast een indruk van deze poststukken, inzicht in de manier waarop de ontvangers op de poststukken hebben gereageerd. Met tabellen, afbeeldingen en vooral veel grafieken.

Gegevensbeheer o.v.,
Martijn Engelbregt (EGBG)
Client: Lokaal 01

EGBG conducted a study of the 1272 addresses on the mailing list of 'Lokaal 01', an artists' association in Breda. Over the course of 15 months, three different mailings, with no connection to one another, were sent to each address. Each asked for a response in a completely different way. Along with an impression of these mailings, the 'Gegevensbeheer o.v' provides insight into the way readers responded. It includes tables, illustrations and numerous graphs and charts.

Taal

Fundament van het verhaal. Ieder verhaal. Een krabbel in het zand volstaat. Wat achteloze klanken vormen al snel een mededeling. Wat achteloze mededelingen al snel een vertelling. Eindeloos combineren we een beperkt letter-arsenaal tot telkens nieuwe configuraties. We gebruiken de conventies van de welsprekendheid en breken die weer op met de taal van de schutting. In den beginne was het woord. Onze herkomst is taal, net als onze bestemming. En om het woord tastbaar, bewaarbaar te maken is er het schrift. We spreken in hoofdletters, fluisteren in onderkast, vormen in ons hoofd al vraagtekens, lang voordat de typograaf die aan het einde van de zin zichtbaar kan maken. Zo wendbaar als de taal zal het grafisch ontwerpen niet worden. Maar op zichtbare veelzijdigheid is de ontwerpwereld nauwelijks te verslaan. Die kracht ligt als een vanzelfsprekende erfenis in het Nederlandse ontwerpen besloten. Tot op de laatste millimeter uitgedokterde fonts wedijveren met de typografie van een flipperkast, woorden worden met de hand geschreven, tot vrijwel niets gereduceerd of met een megafoon opgeblazen. De taal is verstilling en herrie tegelijk. Ontwerpers geven tastbare gestalte aan de sprookjes en manifesten die het woord voortbrengt. Ze maskeren een schreeuwend gebrek aan inhoud. Herschikken het alledaagse tot een memorabel beeld. Ze bewaren het woord – belangrijk of volkomen vluchtig – voor de kakofonie van de spraakverwarring. En voegen uiteindelijk betekenis toe, die niet in klank of lineaire vertellingen te vangen is.

Language

It is the foundation of the story – of every story. A scratch in the sand suffices. A few careless sounds quickly form a tale. Endlessly, we combine letters from a limited arsenal to make ever new configurations. We use the conventions of the self-evident, break them up again with a gross vernacular. In the Beginning was the Word. Language is our heritage, as it is our destiny, and to make that language tangible, to preserve it, is writing. We speak in capital letters, whisper in lower case, shape the question marks already in our heads, long before the typographer can make them materialise at the end of a sentence. Graphic design is not going to become as manoeuvrable as language, but in terms of its visible versatility, the design world is hard to beat. This strength lies ensconced in Dutch design, as a legacy, taken completely for granted. Fonts fussed over and figured out to the last filament of a millimetre compete with the typography of a pinball machine. Words are written by hand, reduced to virtually nothing or blown up with a megaphone. Our language is at once silence and cacophony. Designers give tangible form to the fairy tales and events that bring forth the Word. They mask a screaming lack of content, rearrange the ordinary into a memorable image, add to it an ultimate significance, one that cannot be captured in sound or in the linear telling.

centraal
nicolaaskerkhof 10 3512 xc
museum
030 2362362 www.centraalmuseum.nl
utrecht
dinsdag-zondag 11.00 tot 17.00 uur

bruna

anthon beeke

Dick Bruna in het Centraal Museum, Studio Anthon Beeke
Opdrachtgever: Centraal Museum Utrecht

Een extreme close-up die op afstand gewoon een uitsnede is. Een listige manier om het afbeelden van het overbekende fenomeen Nijntje te voorkomen, waardoor doorgaans onzichtbare karakteristieken van Bruna's op het oog strakke handschrift aan het licht komen.

Dick Bruna in the Centraal Museum, Studio Anthon Beeke
Client: Centraal Museum Utrecht

An extreme close-up that from a distance is simply a detail. A cunning way of avoiding the depiction of the universally known phenomenon Nijntje, whereby generally invisible characteristics of Bruna's outwardly tight hand are revealed.

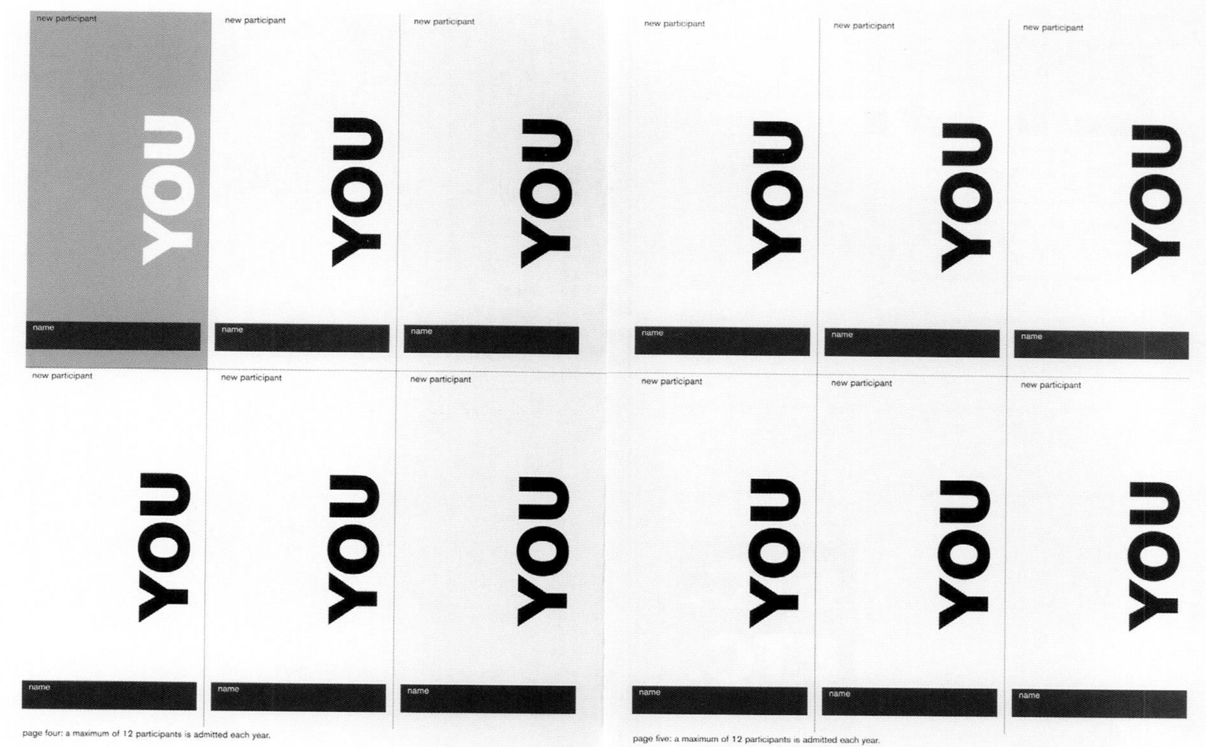

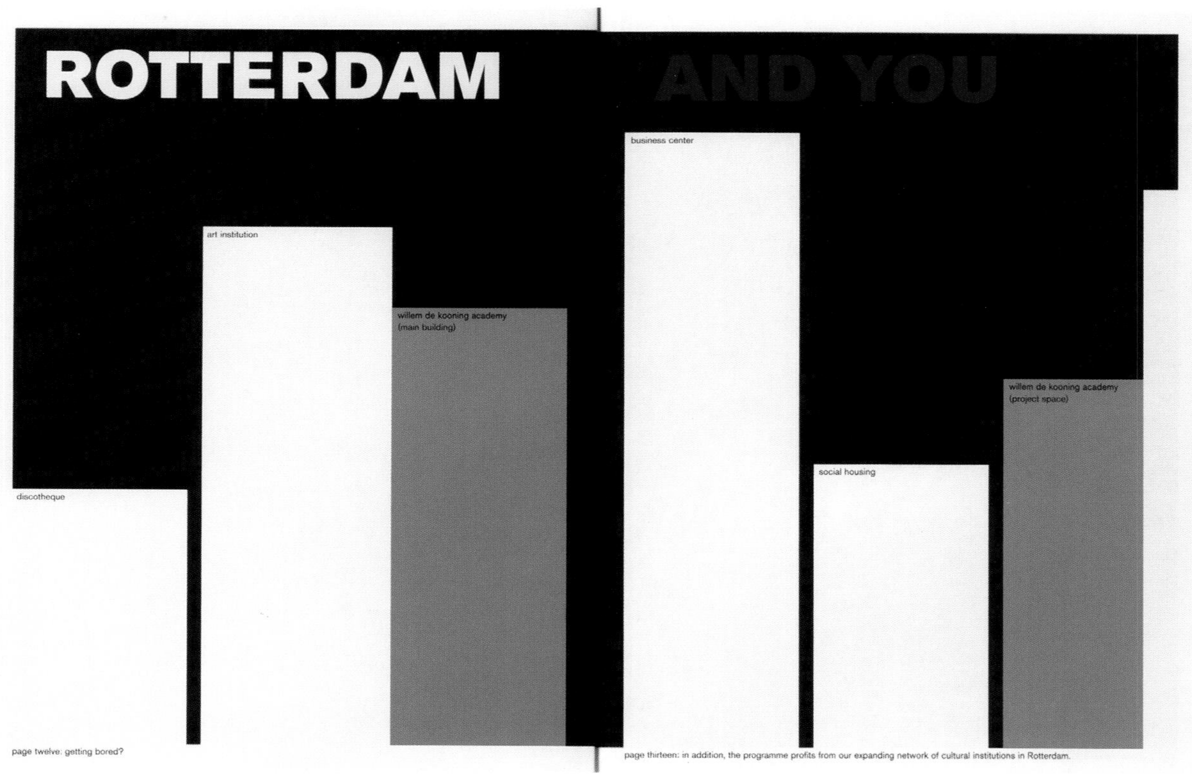

Coming Soon: You, Maureen Mooren, Daniël van der Velden
Opdrachtgever: Willem de Kooning Academie

Grafisch ontwerpers die spelen met het spanningsveld tussen vorm en inhoud, door met beeldende middelen commentaar te leveren op de inhoud waaraan zij geacht worden vorm te geven, zijn allang geen uitzondering meer. Daniël van der Velden en Maureen Mooren gaan een stap verder, door zich als vormgevers te bedienen van een middel dat volgens de traditionele verdeling van verantwoordelijkheden strikt voorbehouden is aan de redactie: taal. In de brochure voor de post-academische opleidingen van de Willem de Kooning Academie in Rotterdam spreken zij de potentiële student op elke pagina letterlijk aan.

Coming Soon: You, Maureen Mooren, Daniël van der Velden
Client: Willem de Kooning Academy

Graphic designers who play with the field of tension between form and content, by using visual means to comment on the content they are expected to give form to, have long been no exception. Daniël van der Velden and Maureen Mooren go a step further, by availing themselves as designers of a means that, according to the traditional division of responsibilities, is strictly reserved for the editors: language. In the brochure for the post-graduate courses of the Willem de Kooning Academy in Rotterdam they literally address the potential student on each page.

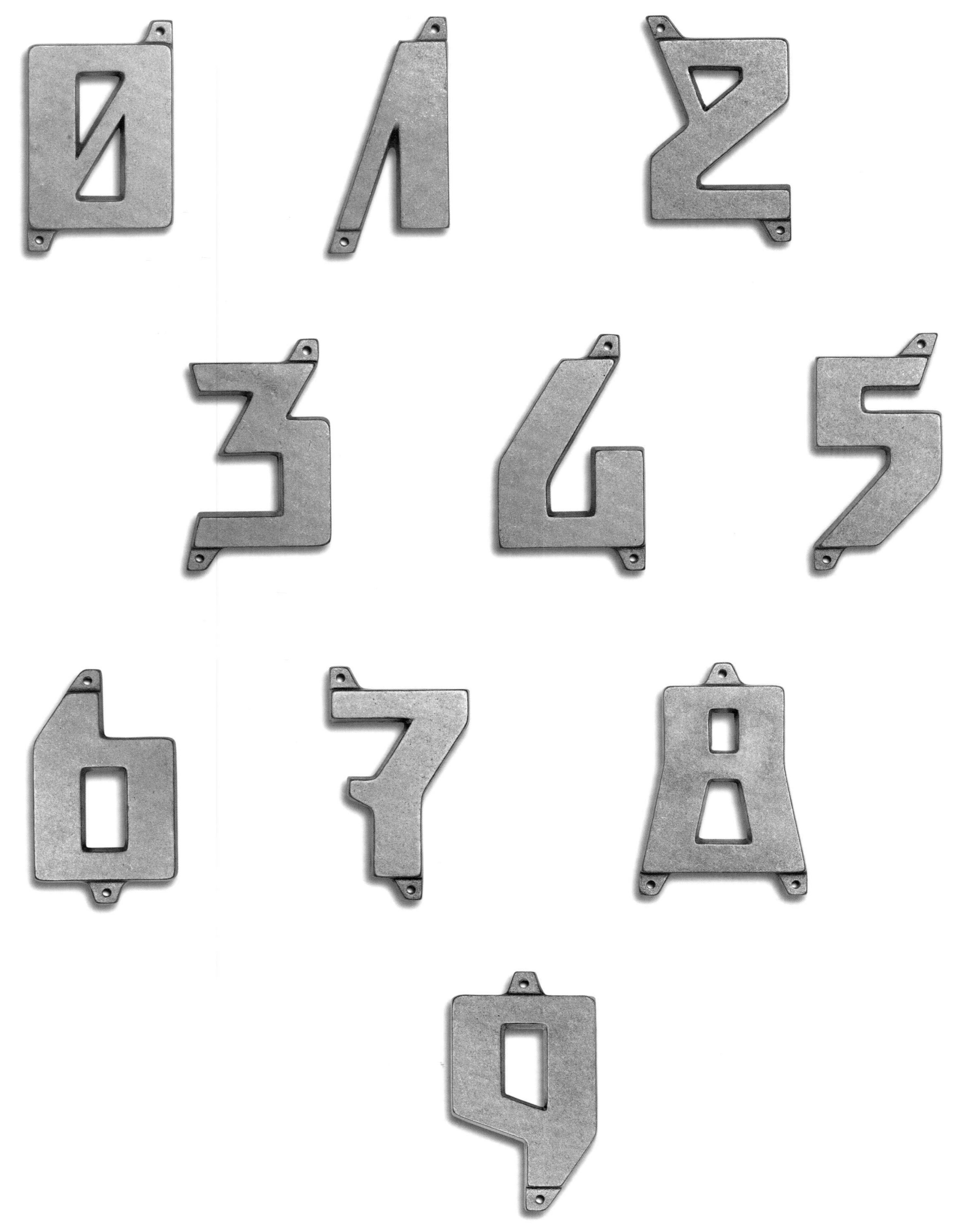

Huiscijfers, René Knip
Opdrachtgever: Merkx + Girod Architecten

René Knips eigenzinnigheid als ontwerper komt ook tot uitdrukking in zijn letterontwerpen. Deze gegoten aluminium huiscijfers zijn een relatiegeschenk van Merkx + Girod Architecten. Reminiscenties aan de Amsterdamse School en de cijfervormen van het digitale tijdperk.

House Numbers, René Knip
Client: Merkx + Girod Architects

René Knip's characteristic wilfulness as a designer is also expressed in his letter designs. These cast aluminum house numbers were a gift from Merkx + Girod Architects. The letters are reminiscent of both the Amsterdam School and number design in the digital age.

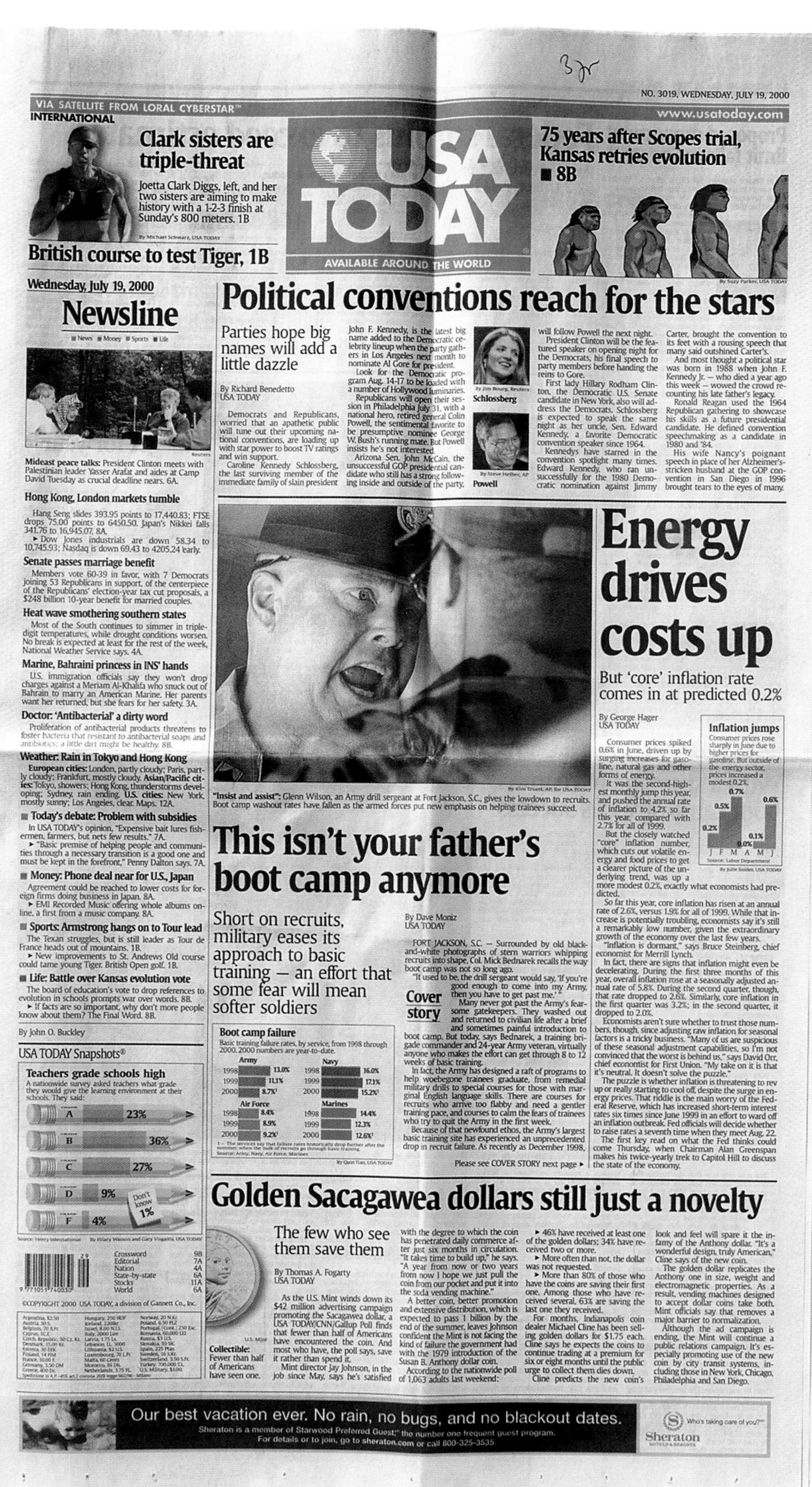

NO. 3019, WEDNESDAY, JULY 19, 2000

VIA SATELLITE FROM LORAL CYBERSTAR™
INTERNATIONAL

www.usatoday.com

USA TODAY
AVAILABLE AROUND THE WORLD

Clark sisters are triple-threat

Joetta Clark Diggs, left, and her two sisters are aiming to make history with a 1-2-3 finish at Sunday's 800 meters. 1B

British course to test Tiger, 1B

75 years after Scopes trial, Kansas retries evolution

■ 8B

Wednesday, July 19, 2000

Newsline

■ News ■ Money ■ Sports ■ Life

Mideast peace talks: President Clinton meets with Palestinian leader Yasser Arafat and aides at Camp David Tuesday as crucial deadline nears. 6A.

Hong Kong, London markets tumble

Hang Seng slides 393.95 points to 17,440.83; FTSE drops 75.00 points to 6450.50. Japan's Nikkei falls 341.76 to 16,945.07. 8A.

▸ Dow Jones industrials are down 58.34 to 10,745.93; Nasdaq is down 69.43 to 4205.24 early.

Senate passes marriage benefit

Members vote 60-39 in favor, with 7 Democrats joining 53 Republicans in support, of the centerpiece of the Republicans' election-year tax cut proposals, a $248 billion 10-year benefit for married couples.

Heat wave smothering southern states

Most of the South continues to simmer in triple-digit temperatures, while drought conditions worsen. No break is expected at least for the rest of the week, National Weather Service says. 4A.

Marine, Bahraini princess in INS' hands

U.S. immigration officials say they won't drop charges against a Meriam Al-Khalifa who snuck out of Bahrain to marry an American Marine. Her parents want her returned, but she fears for her safety. 3A.

Doctor: 'Antibacterial' a dirty word

Proliferation of antibacterial products threatens to foster bacteria that resistant to antibacterial soaps and antibiotics; a little dirt might be healthy. 8B.

Weather: Rain in Tokyo and Hong Kong

European cities: London, partly cloudy; Paris, partly cloudy; Frankfurt, mostly cloudy. **Asian/Pacific cities:** Tokyo, showers; Hong Kong, thunderstorms developing; Sydney, rain ending. **U.S. cities:** New York, mostly sunny; Los Angeles, clear. Maps. 12A.

■ **Today's debate: Problem with subsidies**

In USA TODAY's opinion, "Expensive bait lures fishermen, farmers, but nets few results." 7A.

▸ "Basic premise of helping people and communities through a necessary transition is a good one and must be kept in the forefront," Penny Dalton says. 7A.

■ **Money: Phone deal near for U.S., Japan**

Agreement could be reached to lower costs for foreign firms doing business in Japan. 8A.

▸ EMI Recorded Music offering whole albums online, a first from a music company. 8A.

■ **Sports: Armstrong hangs on to Tour lead**

The Texan struggles, but is still leader as Tour de France heads out of mountains. 1B.

▸ New improvements to St. Andrews Old course could tame young Tiger. British Open golf. 1B.

■ **Life: Battle over Kansas evolution vote**

The board of education's vote to drop references to evolution in schools prompts war over words. 8B.

▸ If facts are so important, why don't more people know about them? The Final Word. 8B.

By John O. Buckley

USA TODAY Snapshots®

Teachers grade schools high

A nationwide survey asked teachers what grade they would give the learning environment at their schools. They said:

A	23%
B	36%
C	27%
D	9%
F	4%
Don't know	1%

Crossword	9B
Editorial	7A
Nation	4A
State-by-state	6A
Stocks	11A
World	6A

©COPYRIGHT 2000 USA TODAY, a division of Gannett Co., Inc.

Political conventions reach for the stars

Parties hope big names will add a little dazzle

By Richard Benedetto
USA TODAY

Democrats and Republicans, worried that an apathetic public will tune out their upcoming national conventions, are loading up with star power to boost TV ratings and win support.

Caroline Kennedy Schlossberg, the last surviving member of the immediate family of slain president John F. Kennedy, is the latest big name added to the Democratic celebrity lineup when the party gathers in Los Angeles next month to nominate Al Gore for president.

Look for the Democratic program Aug. 14-17 to be loaded with a number of Hollywood luminaries.

Republicans will open their session in Philadelphia July 31, with a national hero, retired general Colin Powell, the sentimental favorite to be presumptive nominee George W. Bush's running mate. But Powell insists he's not interested.

Arizona Sen. John McCain, the unsuccessful GOP presidential candidate who still has a strong following inside and outside of the party, will follow Powell the next night.

President Clinton will be the featured speaker on opening night for the Democrats, his final speech to party members before handing the reins to Gore.

First lady Hillary Rodham Clinton, the Democratic U.S. Senate candidate in New York, also will address the Democrats. Schlossberg is expected to speak the same night as her uncle, Sen. Edward Kennedy, a favorite Democratic convention speaker since 1964.

Kennedys have starred in the convention spotlight many times. Edward Kennedy, who ran unsuccessfully for the 1980 Democratic nomination against Jimmy Carter, brought the convention to its feet with a rousing speech that many said outshined Carter's.

And most thought a political star was born in 1988 when John F. Kennedy Jr. – who died a year ago this week – wowed the crowd recounting his late father's legacy.

Ronald Reagan used the 1964 Republican gathering to showcase his skills as a future presidential candidate. He defined convention speechmaking as a candidate in 1980 and '84.

His wife Nancy's poignant speech in place of her Alzheimer's-stricken husband at the GOP convention in San Diego in 1996 brought tears to the eyes of many.

Schlossberg

Powell

"Insist and assist": Glenn Wilson, an Army drill sergeant at Fort Jackson, S.C., gives the lowdown to recruits. Boot camp washout rates have fallen as the armed forces put new emphasis on helping trainees succeed.

This isn't your father's boot camp anymore

Short on recruits, military eases its approach to basic training – an effort that some fear will mean softer soldiers

By Dave Moniz
USA TODAY

Cover story

FORT JACKSON, S.C. – Surrounded by old black-and-white photographs of stern warriors whipping recruits into shape, Col. Mick Bednarek recalls the way boot camp was not so long ago.

"It used to be, the drill sergeant would say, 'If you're good enough to come into my Army, then you have to get past me.' "

Many never got past the Army's fearsome gatekeepers. They washed out and returned to civilian life after a brief and sometimes painful introduction to boot camp. But today, says Bednarek, a training brigade commander and 24-year Army veteran, virtually anyone who makes the effort can get through 8 to 12 weeks of basic training.

In fact, the Army has designed a raft of programs to help woebegone trainees graduate, from remedial military drills to special courses for those with marginal English language skills. There are courses for recruits who arrive too flabby and need a gentler training pace, and courses to calm the fears of trainees who try to quit the Army in the first week.

Because of that newfound ethos, the Army's largest basic training site has experienced an unprecedented drop in recruit failure. As recently as December 1998,

Please see COVER STORY next page ▸

Boot camp failure

Basic training failure rates, by service, from 1998 through 2000. 2000 numbers are year-to-date.

	Army	Navy	Air Force	Marines
1998	13.0%	16.0%	8.4%	14.4%
1999	11.1%	17.1%	8.9%	12.3%
2000	8.7%[1]	15.2%[1]	9.2%[1]	12.6%[1]

1 – The services say that failure rates historically drop further after the summer, when the bulk of recruits go through basic training.
Source: Army, Navy, Air Force, Marines

Energy drives costs up

But 'core' inflation rate comes in at predicted 0.2%

By George Hager
USA TODAY

Consumer prices spiked 0.6% in June, driven up by surging increases for gasoline, natural gas and other forms of energy.

It was the second-highest monthly jump this year, and pushed the annual rate of inflation to 4.2% so far this year, compared with 2.7% for all of 1999.

But the closely watched "core" inflation number, which cuts out volatile energy and food prices to get a clearer picture of the underlying trend, was up a more modest 0.2%, exactly what economists had predicted.

So far this year, core inflation has risen at an annual rate of 2.6%, versus 1.9% for all of 1999. While that increase is potentially troubling, economists say it's still a remarkably low number, given the extraordinary growth of the economy over the last few years.

"Inflation is dormant," says Bruce Steinberg, chief economist for Merrill Lynch.

In fact, there are signs that inflation might even be decelerating. During the first three months of this year, overall inflation rose at a seasonally adjusted annual rate of 5.8%. During the second quarter, though, that rate dropped to 2.6%. Similarly, core inflation in the first quarter was 3.2%; in the second quarter, it dropped to 2.0%.

Economists aren't sure whether to trust those numbers, though, since adjusting raw inflation for seasonal factors is a tricky business. "Many of us are suspicious of these seasonal adjustment capabilities, so I'm not convinced that the worst is behind us," says David Orr, chief economist for First Union. "My take on it is that it's neutral. It doesn't solve the puzzle."

The puzzle is whether inflation is threatening to rev up or really starting to cool off, despite the surge in energy prices. That riddle is the main worry of the Federal Reserve, which has increased short-term interest rates six times since June 1999 in an effort to ward off an inflation outbreak. Fed officials will decide whether to raise rates a seventh time when they meet Aug. 22.

The first key read on what the Fed thinks could come Thursday, when Chairman Alan Greenspan makes his twice-yearly trek to Capitol Hill to discuss the state of the economy.

Inflation jumps

Consumer prices rose sharply in June due to higher prices for gasoline. But outside of the energy sector, prices increased a modest 0.2%.

J	F	M	A	M	J
0.2%	0.5%	0.7%	0.0%	0.1%	0.6%

Source: Labor Department

Golden Sacagawea dollars still just a novelty

The few who see them save them

By Thomas A. Fogarty
USA TODAY

Collectible: Fewer than half of Americans have seen one.

As the U.S. Mint winds down its $42 million advertising campaign promoting the Sacagawea dollar, a USA TODAY/CNN/Gallup Poll finds that fewer than half of Americans have encountered the coin. And most who have, the poll says, save it rather than spend it.

Mint director Jay Johnson, in the job since May, says he's satisfied with the degree to which the coin has penetrated daily commerce after just six months in circulation. "It takes time to build up," he says. "A year from now or two years from now I hope we just pull the coin from our pocket and put it into the soda vending machine."

A better coin, better promotion and extensive distribution, which is expected to pass 1 billion by the end of the summer, leaves Johnson confident the Mint is not facing the kind of failure the government had with the 1979 introduction of the Susan B. Anthony dollar coin.

According to the nationwide poll of 1,063 adults last weekend:

▸ 46% have received at least one of the golden dollars; 34% have received two or more.

▸ More often than not, the dollar was not requested.

▸ More than 80% of those who have the coins are saving their first one. Among those who have received several, 63% are saving the last one they received.

For months, Indianapolis coin dealer Michael Cline has been selling golden dollars for $1.75 each. Cline says he expects the coins to continue trading at a premium for six or eight months until the public urge to collect them dies down.

Cline predicts the new coin's look and feel will spare it the infamy of the Anthony dollar. "It's a wonderful design, truly American," Cline says of the new coin.

The golden dollar replicates the Anthony one in size, weight and electromagnetic properties. As a result, vending machines designed to accept dollar coins take both. Mint officials say that removes a major barrier to normalization.

Although the ad campaign is ending, the Mint will continue a public relations campaign. It's especially promoting use of the new coin by city transit systems, including those in New York, Chicago, Philadelphia and San Diego.

Letterontwerp Gulliver, in USA Today, Gerard Unger
Eigen initiatief

In 2000 verscheen USA Today, de krant met de grootste oplage in de westerse wereld (drie miljoen exemplaren per dag), voor het eerst gezet uit de Gulliver van Gerard Unger. Unger bracht deze letter in 1993 uit met het oog op ruimtebesparing: door een optisch effect lijkt hij groter dan hij is. USA Today slaagt er daardoor in op een aanmerkelijk kleiner formaat meer tekst per pagina te brengen. 'Lezers hebben gunstig gereageerd: oudere omdat ze de krant weer kunnen lezen en jongere omdat de krant er moderner uitziet,' aldus Unger.

Typeface Gulliver, in USA Today, Gerard Unger
Designer initiative

USA Today, the newspaper with the largest edition in the western world (three million copies per day), appeared for the first time in 2000 set in Gerard Unger's Gulliver typeface. Unger launched the typeface in 1993 with a view to saving space: an optical effect makes it look bigger than it is. USA Today thereby succeeded in presenting more text per page in an appreciably smaller format. 'Readers have responded favourably, older people because they can read the paper again and younger people because the paper looks more modern,' says Unger.

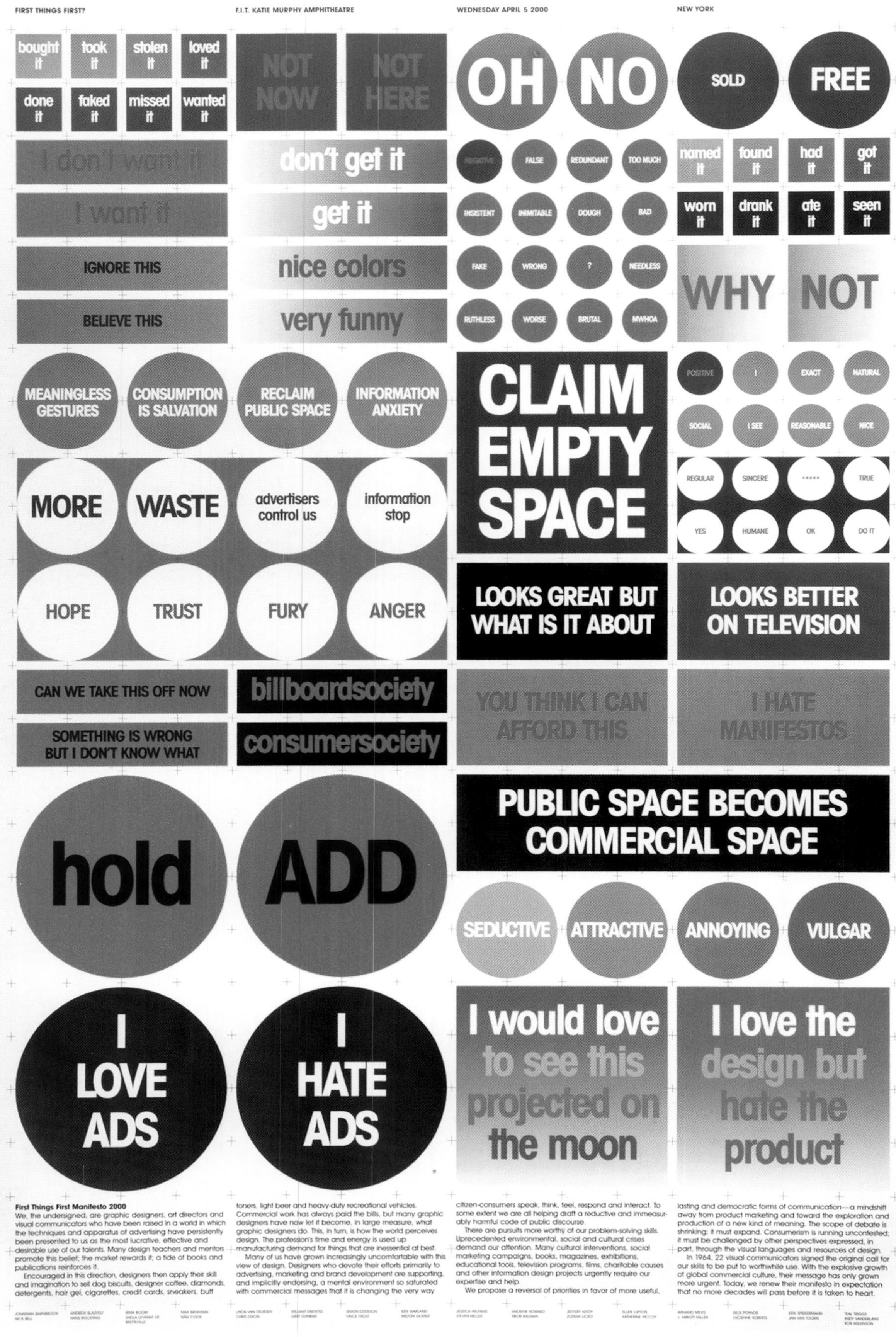

First Things First?,
Mevis & Van Deursen
Opdrachtgever: AIGA

Met 'First Things First Manifesto 2000' wilde een groep vooraanstaande grafisch ontwerpers oproepen tot meer ethisch besef binnen de eigen beroepsgroep, teruggrijpend op een manifest van de Britse ontwerper Ken Garland uit 1964. Mevis & Van Deursen maakten ter aankondiging van een debat over dit manifest een leesaffiche, dat de advertentiecultuur en zijn dubieuze bedoelingen uitkleedt tot op het been. Het grid suggereert afstandelijkheid en analyse, en staat daarmee symbool voor bezinning.

First Things First?,
Mevis & Van Deursen
Client: AIGA

With 'First Things First Manifesto 2000', a group of prominent graphic designers wanted to incite a more ethical awareness within their own professional group, going back to a 1964 manifesto by the British designer Ken Garland. To announce a debate about the manifesto Mevis & Van Deursen made a poster that cuts the culture of advertising and its dubious intentions down to the bone. The grid suggests detachment and analysis, thereby symbolising contemplation.

INDIA

TRAGIKOMEDIE IN TWEE BEDRIJVEN REGIE PETER DE GRAEF
VAN 18 APRIL T/M 20 MEI IN HET TRUSTTHEATER
KLOVENIERSBURGWAL 50, AMSTERDAM 020 5205320
SPECIAL PRICE! TOURIST MENU & SHOW! CALL NOW!

Drink
gekookte ghee
in de lente

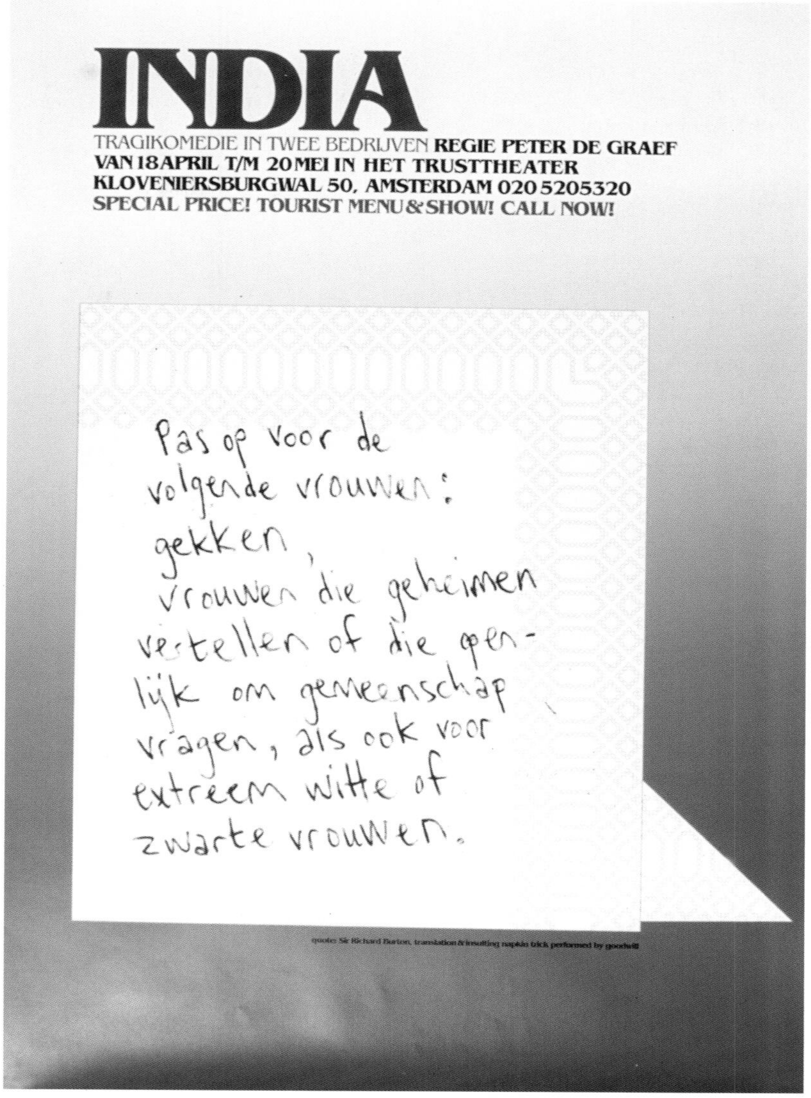

INDIA

TRAGIKOMEDIE IN TWEE BEDRIJVEN REGIE PETER DE GRAEF
VAN 18 APRIL T/M 20 MEI IN HET TRUSTTHEATER
KLOVENIERSBURGWAL 50, AMSTERDAM 020 5205320
SPECIAL PRICE! TOURIST MENU & SHOW! CALL NOW!

Pas op voor de
volgende vrouwen:
gekken,
vrouwen die geheimen
vertellen of die open-
lijk om gemeenschap
vragen, als ook voor
extreem witte of
zwarte vrouwen.

India, goodwill
Opdrachtgever: TrustTheater

Aankondiging van de toneelvoorstelling 'India' in de vorm van affiches en servetten met opschrift. Het toneelstuk ging over twee hotelinspecteurs die ondanks al hun reizen niets van de wereld hebben gezien. Alle dialoog vindt 's avonds aan de eettafel in het hotel plaats, waar zij trivia uitwisselen zoals die op de servetten staan. De servetten werden niet alleen afgebeeld op de affiches, maar ook verspreid voor gewoon gebruik in een dertigtal Amsterdamse restaurants.

India, goodwill
Client: TrustTheater

Announcements for the theatrical production, 'India', were in the form of posters and dinner serviettes with texts printed on them. The play is about two hotel inspectors, who despite all their travels, have seen nothing of the world. The dialogue takes place in the evenings at a hotel dinner table, where they exchange the same sort of trivia that is printed on the serviettes. The serviettes were in turn not only represented on the posters, but were also distributed for regular use in some thirty Amsterdam restaurants.

Autonomie

Ook een toegepaste-kunstdiscipline als het grafisch ontwerpen kan zich vrijmaken van zijn dienende rol. Tekst en beeld kunnen als autonoom middel een eigen zeggingskracht krijgen, niet veroorzaakt door de gedachten van een copywriter of de beeldenstorm van een documentairefotograaf. In de estafette van het productieproces mag de ontwerper meestal als slotloper het stokje over de finish dragen. Maar door zelf de rol van redacteur in te nemen, keert hij de keten om. In veel gevallen loopt hij dan de volledige afstand: vanuit de startblokken tot aan de eindstreep. Met eigen middelen, eigen betekenissen. Af en toe vooruit geduwd door een hulpje langs de baan. Het kan leiden tot een hypersensitief kunstenaarsboek waarin de tekst letterlijk aan de wandel gaat langs de vloedlijn van de Nederlandse kust. Tekst wordt beeld. Een ander draait die verhouding om: foto's worden niet meer afgebeeld, maar alleen nog met een ontoereikende woordenschat beschreven en op die manier op affiches gepresenteerd. Telkens balancerend op de rand van de toegankelijkheid, vormen de autonomen het laboratorium voor een nieuwe beeldtaal, die nu eens niet wordt geregisseerd door mediastrategen en communicatiedeskundigen, maar voortkomt uit eigenzinnig interpreteren en initiëren. Gemorrel aan de spelregels.

Autonomy

An applied arts discipline such as graphic design can also extricate itself from its serving role. Text and image can assume their own power of expression as an independent means, not instigated by the thoughts of a copy writer or by a documentary photographer's deluge of images. In the relay race of the production process, a designer is usually permitted to be the final runner and carry the baton over the finish line, but by taking on the role of publishing editor, he reverses the chain. In many cases he will then run the full course, from starting block to finish, with his own means and his own meanings. Now and then he'll be pushed forward by help along the track. It can lead to a super-sensitive art book in which text literally takes a walk along the tide line of the Dutch coast. Text becomes image. Another turns the relationship around, so that photographs are no longer reproduced but only described with a not-very-enlightening vocabulary and 'presented' as such on posters. Balancing again and again on the edge of (in)accessibility, the autonomous design is the laboratory for the new metaphor, today no longer directed by media strategists and communications experts, but evolving out of individualistic interpretation and initiative: messing with the rules.

De wereld draait maar ik loop recht, Wijntje van Rooijen
Eigen initiatief

'De wereld draait maar ik loop recht.' Deze gedachte kreeg Wijntje van Rooijen als kind na een strandwandeling. Ze bouwde twee meter hoge letters van hardboard en plaatste de tekst voor één dag op het strand. Van de werktekeningen, schetsen en foto's die ze van dit eindexamenproject maakte, stelde ze een boek samen. Met het project won ze de Items/Drukkerij Industrie prijs 2000, die eruit bestond dat ze haar ontwerp in druk kon realiseren.

De wereld draait maar ik loop recht, Wijntje van Rooijen
Designer initiative

'The world turns, but I walk straight', is a thought that came to Wijntje van Rooijen as a child after a walk along the beach. Using composition board, she constructed the letters two metres high and installed the text on the beach for a single day. From the working drawings, sketches and photographs she had made for this final exam project, she designed a book. With this project Wijntje van Rooijen won the Items/ Drukkerij Industrie Award for the year 2000, allowing her to realize her design in print.

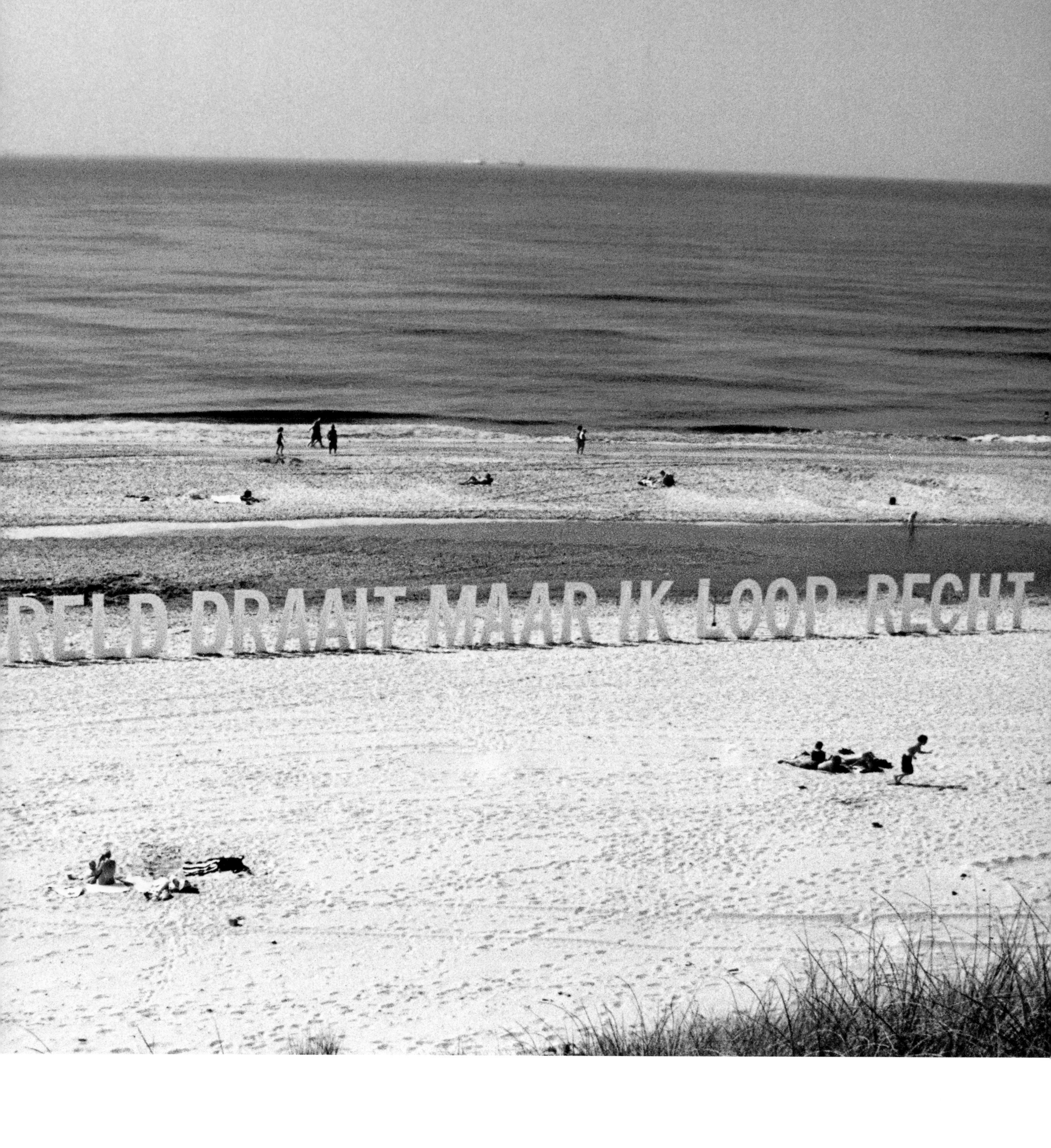
RELD DRAAIT MAAR IK LOOP RECHT

Ik zie, ik zie wat velen zien.
Ik zie de techniek vooruitgang boeken.
rond de jaren 50 en nu nog steeds
Televisie, Radio, Internet.
Ik zie Big Brother of beter gezegd
Big Brother ziet ons; De mens.
Wordt ~~that~~ de privacy geschonden.
En is dit goed voor de toekomst.
Ik zie, ik zie de techniek in
een huis, in de tuin van een huis
met ~~[illegible]~~ grote ramen. De gezellige
ligging van de eethoek verstoort
de werkers niet. evenmin de witte bank.
geen tijd om te zitten. De techniek is
er voor de mens en tegen de mens.
Nu en ~~[illegible]~~ later. ~~[illegible]~~
~~[illegible]~~. In alle drukte is het rustig
aan deze kant.

B.a.d Enterprises voor de Foto Biënnale Rotterdam

Niets bijzonders, ik zie hier mensen.
Ik zie mensen zomaar op straat.
Ik zie mensen die niet weten waar het leven omgaat.
Ik zie één echt mens die weet waarvoor ze staat; en dat het allemaal toch bijzonder maakt!

B.a.d Enterprises voor de Foto Biënnale Rotterdam

Can you Describe a Photograph, B.a.d Enterprises
Opdrachtgever: Nederlands Foto Instituut / Foto Biënnale Rotterdam

Aandacht voor het onderwerp door het niet af te beelden. B.a.d Enterprises vroeg aan zestien mensen een beschrijving te geven van een foto. Hun teksten werden afgedrukt op affiches en placemats – in zekere zin is ook de vormgeving 'weggelaten'. In tegenstelling tot wat deze aanpak wellicht doet vermoeden, gaat het niet om een obscure campagne, maar om affiches die ten tijde van de Biënnale nadrukkelijk in het Rotterdamse stadsbeeld aanwezig waren. De placemats lagen in twaalf restaurants nabij de locatie van de Biënnale.

Can you Describe a Photograph, B.a.d Enterprises
Client: Netherlands Photographic Institute / Rotterdam Photography Biennial

Attract attention to the subject by not showing it was the challenge that B.a.d Enterprises responded to by asking sixteen people to describe a photograph. Their texts were printed on posters and place mats, and in a sense, the design has been 'left out' as well. In contrast to what the approach would lead you to expect, it is not some obscure campaign, but are posters seen around the city during the Rotterdam Biennial. The place mats were distributed in twelve restaurants in the neighbourhood of the location of the Biennial.

Bijdrage tentoonstelling 'Bloemkunst', Floor Houben
Opdrachtgever: Landschapsarchitectenbureau Veenenbos & Bosch

Bloem–ansichtrekken voor de tentoonstelling 'Bloemkunst' in Kasteel Groeneveld te Baarn.

Contribution to 'Flower Art', Floor Houben
Client: Veenenbos & Bosch landscape architects

These display racks were designed for the 'Flower Art' exhibition held at Groeneveld Castle in Baarn.

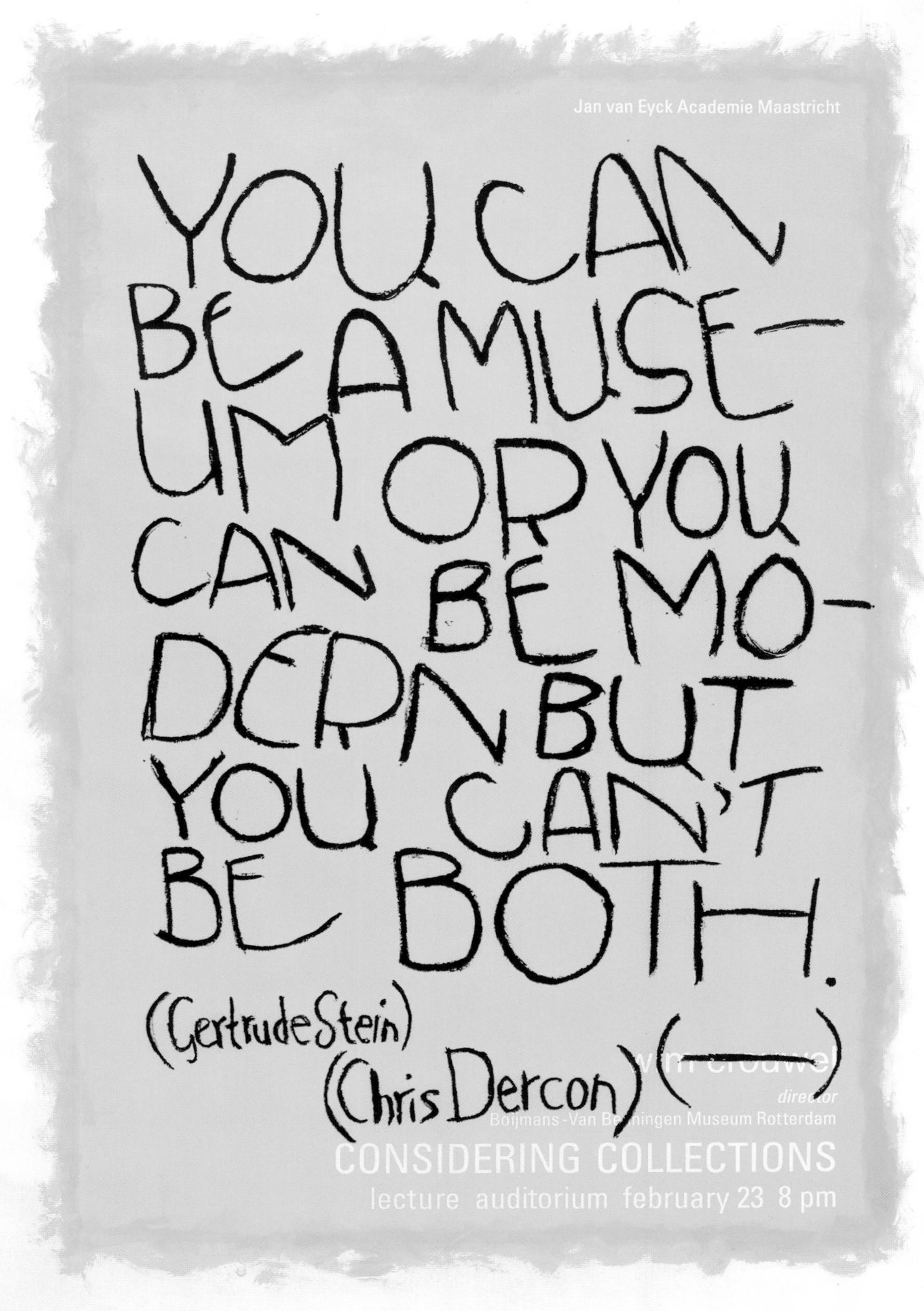

You can be a Museum or you can be Modern, but you can't be Both, Hieke Compier
Opdrachtgever: Jan van Eyck Akademie

Een handgeschreven gedrocht dat Willem Sandberg, Gielijn Escher en Jan Bons in zich verenigt, en toch niet is wat het lijkt. Onder dit ogenschijnlijk simpele beeld gaan tal van referenties schuil. Onderaan het affiche staan de namen Gertrude Stein, Wim Crouwel (doorgestreept) en Chris Dercon.

Gertrude Stein: afzender van de quote. Wim Crouwel: oud-directeur van Museum Boijmans Van Beuningen en Nederlands beroemdste ontwerper en modernist. Chris Dercon: opvolger van Wim Crouwel als museumdirecteur en houder van de aangekondigde lezing op de Jan van Eyck Akademie in Maastricht. De 'wollige' randjes en felle kleur van het vlak verwijzen naar Rothko: modern schilder waarvan Chris Dercon werk inruilde voor werk van Salvador Dali.

You can be a Museum or you can be Modern, but you can't be Both, Hieke Compier
Client: Jan van Eyck Academy

The image is a hand-composed 'freak' combination of Willem Sandberg, Gielijn Escher and Jan Bons, but even then it is not what it seems. Beneath this seemingly simple image lurk multiple references. At the bottom of the poster are the names of Gertrude Stein, Wim Crouwel (crossed out) and Chris Dercon.

Gertrude Stein is the source of the quote, Wim Crouwel is former director of the Boijmans Van Beuningen Museum and the Netherlands' most famous designer and modernist, and Chris Dercon is Wim Crouwel's successor at the Boijmans van Beuningen Museum and the speaker at the lecture being announced at the Jan van Eyck Academy in Maastricht. The 'fuzzy' borders and loud surface colour refer to Rothko, a modern painter whose work Dercon traded for a Salvador Dali.

INFORMATION
IS DARK!
NOT
LIGHT

Everyone is a Designer,
Mieke Gerritzen
Opdrachtgevers: nl.design,
Uitgeverij BIS

Mieke Gerritzen hanteert een nauw omschreven idioom, waarvan het boekje 'Everyone is a Designer. Manifest for the Design Economy' een goed voorbeeld is. Een kakofonie van primaire kleuren, rechthoeken, waarschuwingstekens en schreefloze typografie. Voor deze uitgave van bescheiden omvang verzamelde zij uitspraken van collega's en overgoot deze met haar idiosyncratische vormsaus.

Everyone is a Designer,
Mieke Gerritzen
Clients: nl.design, BIS Pubishers

Mieke Gerritzen has a strictly prescribed idiom, one for which 'Everyone is a Designer: Manifest for the Design Economy' is a good example. The book is a cacophony of colours, right angles, warning signs and sanserif typography. For this limited edition, she collected expressions and statements from fellow designers and served them up in the sauce of her own idiosyncratic forms.

De Laatsten, goodwill
Opdrachtgever: TrustTheater

Dit affiche hing 'opeens' – in verschillende kleurstellingen en zonder enige mededeling – in de stad. Verbluft vroeg iedereen zich af wat dit te betekenen had. Pas drie weken later werd het raadsel onthuld: een tekststrook die de toneelvoorstelling 'De Laatsten' aankondigde, werd over de affiches heen geplakt. Het toneelstuk ging over een familie die uit elkaar dreigt te groeien door verschillende geloven.

De Laatsten, goodwill
Client: TrustTheater

In several colour combinations and with no introduction whatever, this poster was suddenly there, displayed around the city of Amsterdam. Dumbfounded, everyone was asking what it was supposed to be about. The mystery was only resolved three weeks later when a segment of text introducing the theatre production of 'De Laatsten' was stuck on top of the posters. The play is about a family under threat, falling apart because of different beliefs.

Cold Fusion, Mark Klaverstijn, Leonard van Munster, Paul du Bois-Reymond (voorheen DEPT)
Opdrachtgevers: Stedelijk Museum Amsterdam, NAi Uitgevers

Het Amsterdamse ontwerperscollectief DEPT behoorde tot de 'popbands' onder de grafisch-ontwerpstudio's. Jarenlang maakten zij vrijwel uitsluitend drukwerk voor de uitgaanswereld, maar recenter richtten zij zich, zonder de eigen beeldtaal vaarwel te zeggen, ook op meer 'officiële' opdrachten, zoals de catalogus 'Cold Fusion' met werk van de kunstenaar Rob Birza, in opdracht van het Stedelijk Museum Amsterdam / NAi Uitgevers. Birza geldt als een baanbrekend schilder en beeldhouwer die in zijn werk, na een aantal verkennende en door de kunstwereld gewaardeerde voortrajecten, een fase van oververzadiging en zelfs kitscherigheid in zijn werk heeft bereikt. De grafische vormgeving van de catalogus houdt met deze verzadiging gelijke tred, maar is ondertussen bijzonder geraffineerd. Voor zowel DEPT als Birza was beeldmaken een kwestie van territorium afbakenen en het grove effect niet schuwen. Wellicht blijven de meer poëtische kanten aan het werk van Birza in deze catalogus onderbelicht, maar wel wordt bereikt wat de titel pretendeert: een koude fusie van de beelden van Birza en de 'tags' van DEPT.

Cold Fusion, Mark Klaverstijn, Leonard van Munster, Paul du Bois-Reymond (formerly DEPT)
Clients: Stedelijk Museum Amsterdam, NAi Publishers

DEPT, an Amsterdam design collective, was one of the 'pop bands' of graphic design studios. For years, they almost exclusively produced work for the nightlife circuit, but recently, and without taking leave of their own imagery, they focused more on 'official' commissions, including the 'Cold Fusion' catalogue on the work of Rob Birza, for the Amsterdam Stedelijk Museum / NAi Publishers. Birza is a pioneer in painting and sculpture. Following a number of exploratory trajectories admired by the art world, Birza's work has reached a phase of oversaturation, even kitschiness. The graphic design of the catalogue parallels this saturation, but is also exceptionally refined. For both DEPT and Birza, making visual images was a question of marking out territory, and not shunning the rough effect. The more poetic side of Birza's work is probably underexposed, but the catalogue achieves what the title aspires to: a cold fusion of Birza's images and the 'tags' contributed by DEPT.

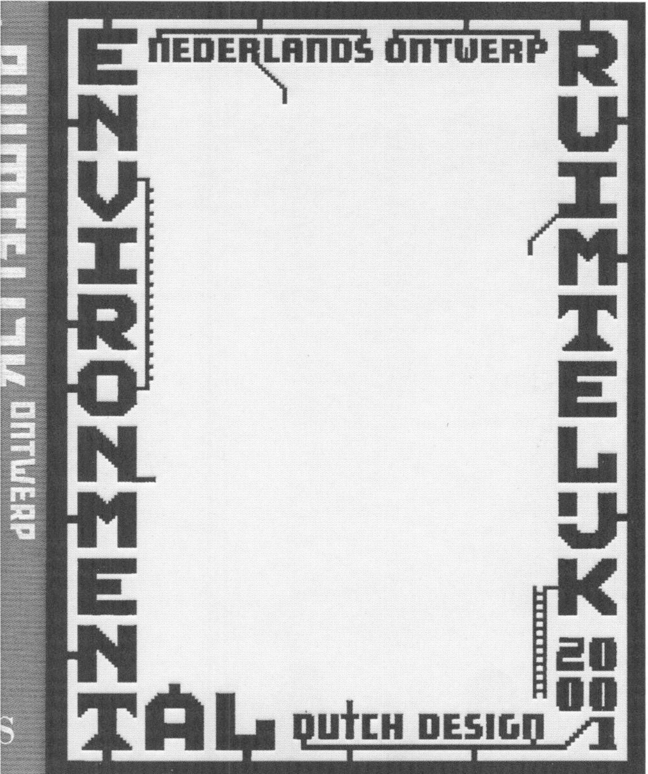

Nederlands Ontwerp 2000-2001, René Knip
Opdrachtgever: Uitgeverij BIS

'Nederlands Ontwerp' is een tweejaarlijkse uitgave, waarin ontwerpers die zijn aangesloten bij de Beroepsorganisatie Nederlandse Ontwerpers BNO zich kunnen presenteren. Deze editie bestond uit zes afzonderlijke delen voor elke vormgevingsdiscipline, een apart gebonden register en een cd-rom. René Knip bedacht verschillende karakteristieke letters voor elk deel. Door prägen, foliedruk, kleurgebruik en typografie op de omslagen en ook in het voorwerk, een zeldzaam weelderig aandoende uitgave.

Dutch Design 2000-2001, René Knip
Client: BIS Publishers

'Dutch Design' is a biennial publication in which designers belonging to the BNO Association of Dutch Designers can present themselves. This edition consisted of six separate parts, one for each design discipline, a bound index and a CD-Rom. René Knip devised different characteristic letters for each part. The intaglio, metallic printing, use of colour and typography on the covers and also on the preliminary pages make this an unusually sumptuous-looking publication.

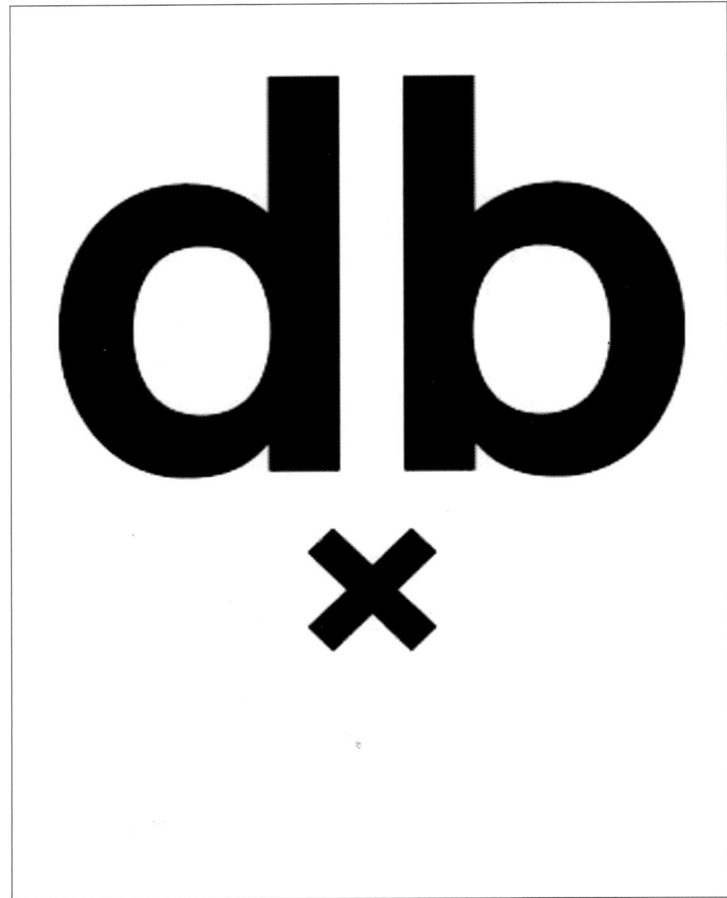

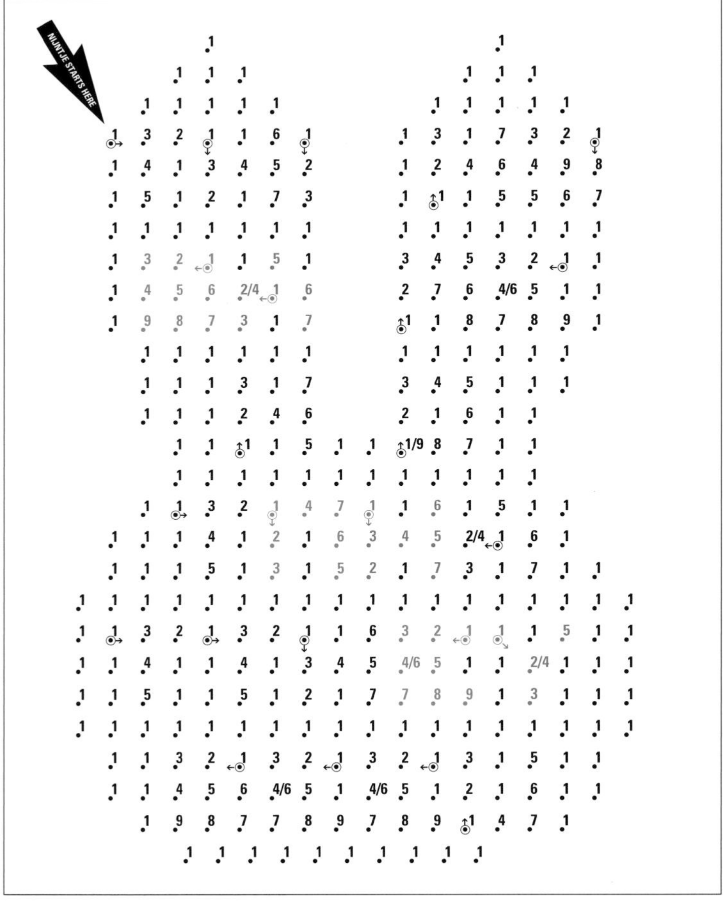

Dick Bruna in het Centraal Museum, Aap ontwerpers, Sandra Oom, Thonik, -SYB-
Opdrachtgever: Centraal Museum Utrecht

Ansichtkaarten die werden uitgegeven ter gelegenheid van de opening van de permanente Dick Bruna-tentoonstelling in het Centraal Museum Utrecht.
Tien ontwerpers en tien dichters werd gevraagd te reageren op het werk van Bruna.

Dick Bruna in the Centraal Museum, Aap ontwerpers, Sandra Oom, Thonik, -SYB-
Client: Centraal Museum Utrecht

Postcards published on the occasion of the opening of the permanent Dick Bruna exhibition in the Centraal Museum Utrecht. Ten designers and ten poets were asked to respond to Bruna's work.

Van de Schoonheid en de Troost, Max Kisman
Opdrachtgever: VPRO

De poëtische leader van het programma 'Van de Schoonheid en de Troost' vormde een passende binnenkomer voor dit indringende televisieprogramma, waarin internationaal bekende wetenschappers langdurig aan het woord kwamen.

Van de Schoonheid en de Troost, Max Kisman
Client: VPRO

The poetic leader for the TV series 'Van de Schoonheid en de Troost' formed a fitting introduction for this probing TV programme featuring well-known international scientists speaking at length.

Attempt.
RE–
Re-Magazine #5
From Amsterdam NL
The Winter of year 2000/01
The Anti-attitude Issue
Re-connect yourself!
Ingmari, topmodel of the seventies photographed by
Anuschka Blommers/Niels Schumm.
Page 1 out of 84

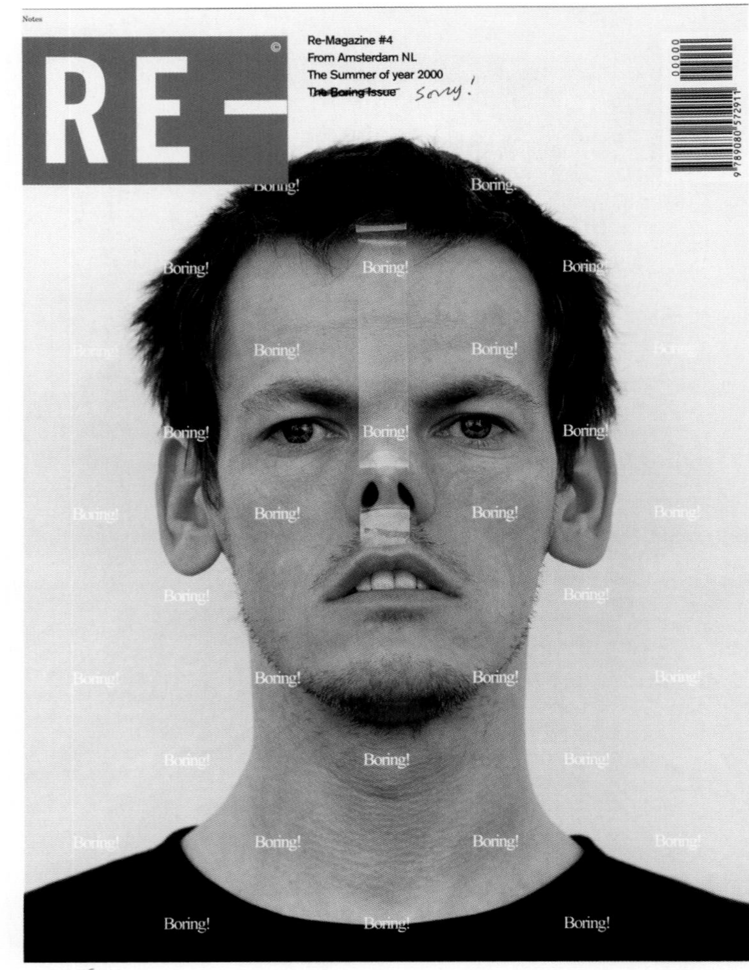

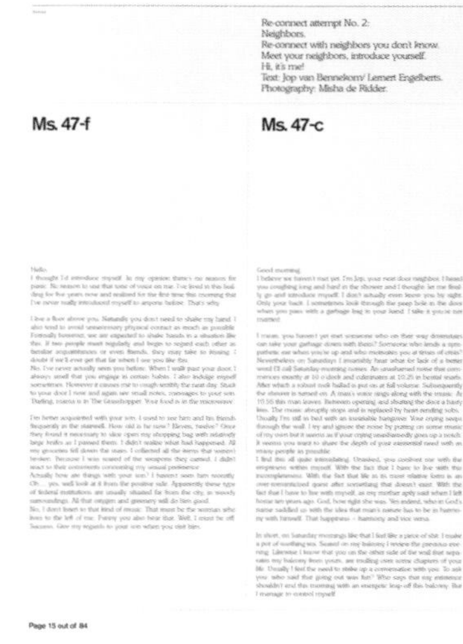

Re-connect attempt No. 2:
Neighbors.
Re-connect with neighbors you don't know.
Meet your neighbors, introduce yourself.
Hi, it's me!
Text: Jop van Bennekom/ Lennert Engelberts.
Photography: Misha de Ridder.
Ms. 47-f
Ms. 47-c

Re-Magazine, Jop van Bennekom, i.s.m. diverse redacteuren
Eigen initiatief

Jop van Bennekom bedacht Re-Magazine in 1997 als afstudeerproject aan de Jan van Eyck Akademie. Met dit tijdschrift wilde hij een persoonlijke dimensie toevoegen aan de door hem als afstandelijk ervaren massamedia. Hij verzorgt nog steeds voor elke aflevering de gehele productie en het ontwerp, uitgaand van zijn eigen netwerk van fotografen, stilisten, illustratoren en redacteurs. Hij verschaft jonge creatieven een podium om hun werk te publiceren en slaagt er tegelijkertijd in een blad te maken dat op elke pagina zijn handschrift draagt. Met Re-Magazine heeft Van Bennekom het tijdschrift opnieuw gedefinieerd – met name door een herijking van de relatie tussen de verschillende creatieve disciplines die bij de totstandkoming ervan betrokken zijn.

Re-Magazine, Jop van Bennekom, in cooperation with various editors
Designer initiative

Jop van Bennekom thought up Re-Magazine in 1997, as a final exam project for the Jan van Eyck Academy. In it he wanted to add a personal dimension to what he sees as distant and estranging mass media. For each edition, he still personally oversees the entire production and design, building on his own network of photographers, stylists, illustrators and editors. He provides young creative people with a podium to publish their work, yet succeeds in creating a periodical whose every page bears his own signature. With Re-Magazine, Van Bennekom has redefined the magazine as a medium by enriching the relationships amongst the different creative disciplines involved in the project.

Notes

I HAVE NOTHING TO SAY

I HAVE TO MAKE A VERY IMPORTANT PHONE CALL.

www.ihavenothingtosay.nl

Notes

Shadowtext on 'Hide! Join the network'

This text about the interaction between public space and information technology was encoded using a web-based emulator of the Enigma 'Schlüssel M' encoding device. During World War II (1939-1945), the Enigma was used by the German armed forces (as opposed to the Allies) to transmit encoded orders to their U-boats. U-boats ('U' for 'Untersee') or submarines were used to hunt and sink both military and merchant convoys crossing the Atlantic, supplying The United Kingdom with industrial materials, oil and food. The Enigma codes used complex enciphering mechanisms in which permutation played an important role. Eventually the Allies succeeded in cracking the Enigma code keys. If they had failed, World War II would presumably have lasted several years longer.

For translation text check the enigma javascript emulator: www.attlabs.att.co.uk/andyc/enigma/enigma_j.html Wheel order: 312, ring settings: 23/24/20, stecker pairs: AM /ET, indicator settings: BVE.

text

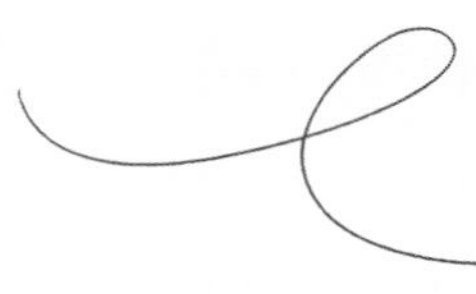

Notes Thank you Post-It.

Freestylin': an analysis by Wilfried Nijhof and Jop van Bennekom.
Photography by Maurice Scheltens. Not!

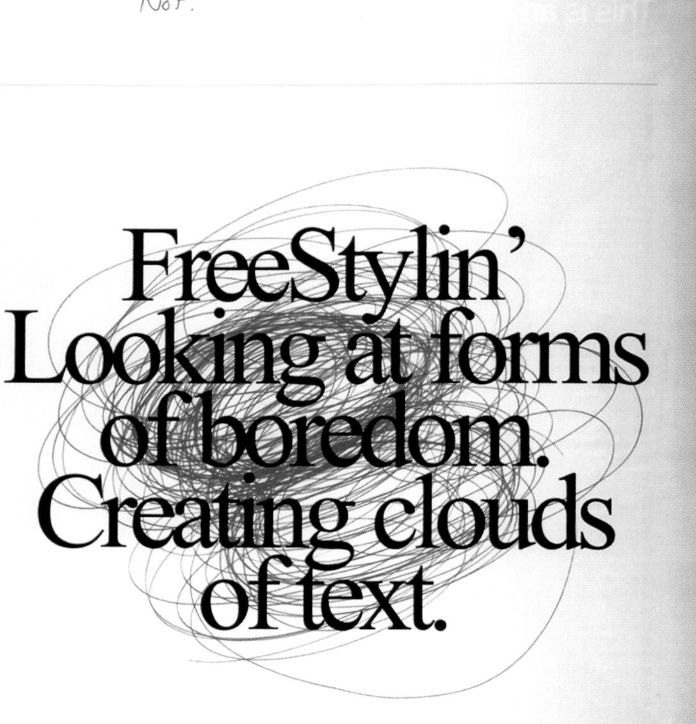

FreeStylin' Looking at forms of boredom. Creating clouds of text.

Notes

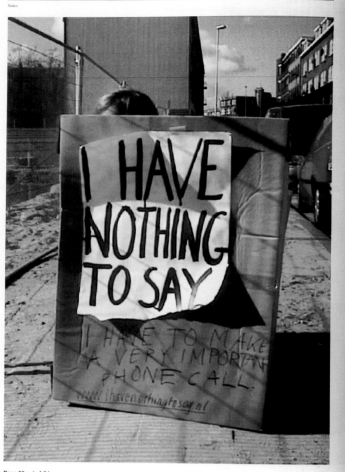

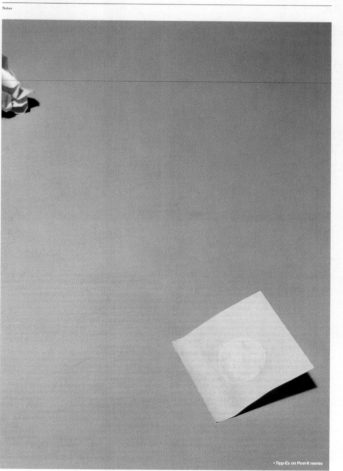

• Tipp-Ex on Post-It memo

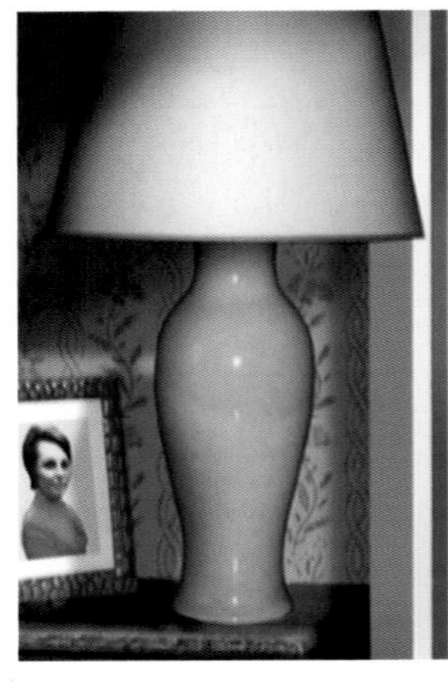

Leader Ons Genoegen,
Ruud van Empel
Opdrachtgever: VARA

Ruud van Empel heeft een uniek handschrift met een bijna autonome kwaliteit en een sterke redactionele uitstraling. 'Ons Genoegen' is een documentair programma over Nederlanders en hoe zij leven in deze tijd. De leader bestaat uit korte eenheden die ook zelfstandig tussen verschillende onderdelen gebruikt kunnen worden. Samen vormen ze tevens de begin- en de eindleader.

Ons Genoegen leader,
Ruud van Empel
Client: VARA

Ruud van Empel has a unique touch, with an almost autonomous quality and a strong editorial effect. 'Ons Genoegen' is a documentary programme about the Dutch and how they live today. The leader is comprised of short clips that can also be separately used between various programme segments. Together they make up both the introductory and the end leaders.

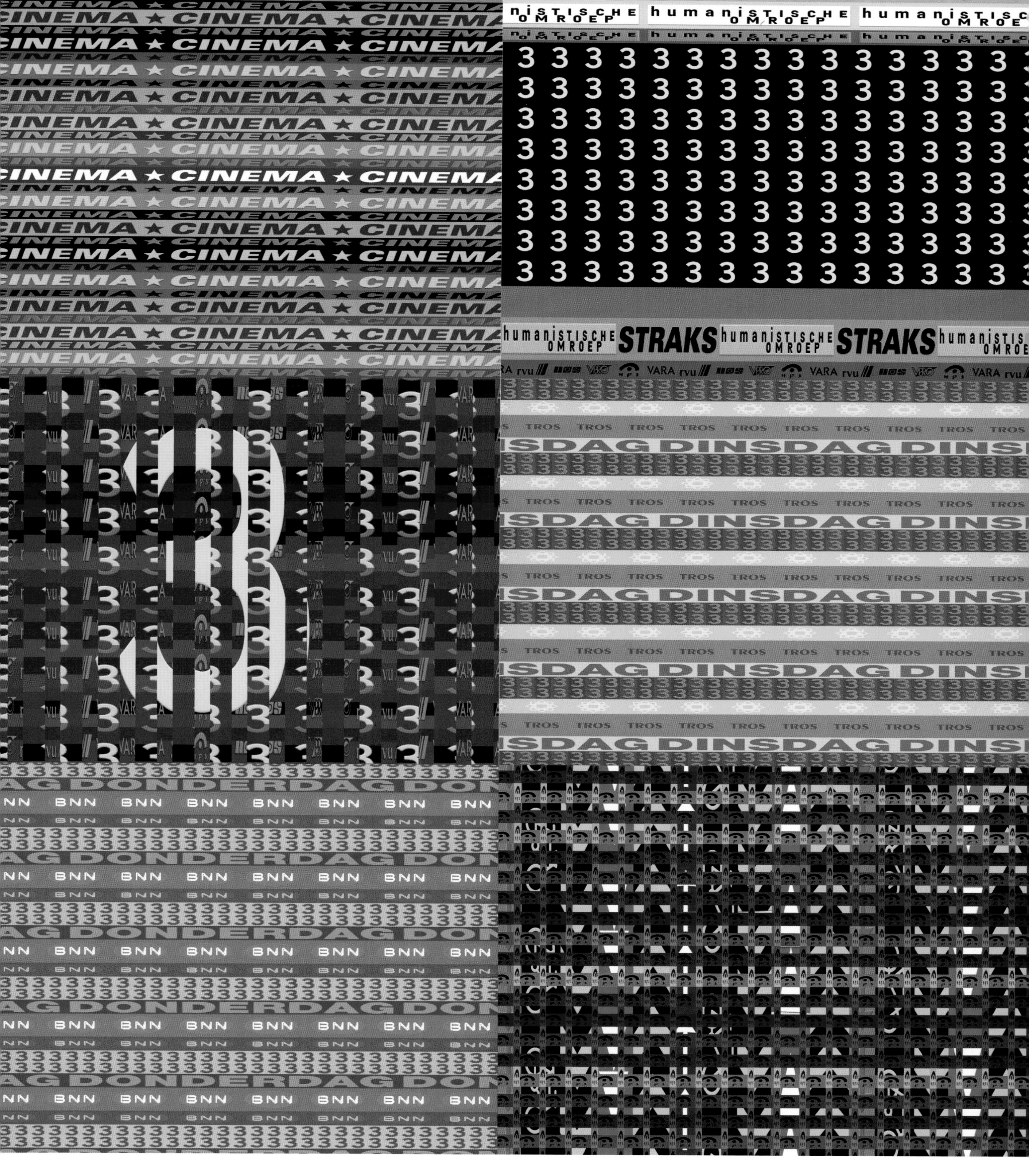

Leaders Net 3, Mieke Gerritzen
Opdrachtgever: NOS

De leaders voor Net 3 werden na introductie in 1999 alom bejubeld vanwege hun kracht en eenvoud. In 2000 werden ze verder uitgebouwd met een aantal nieuwe varianten.

Net 3 leaders, Mieke Gerritzen
Client: NOS

The leaders for the Dutch television station, Net 3, were widely applauded for their strength and simplicity when they were introduced in 1999. They were expanded in 2000 with a number of new variations.

Fun

Als de conceptuelen het brein van de Nederlandse vormgeving vertegenwoordigen, dan wordt de onderbuik gevormd door een bont gezelschap ontwerpers dat voor weinig bang is, behalve voor de ernst van de zaak. Een genre als de huis-aan-huis folder inspireert meer dan designklassiekers. Massavermaak kan een prachtige voedingsbodem zijn, maar ook de kitsch van een incrowd is bruikbaar. Zolang de verschillende onderdelen maar met sellotape aan elkaar geplakt kunnen worden, en nooit de indruk zou kunnen ontstaan dat er hier ontworpen is. Alles liever dan de goede smaak; geen grotere hel dan de professionaliteit. Opzettelijke grofheid, aandoenlijk amateurisme en onversneden plezier zijn de kenmerkende ingrediënten van producten die geen claim leggen op het eeuwige leven. Ze zijn er nu, en als ze nu functioneren is hun schepping geslaagd. In die zin beoogt dit werk niets meer dan het krantje met aanbiedingen van de supermarkt op de hoek. Volgende week een nieuwe. Stijlcitaten zijn verplicht. Ze dragen bij aan de herkenning door de doelgroep, die op de wenken wordt bediend met precies de juiste signalen. Ontwerpen voor instant-bevrediging: bij ontvangers en makers.

Fun

If the conceptualists represent the brain of Dutch design, the underbelly is composed of a colourful group of designers who fear very little, unless it is the seriousness of the matter. A genre such as the house-to-house pamphlet inspires more than just the design classics. Mass amusement can be a beautifully rich subsoil, but the kitsch of the in-crowd is grist for the mill as well, as long as the different parts can be cellotaped together, and never give the impression that they were 'designed'. Anything is better than 'good taste', and there is no hellfire greater than consummate professionalism.
Intentional coarseness, touching amateurism and unabashed pleasure are the characteristic ingredients of products that lay no claim to immortality. They are here now, and their creation is a success in the way they function at the moment. In that sense, this work has no higher aim than that of the local supermarket's newspapers with the offers of the week. There will be a new one next week. Quoting styles is also obligatory. It contributes to the recognition on the part of the target group, who are waited on hand and foot, given just the right signals. It is designing for instant satisfaction, for the recipients and for the makers.

JISKEFET

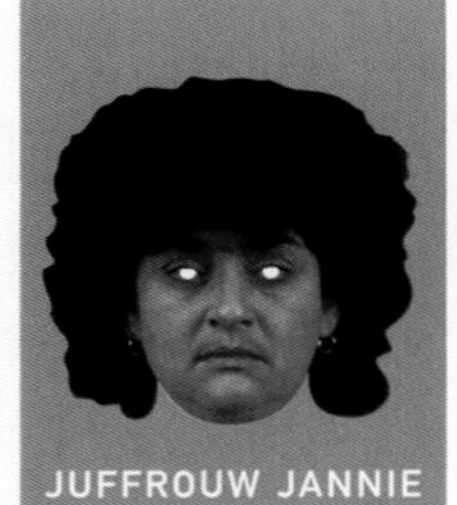

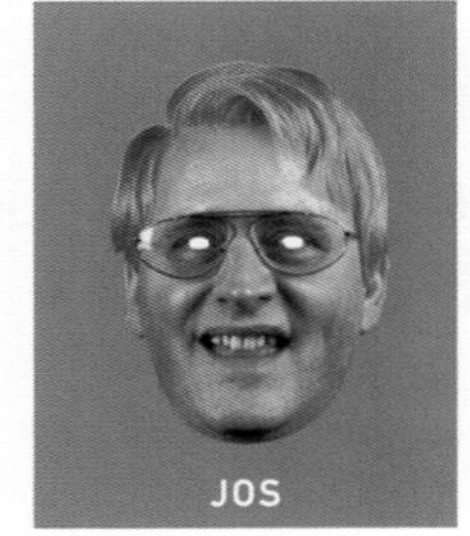

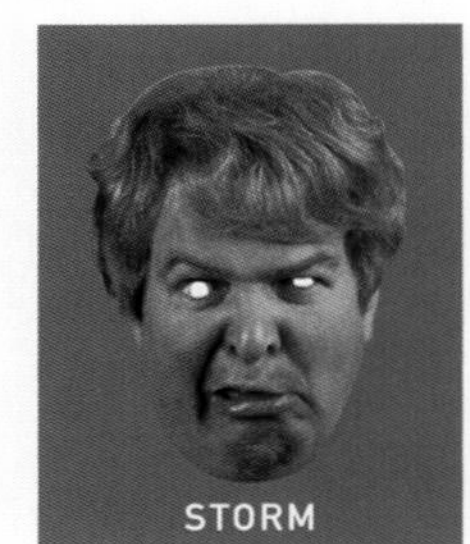

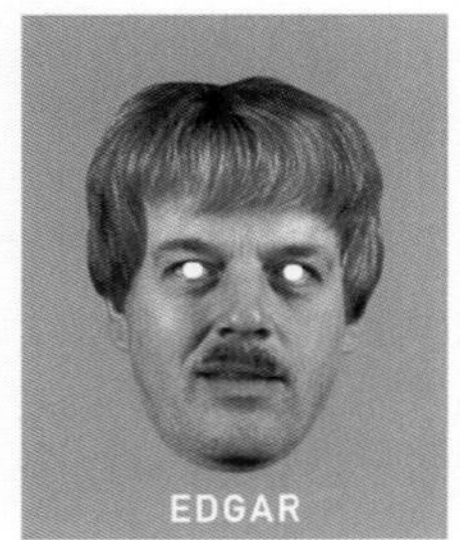

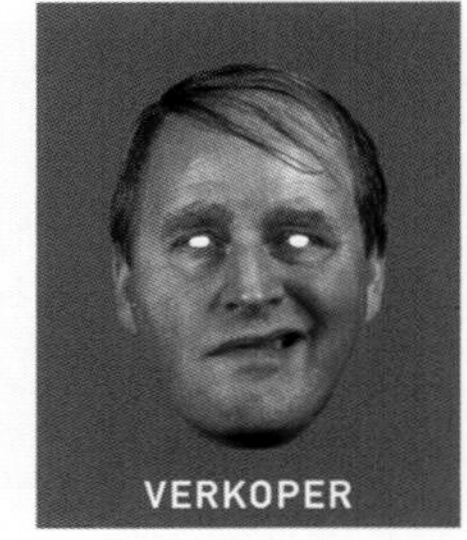

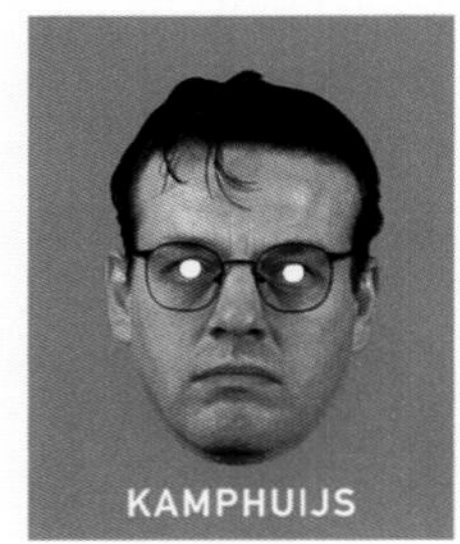

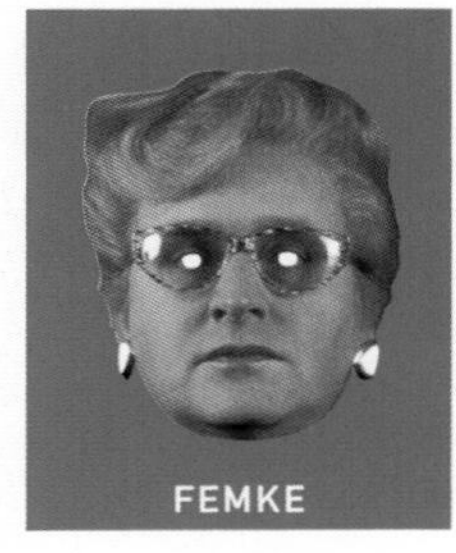

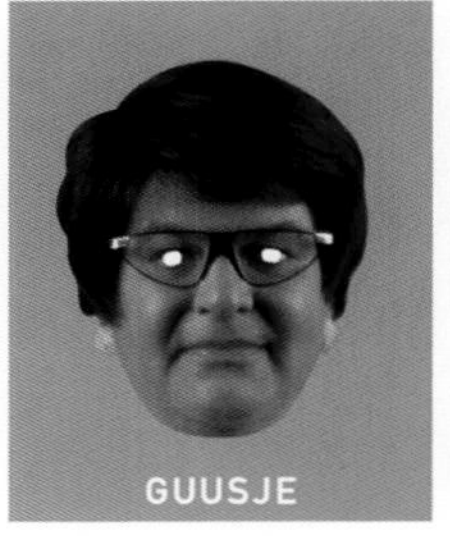

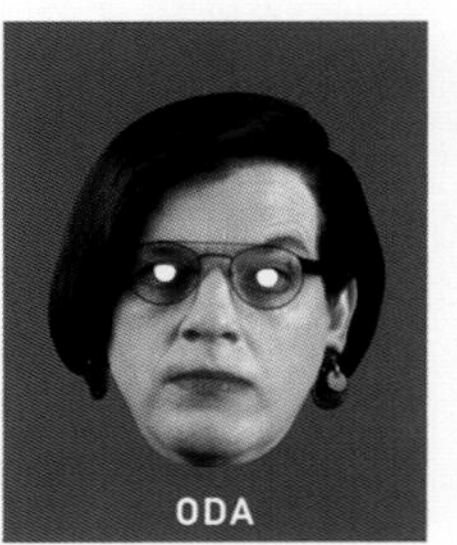

1 APRIL 2000 - 31 MAART 2001

Jiskefet-maskerkalender, Ronald Timmermans i.s.m. Herman Koch, Kees Prins en Michiel Romeyn
Opdrachtgevers: Komodo's Nederland, Jiskefet

Kalender die adequaat inspeelt op het te hooi en te gras nadoen van de hilarische typetjes uit de tv-serie 'Jiskefet'. Vervolmaak uw imitatie met deze levensechte maskers!

Jiskefet calendar, Ronald Timmermans in collaboration with Herman Koch, Kees Prins and Michiel Romeyn
Clients: Komodo's Nederland, Jiskefet

A calendar that effectively goes along with the haphazard mimicry of the hilarious characters from the TV series 'Jiskefet'. Make your imitation complete with these lifelike masks!

De droom van de beer,
Ruud van Empel
Opdrachtgever: VPRO

Affiche bij de documentairefilm 'De droom van de beer, en de neergang van het Sovjet Circus' door Cherry Duyns. De opdracht voor het maken van dit affiche luidde: 'Ontwerp een circusachtig affiche met eventueel gebruikmaking van typisch herkenbare communistische elementen.' Hoewel Ruud van Empel nauwgezet aan deze opdracht heeft voldaan, is het milde absurdisme van het resultaat toch verrassend.

De droom van de beer,
Ruud van Empel
Client: VPRO

The poster was for the documentary film 'De droom van de beer, en de neergang van het Sovjet Circus' (The Dream of the Bear and the Demise of the Soviet Circus), by Cherry Duyns. The assignment for the poster was to 'design a circus-like poster, possibly using typically familiar communist elements'. Although Ruud van Empel has conscientiously followed the letter of the assignment, the mild absurdity of the result is still a surprise.

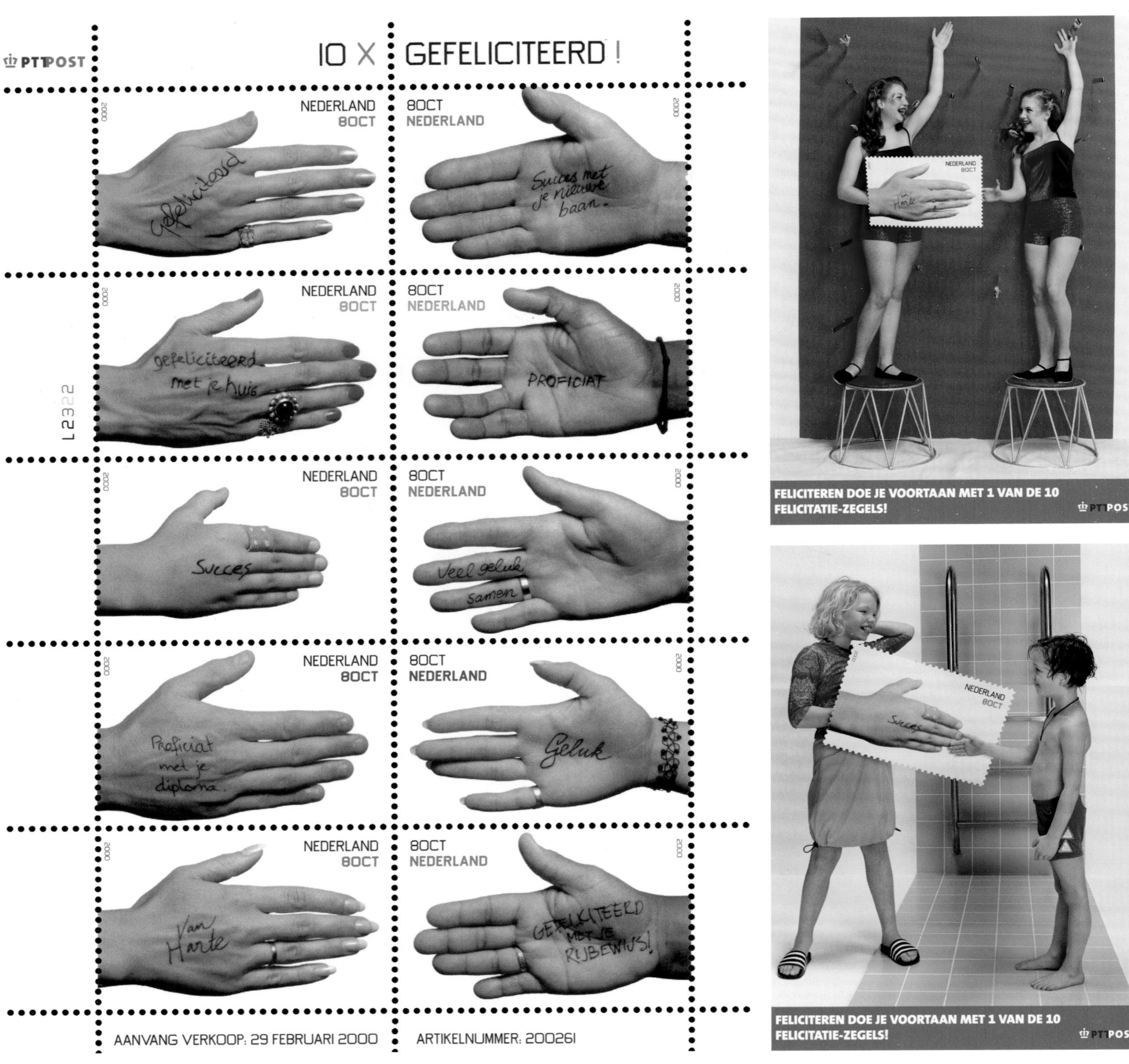

Felicitatiezegels, KesselsKramer
Opdrachtgever: PTT Post

Postzegelontwerpen ontaarden nogal eens in overvoerde miniatuurschilderijtjes. In dit geval is de boodschap overduidelijk. De gebruiker wordt in de gelegenheid gesteld een sympathiek gebaar naar keuze aan zijn post toe te voegen.

Postage Stamps, KesselsKramer
Client: PTT Post

Postage stamp designs occasionally degenerate into overblown miniature paintings. In this case, the message is abundantly clear. The user is given the opportunity to add the sympathetic gesture of his choice to his mail.

www.nachtwinkel.nl, Dietwee communicatie en vormgeving
Opdrachtgever: Winkel van Sinkel

Website waarop de nachtprogrammering terug te vinden is van uitgaanscentrum Winkel van Sinkel in Utrecht en die de bezoeker alvast in de juiste stemming brengt. De kracht van schijnbare eenvoud.

www.nachtwinkel.nl, Dietwee communicatie en vormgeving
Client: Winkel van Sinkel

The night programmes of the 'Winkel van Sinkel' centre in Utrecht can be found on their 'night shop' website, which puts its visitors in the right mood. It has the strength of (apparent) simplicity.

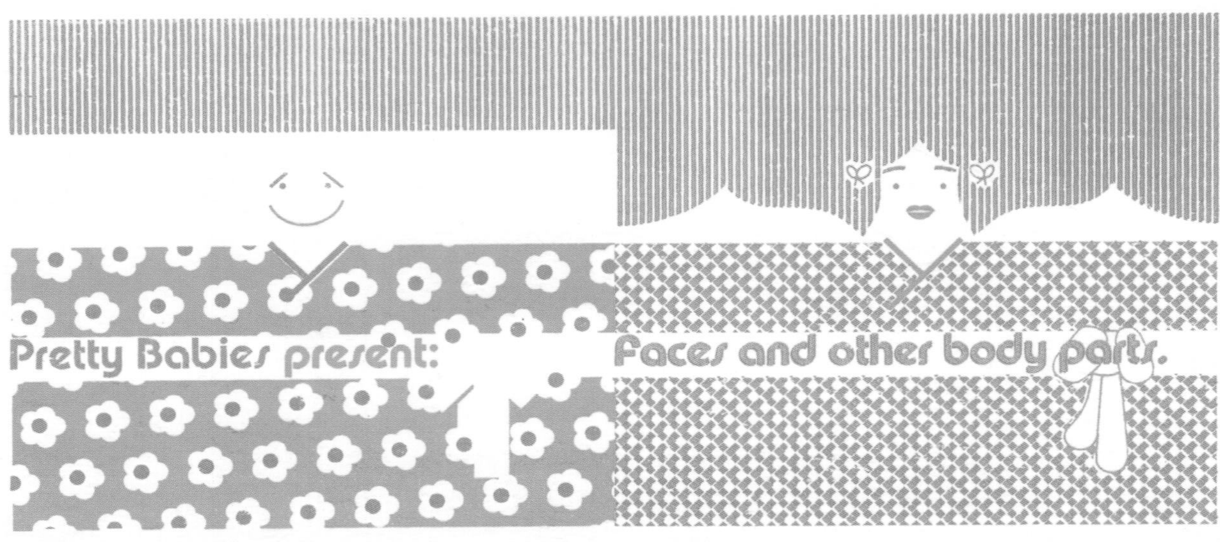

Pretty Babies, GM
Opdrachtgever: Pretty Babies

Voor het Amsterdamse kunstenaars-initiatief Pretty Babies maken Richard Niessen en Harmen Liemburg (GM) een groeiende serie gezeefdrukte uitnodigingen/flyers.

Pretty Babies, GM
Client: Pretty Babies

Richard Niessen and Harmen Liemburg of GM made an expanding series of silkscreened invitations and flyers for the Amsterdam artists' collective, 'Pretty Babies'.

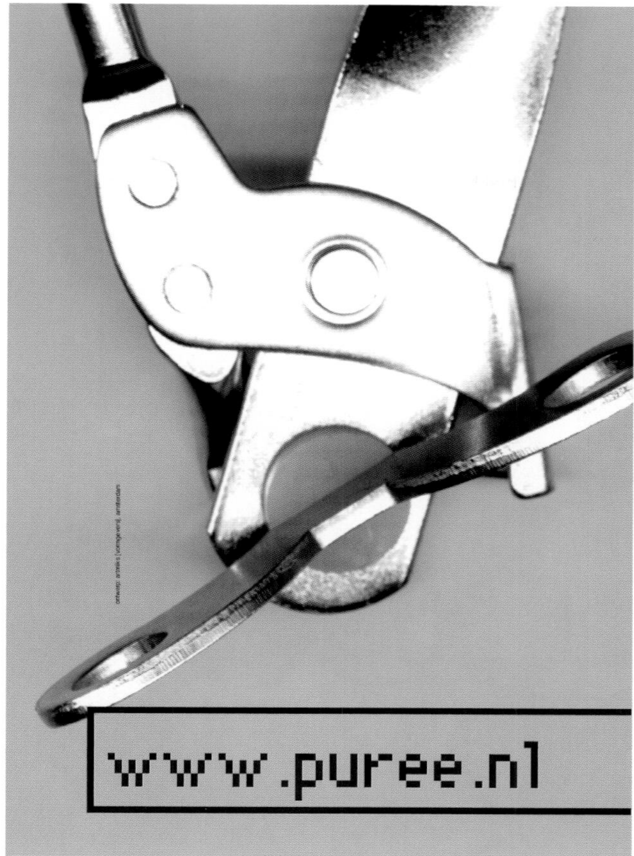

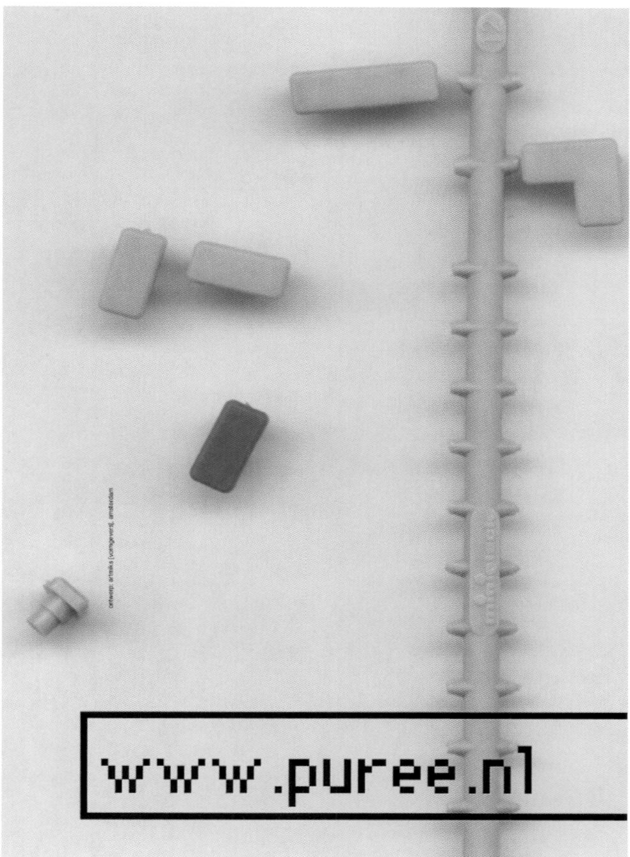

www.puree.nl, artmiks [vormgevers]
Eigen initiatief

Met de Puree-website heeft ontwerpbureau artmiks zich een waar Internet-laboratorium getoond. De site was opgezet om bij elke aflevering aan de hand van een thema vrije experimenten uit te voeren, zonder te hoeven vervallen in de clichés die gedurende het afgelopen decennium op het web postgevat hebben. Bovendien verrijkte artmiks het stadsbeeld met krachtige, raadselachtige affiches waarop naar de website verwezen werd.

www.puree.nl, artmiks [vormgevers]
Designer initiative

With their 'Puree' website, the artmiks design studio presented a veritable Internet laboratory. The site was set up so that for each job, independent experiments could be carried out, based on a theme and without falling prey to the clichés that have taken over the Internet in the last decade. artmiks moreover enriched the urban landscape with strong, enigmatic posters that referred to the website.

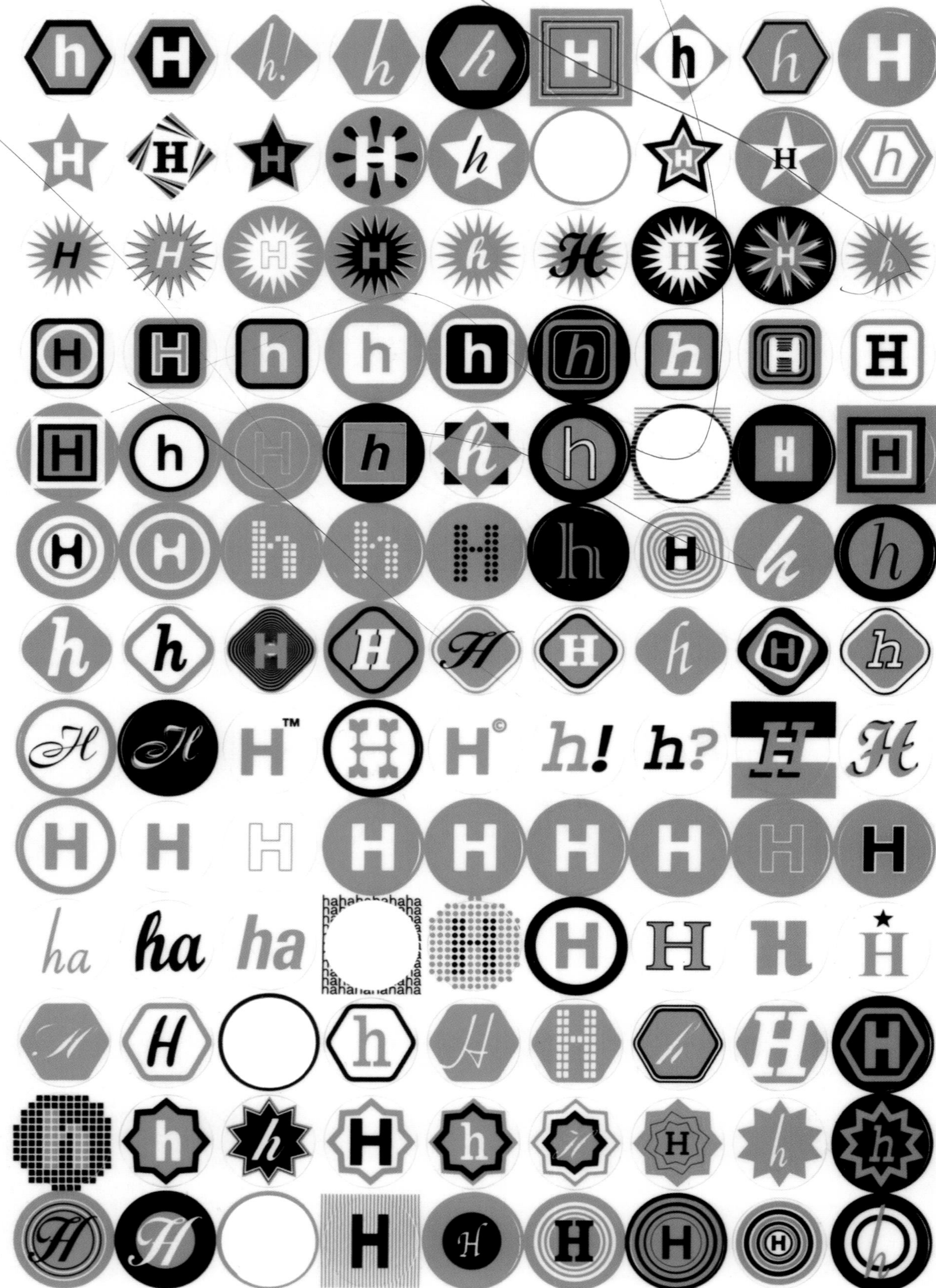

Factor H, Dietwee communicatie en vormgeving
Opdrachtgever: Factor H

Stickervel behorend bij de huisstijl van Factor H: een H voor elke stemming.

Factor H, Dietwee communicatie en vormgeving
Client: Factor H

Sheet of stickers as part of Factor H's house style: an H for every mood.

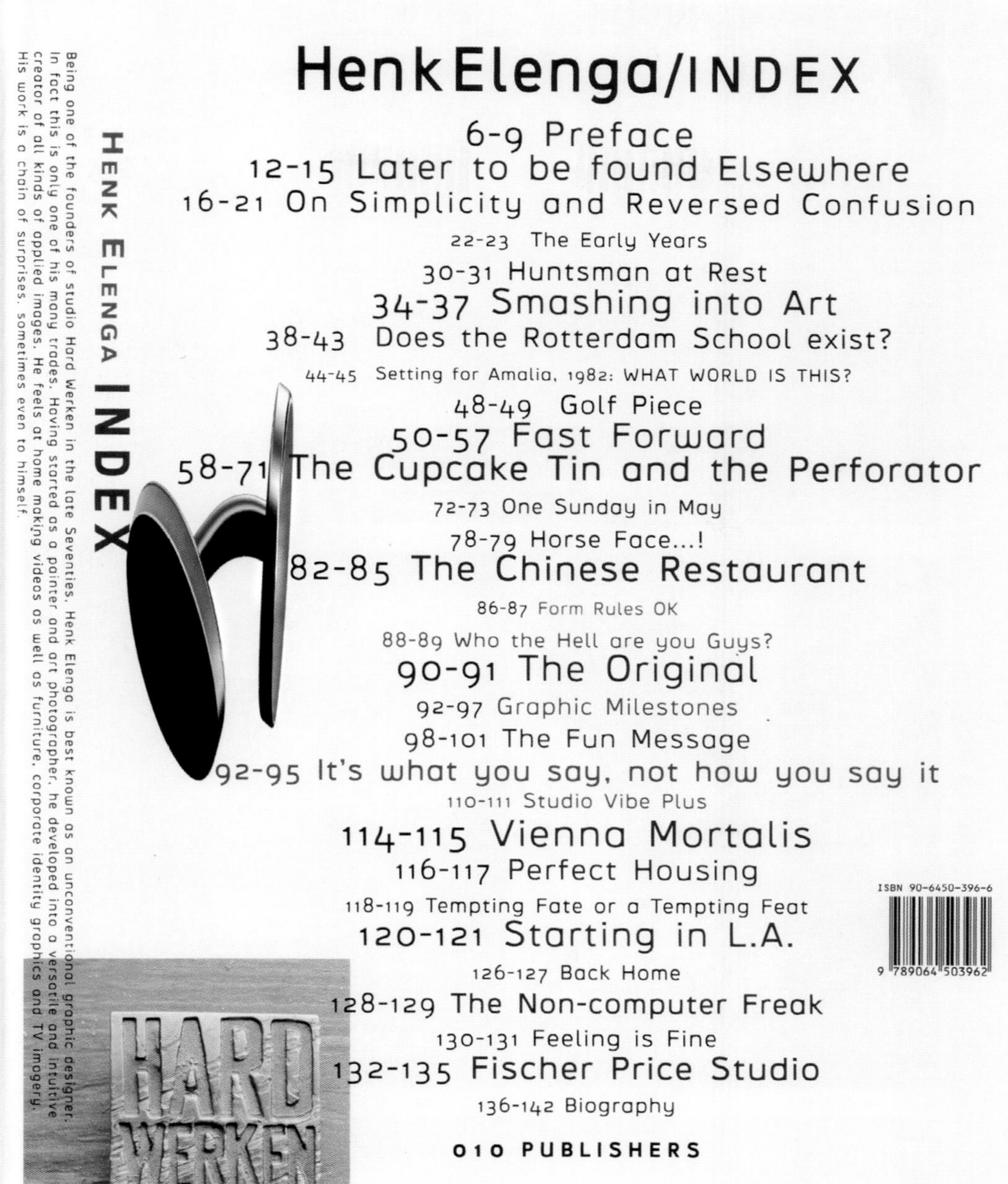

Henk Elenga / Index, Knockout
Opdrachtgever: 010 Publishers

'Een goed boek begint al op de voorkant,' heeft beeldend kunstenaar John Körmeling ooit gezegd. Zo ook dit boek. De hectische persoonlijkheid van de veelzijdige ontwerper/kunstenaar Henk Elenga komt door de op het eerste gezicht chaotische maar bij nader inzien beheerste vormgeving, goed tot uiting. Het speciaal voor dit boek door Greg Lindy – samen met Elenga – ontworpen lettertype 'Crank8' draagt hiertoe in belangrijke mate bij.

Henk Elenga / Index, Knockout
Client: 010 Publishers

'A good book already begins on the cover,' the artist John Körmeling once said. This book too. The hectic personality of the versatile designer/artist Henk Elenga is well expressed through a design that at first sight looks chaotic but on closer inspection reveals itself as controlled. 'Crank8', the typeface specially designed for this book by Greg Lindy – together with Elenga – contributes to this to an important degree.

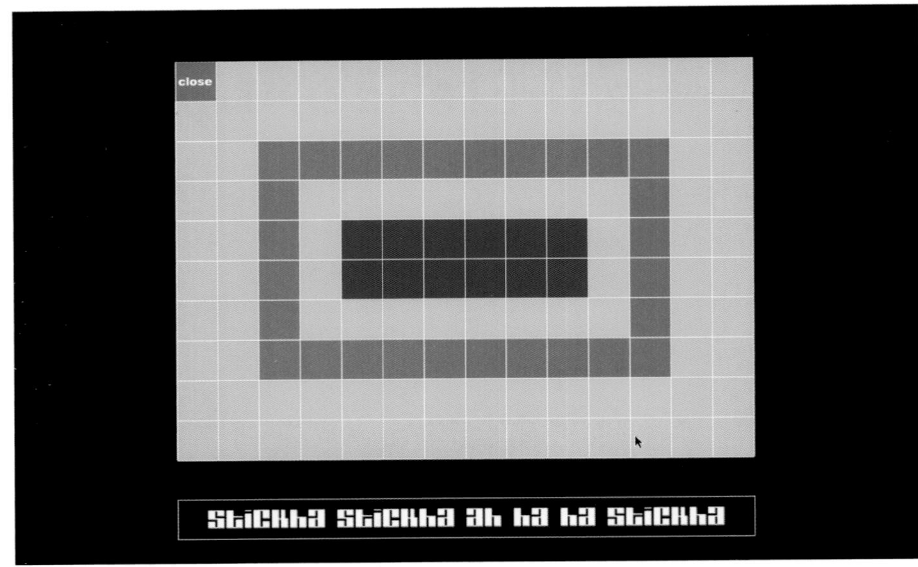

www.shapesquad.com, Shape Squad
Eigen initiatief

Energieke website waarmee het Amsterdamse ontwerpbureau Shape Squad zichzelf presenteert.

www.shapesquad.nl, Shape Squad
Designer initiative

Energetic website promoting the Amsterdam design studio Shape Squad.

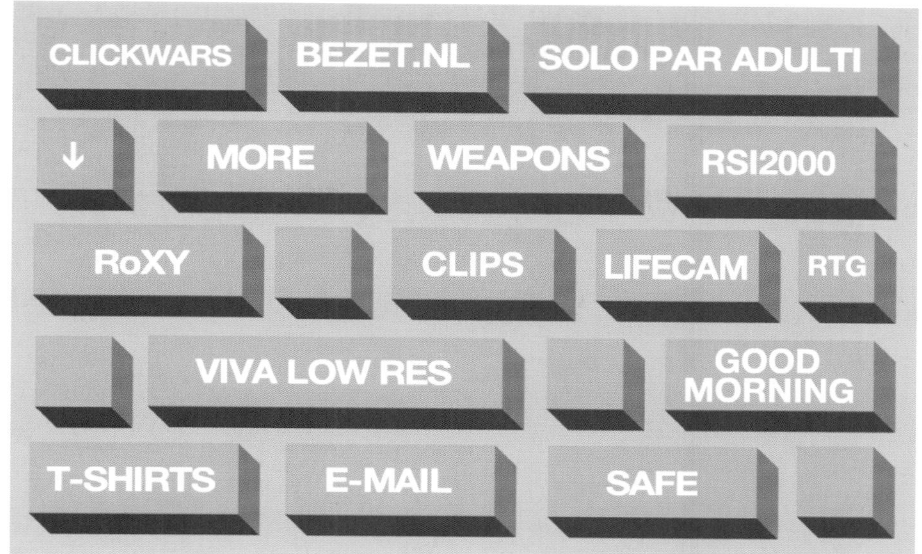

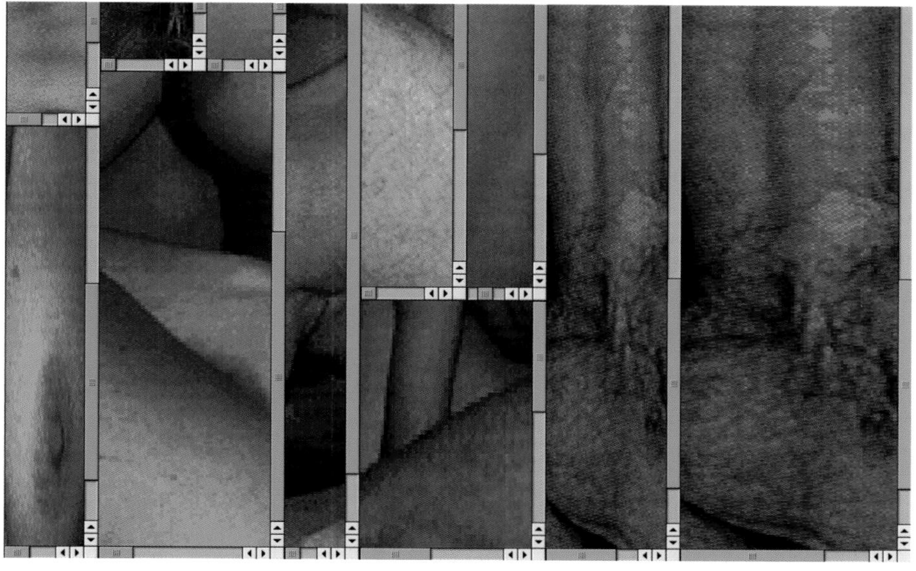

www.dept.nl, Mark Klaverstijn, Leonard van Munster, Paul du Bois-Reymond (voorheen DEPT)
Eigen initiatief

De uitgesproken ontwerpen van DEPT zijn uitingen van één mentaliteit. DEPT was zich sterk bewust van de aanwezigheid die grafisch ontwerpen kan hebben en probeerde deze op ongebruikelijke manieren te bewerkstelligen. De eigen website van het bureau bevat onder andere het vermakelijke 'rsi2000' – een spel ter voorkoming (?) van de modieuze aandoening RSI.

www.dept.nl, Mark Klaverstijn, Leonard van Munster, Paul du Bois-Reymond (formerly DEPT)
Designer initiative

DEPT's emphatic designs are expressions of a single mentality. DEPT was acutely aware of the presence that graphic design can possess and attempted to put this to effect in unusual ways. The studio's own website also includes the amusing 'rsi2000', a game to help avoid (?) the trendy affliction of RSI.

Handschrift

Een signatuur kan letterlijk met het handschrift verbonden zijn, zoals het geval is in het illustratieve werk van Studio Boot en dat van tekenaar Joost Swarte. De onvervreemdbare vingerafdruk van de makers. Veel vaker is het niet zomaar de lijnvoering, maar een benaderingswijze waarin zich de handtekening van de ontwerper verraadt. Een grote studio, een eenmanszaak: ze zijn voor ingewijden herkenbaar door een consequent volgehouden belangstelling, hun oog voor specifieke details, hun technisch vakmanschap of particuliere dwaasheid. Niets nieuws onder de zon, zou je zeggen. Individuele stijlen zijn er altijd geweest. Misschien is dat precies het verschil. De ontwerpwereld kent inmiddels zo'n rijkdom aan individuele 'programma's', dat er van dominante stromingen geen sprake meer is. Stijlen zijn nauwelijks nog tot standaard te verheffen – te weinig steun, te weinig overlevingstijd – waardoor ook iedere tegenbeweging een krachtige opponent mist. De marge is alom tegenwoordig, het centrum leeg. In dat opzicht spiegelt de grafische vormgeving van dit moment de heersende maatschappelijke en politieke cultuur. Engagementen drogen nog sneller op dan ze ontstaan. Persoonlijke handschriften zijn vermoedelijk de enige duurzame remedie tegen dit tekort aan vijanden. Die creëren ze namelijk vanzelf.

Handwriting

A signature can literally be bound to a handwriting, as is the case in the illustration work by Studio Boot and that of illustrator Joost Swarte. These bear the unalienable fingerprints of their makers. It is more often the case that it is not simply the physical drawing of line, but a means of approach that betrays the signature of the designer. A large studio, a one-designer shop – the initiated can recognize either by a consistent continuum of interest, by their eye for specific details, their technical craftsmanship or their particular contrariness. Nothing new under the sun, you could say. Individual styles have always been there.
Maybe that is precisely the difference. The design world has developed such a wealth of individual 'agendas' that there is no longer any question of dominant styles. Styles can rarely be hoisted high enough to set standards any more – not enough support, not enough survival time – so that any counter-attack finds itself suddenly lacking a worthy opponent. The marginal is everywhere, the centre empty. In this regard, graphic design today reflects the dominant social and political culture. Involvement dries up faster that it blossoms. Personal handwriting is probably the only durable remedy against this shortage of enemies. They in fact create them themselves.

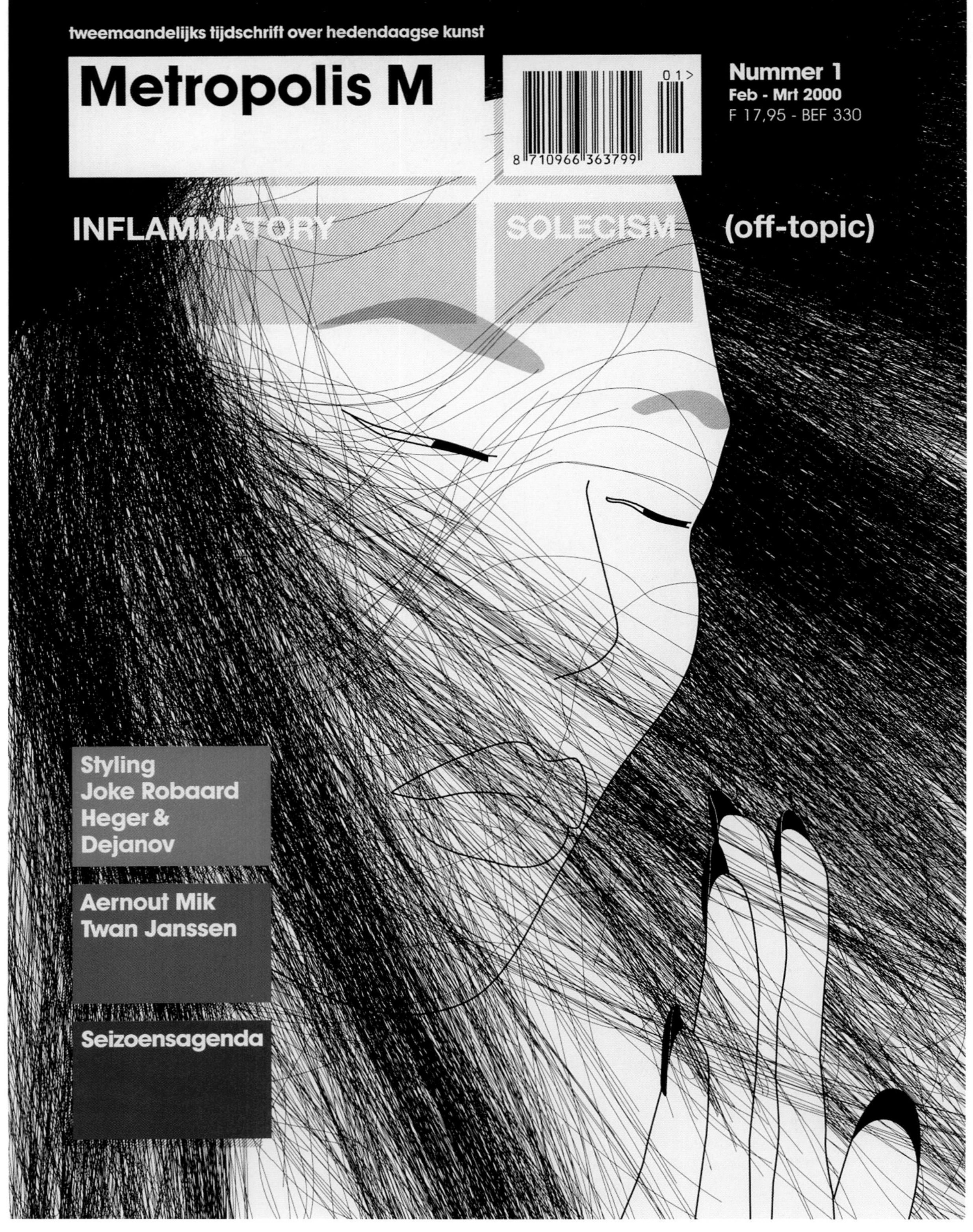

tweemaandelijks tijdschrift over hedendaagse kunst
Metropolis M
8 710966 363799 01>
Nummer 1
Feb - Mrt 2000
F 17,95 - BEF 330
INFLAMMATORY
SOLECISM
(off-topic)
Styling
Joke Robaard
Heger &
Dejanov
Aernout Mik
Twan Janssen
Seizoensagenda

Omslag Metropolis M, Thomas Buxó
Opdrachtgever: Metropolis M

Toegepaste kunst in het jaar 2000. Thomas Buxó heeft de traditionele techniek van de houtsnede naar nu vertaald met digitale middelen.

Metropolis M magazine cover, Thomas Buxó
Client: Metropolis M

Applied art in the year 2000. Thomas Buxó has taken traditional woodcutting technique and translated it to today, using digital means.

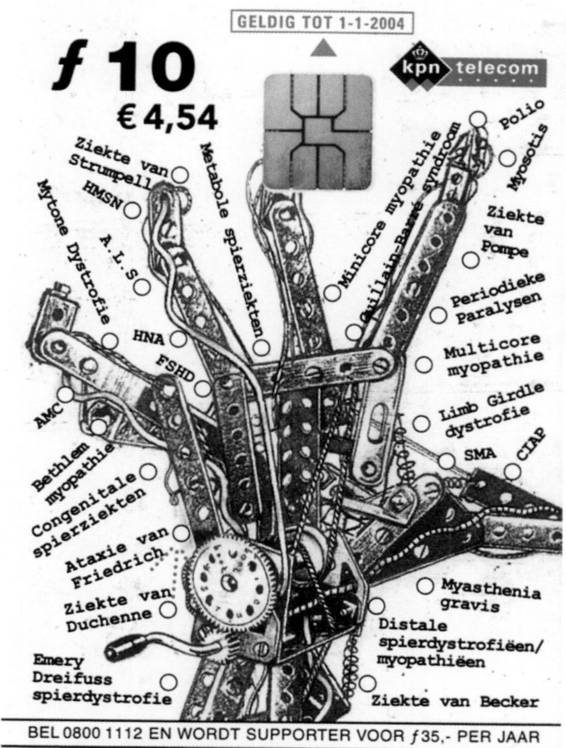

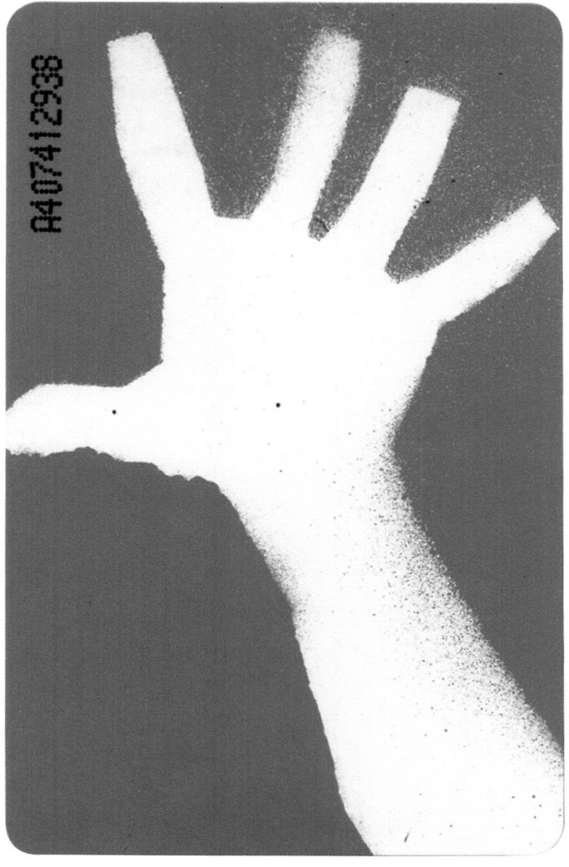

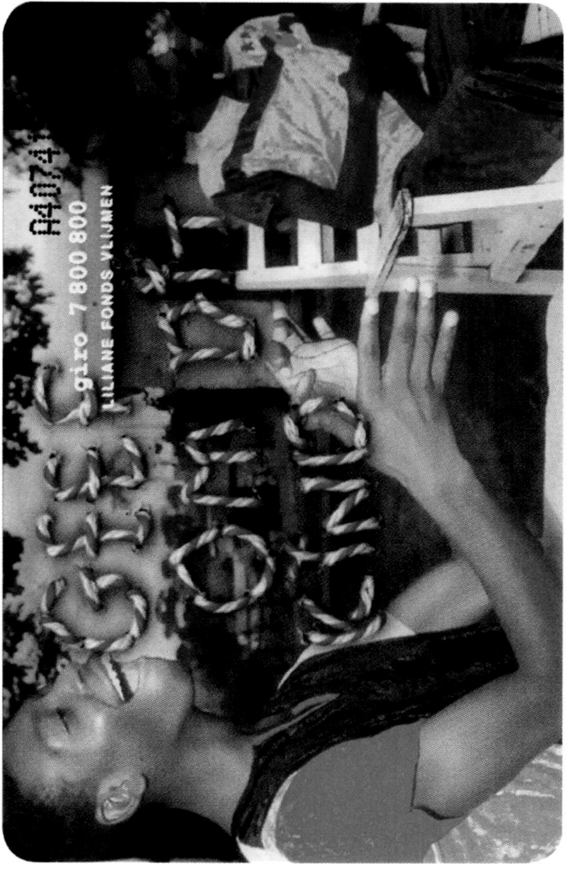

Telefoonkaarten, Studio Boot
Opdrachtgever: KPN Telecom

Elk jaar maakt KPN Telecom een keuze uit een aantal charitatieve instellingen om aan twee ervan aandacht te besteden door middel van een speciale telefoonkaart. Dit jaar viel de keuze op de Stichting Liliane Fonds, een fonds voor kinderen met een handicap in ontwikkelingslanden, en 'Spieren voor Spieren', een initiatief om topvoetballers de bestrijding van spierziekten te laten steunen.

Telephone Cards, Studio Boot
Client: KPN Telecom

Each year KPN Telecom chooses from a number of charitable institutions in order to devote attention to two of them by means of a special telephone card. This year the choice fell upon the Stichting Liliane Fonds, a foundation for handicapped children in developing countries, and 'Spieren voor Spieren', an initiative encouraging top football players to support the fight against muscular diseases.

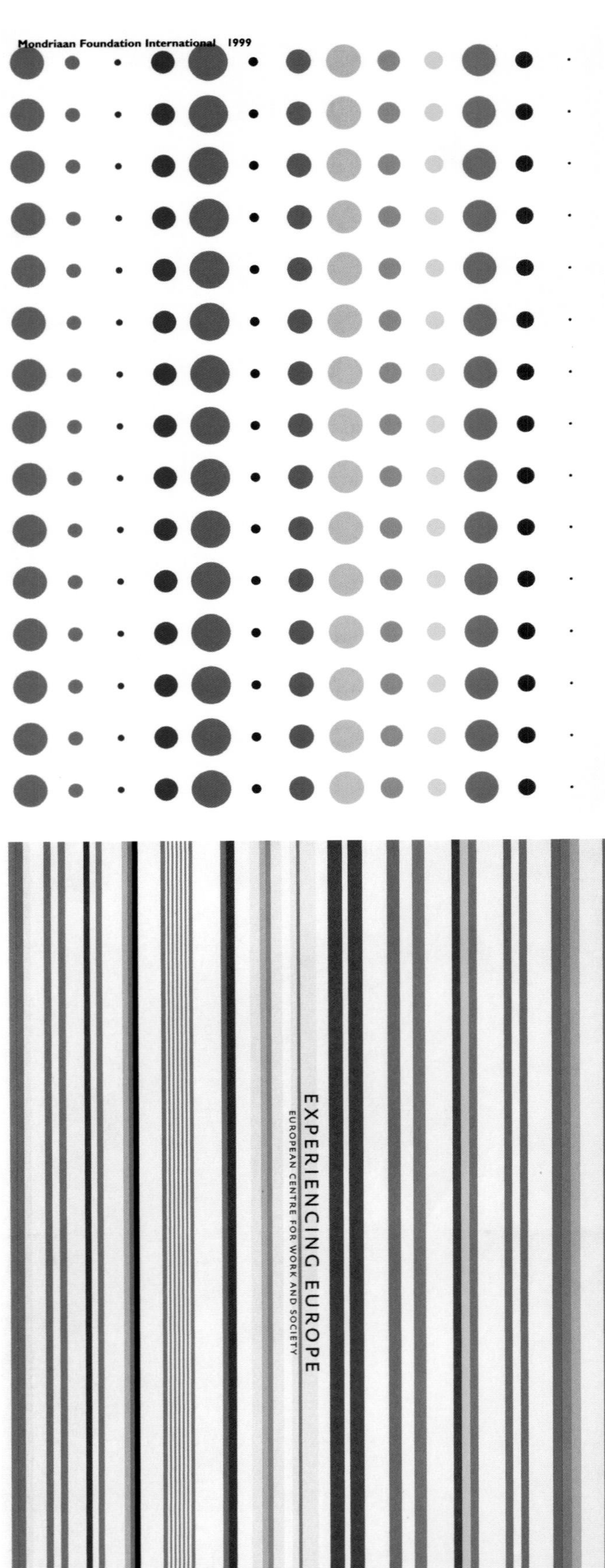

Irma Boom

De boeken die Irma Boom vormgeeft hebben bijna zonder uitzondering een monumentaal voorkomen. Als geen ander verdiept zij zich in de druktechniek en de fysieke kwaliteiten van het boek. Opvallend is ook haar vermogen om – ondanks een hoge productiviteit – elk werk een eigen karakter mee te geven, terwijl de familieverwantschap onmiskenbaar is. Visuele effecten op de zijkanten van het boekblok zijn inmiddels een handelsmerk geworden.

Irma Boom

Almost without exception, books designed by Irma Boom have a monumental character. She engages herself as no one else in printing techniques and the physical qualities of the book itself. Despite her high productivity, her ability to provide each work with its own character is remarkable, although the 'family' relationship is still unmistakable. Visual effects on the sides of the book block have become a trademark.

Colorbites Now!, Greet Egbers
Opdrachtgevers: Beroepsorganisatie Nederlandse Ontwerpers BNO, Permei

Affiche ter aankondiging van een manifestatie over 'beeldmaken' voor illustratoren, ontwerpers en andere belangstellenden. De Duitse herder van Ministeck en de typografie zorgen voor een speelse toonzetting.

Colorbites Now!, Greet Egbers
Clients: Association of Dutch Designers BNO, Permei

The poster announces a series of events on 'image making', organised for illustrators, designers and other interested parties. The Ministeck German Shepherd and the typography set a playful tone.

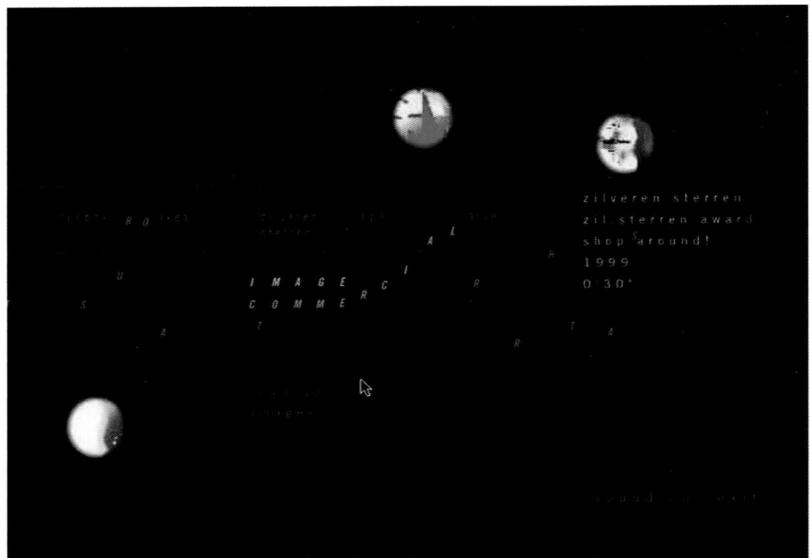

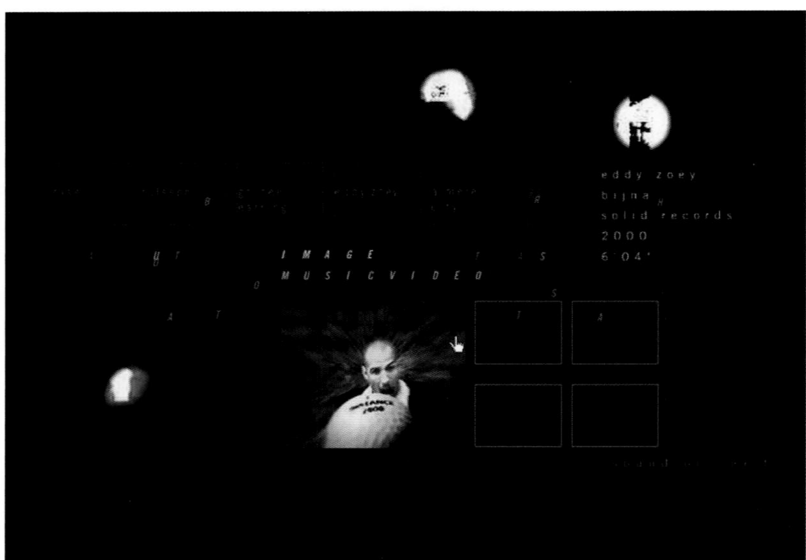

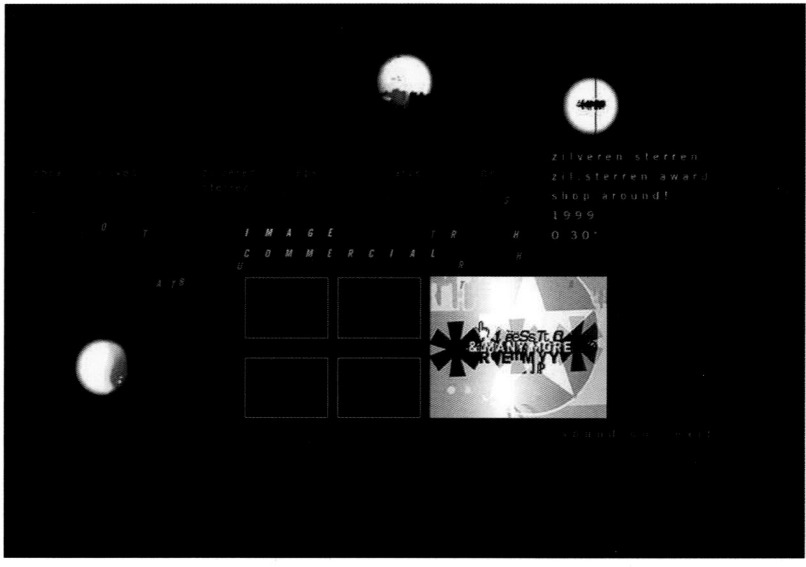

www.postpanic.nl, Postpanic
Eigen initiatief

Digitale portfolio van ontwerpbureau Postpanic, met mooie typografische Flash-animaties en een effectieve navigatie, die goed aansluit bij de intuïtie van de gebruiker.

www.postpanic.nl, Postpanic
Designer initiative

The digital portfolio of the Postpanic design studio, with handsome, typographical Flash animations and effective navigation that easily relates to user intuition.

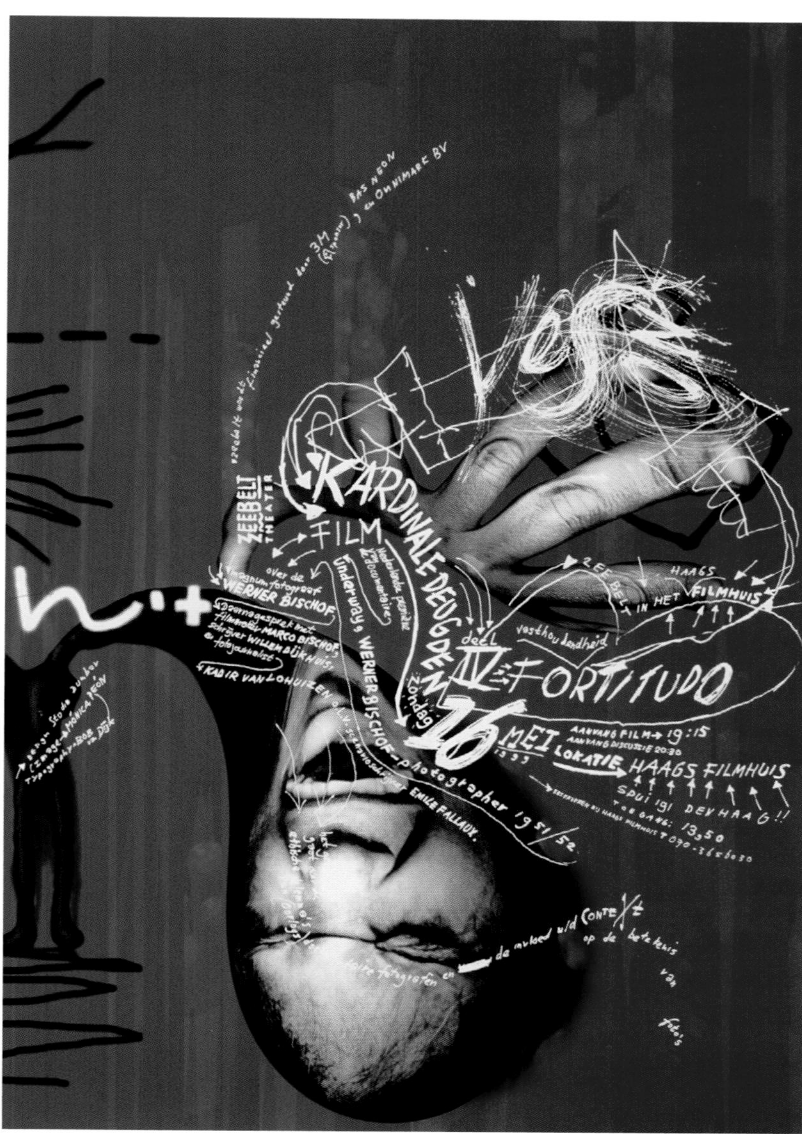

Kardinale deugden, Studio Dumbar
Opdrachtgever: Theater Zeebelt

Expressieve affiches ter aankondiging van theateravonden over de kardinale deugden in het Haagse Theater Zeebelt. Verrassende nieuwe afleveringen in de langlopende reeks Zeebelt-affiches van Studio Dumbar.

Kardinale deugden, Studio Dumbar
Client: Zeebelt Theatre

These expressive posters announce theatrical evenings on the theme of the cardinal virtues, held in the Zeebelt Theatre in the Hague. They are surprising new productions in a long series of posters designed by Studio Dumbar for the Zeebelt.

Nationale Jeugdtheaterdag, Joost Swarte
Opdrachtgever: Stichting Nationale Jeugdtheaterdag

De unieke stijl van Joost Swarte heeft de eeuwige jeugd.

National Youth Theatre Day poster, Joost Swarte
Client: Nationale Jeugdtheaterdag Foundation

Joost Swarte's unique style is forever young.

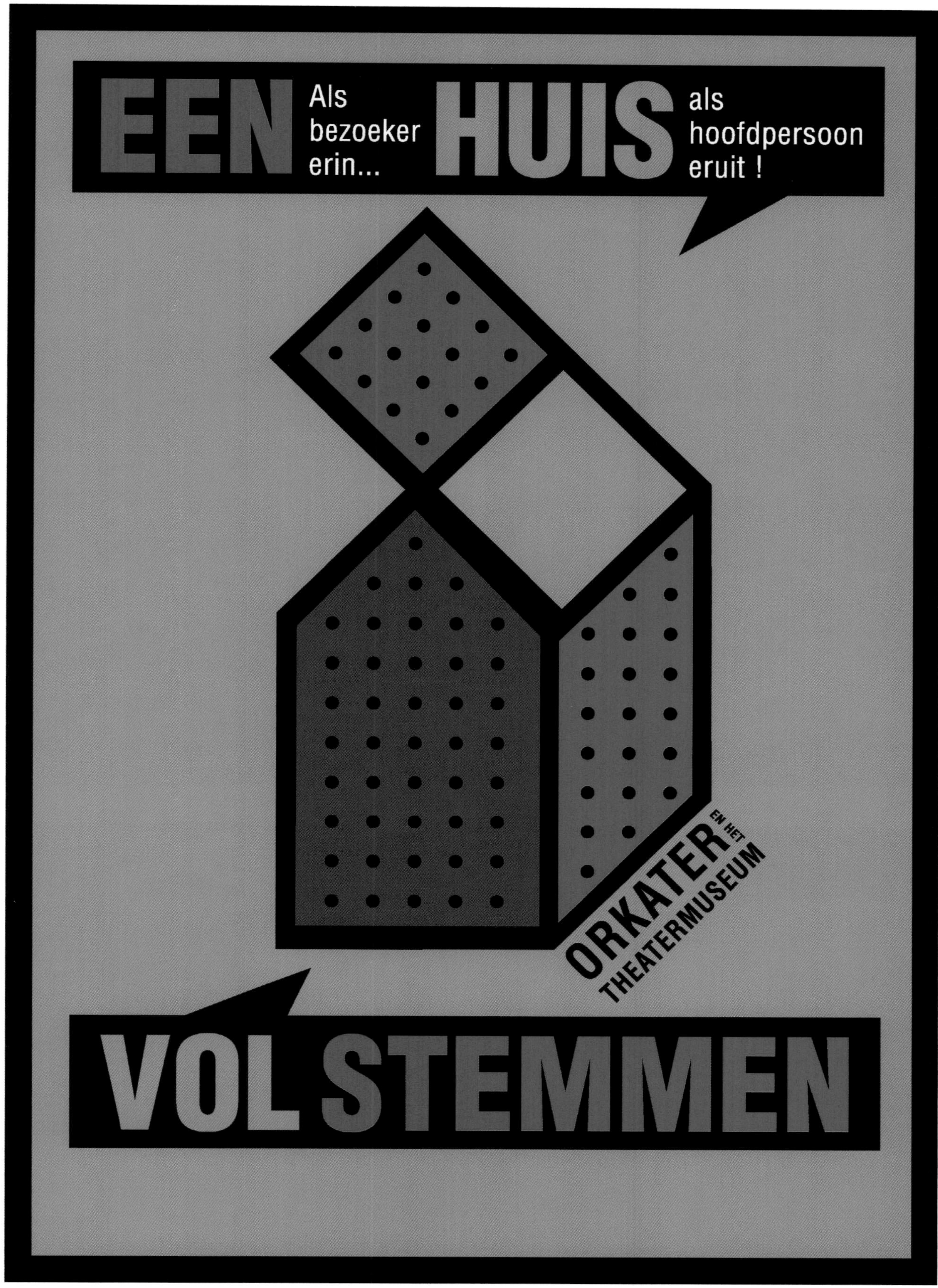

Een huis vol stemmen, Greet Egbers
Opdrachtgevers: Orkater, Nederlands Theater Instituut

Affiche ter promotie van 'Een huis vol stemmen' in het Nederlands Theater Instituut: een combinatie van een tentoonstelling en een voorstelling, gemaakt door een componist, een beeldend kunstenaar en een schrijver. Het afficheontwerp is direct, ongecompliceerd en uitnodigend.

Een huis vol stemmen, Greet Egbers
Clients: Orkater, Netherlands Theatre Institute

The poster is a promotion for 'A House Full of Voices', performed by the Netherlands Theatre Institute. The play is a combination of an exhibition and a performance, created by a composer, a visual artist and a writer. The poster design is direct, uncomplicated and inviting.

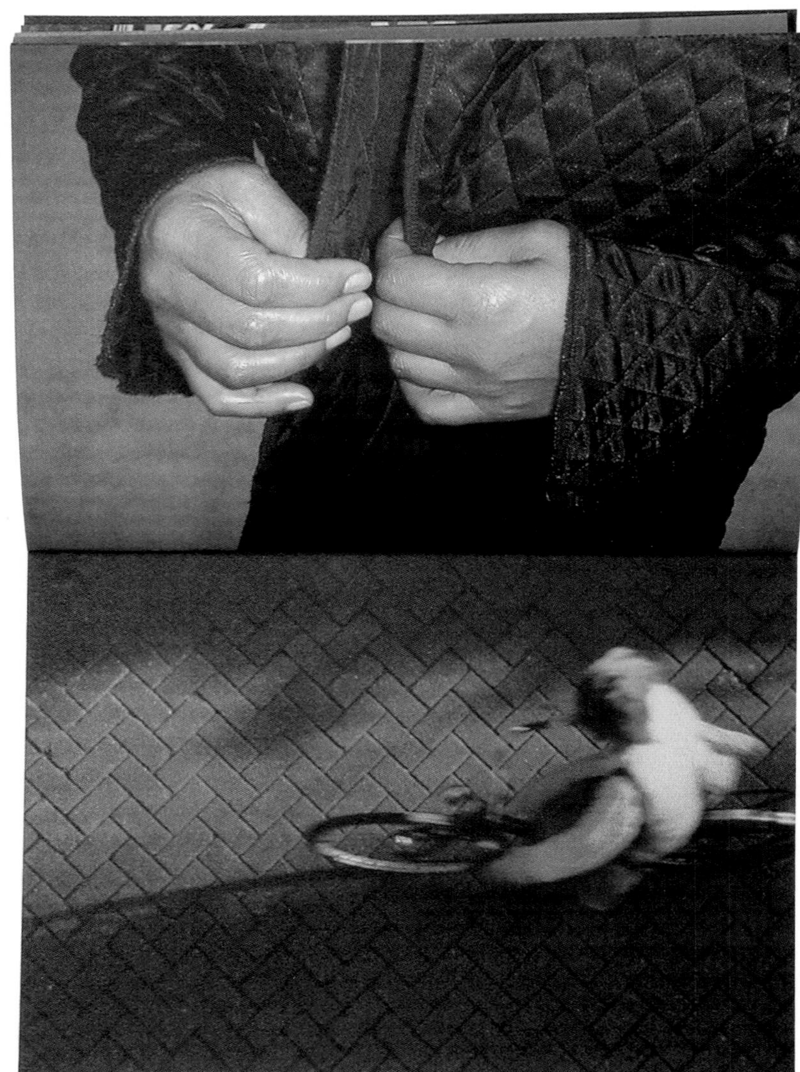

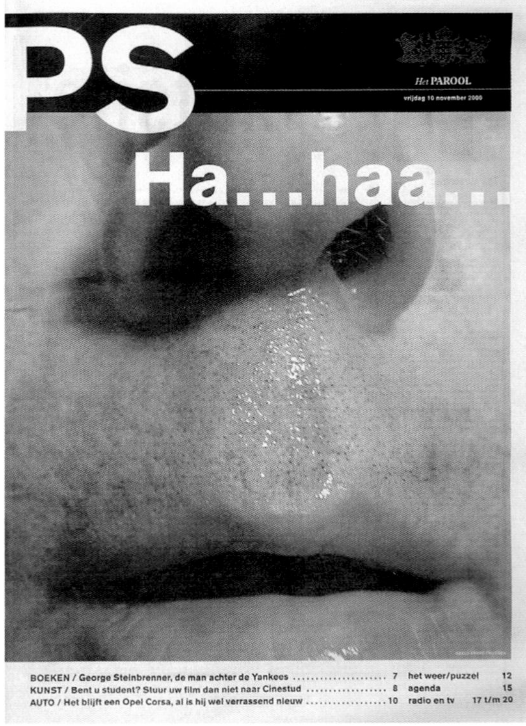

Jaarverslag 1999 Delta Lloyd Nuts Ohra, PS, André Thijssen
Opdrachtgevers: UNA designers, Het Parool

Fotograaf André Thijssen werkt veelvuldig samen met grafisch ontwerpers. Ook zijn vrije werk getuigt hiervan. Hoewel hij louter registreert, hebben zijn foto's haast het karakter van ontwerpen.

Delta Lloyd Nuts Ohra Annual Report 1999, PS supplement, André Thijssen
Clients: UNA designers, Het Parool newspaper

Photographer André Thijssen frequently works together with graphic designers. His autonomous work also testifies to this. Although he merely registers, his photographs almost have the character of designs.

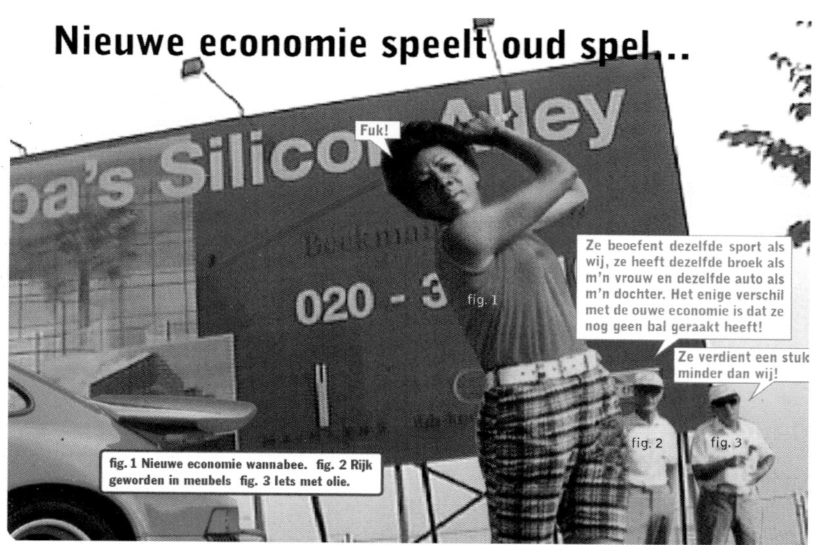

Nieuwe economie speelt oud spel...
Fuk!
Ze beoefent dezelfde sport als wij, ze heeft dezelfde broek als m'n vrouw en dezelfde auto als m'n dochter. Het enige verschil met de ouwe economie is dat ze nog geen bal geraakt heeft!
Ze verdient een stuk minder dan wij!
fig. 1
fig. 2
fig. 3
fig. 1 Nieuwe economie wannabee. fig. 2 Rijk geworden in meubels fig. 3 Iets met olie.

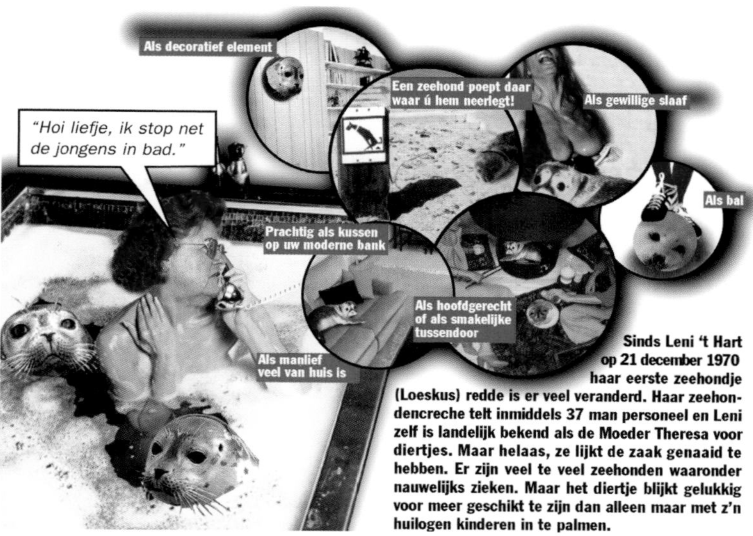

"Hoi liefje, ik stop net de jongens in bad."
Als decoratief element
Een zeehond poept daar waar ú hem neerlegt!
Als gewillige slaaf
Als bal
Prachtig als kussen op uw moderne bank
Als hoofdgerecht of als smakelijke tussendoor
Als manlief veel van huis is
Sinds Leni 't Hart op 21 december 1970 haar eerste zeehondje (Loeskus) redde is er veel veranderd. Haar zeehondencreche telt inmiddels 37 man personeel en Leni zelf is landelijk bekend als de Moeder Theresa voor diertjes. Maar helaas, ze lijkt de zaak genaaid te hebben. Er zijn veel te veel zeehonden waaronder nauwelijks zieken. Maar het diertje blijkt gelukkig voor meer geschikt te zijn dan alleen maar met z'n huilogen kinderen in te palmen.

KIM & KIM WENSEN U EEN LEKKER NIEUWJAAR
JOZIAS & WIM WENSEN U EEN GELUKKIG 2001
YASSER & EHUD WENSEN U EEN VREDIG 2001
W & AL WENSEN U EEN GROOTS 2001

MET EEN KRUISSNELHEID VAN 360 KM/U NEUKTE PETER ZIJN VROUWELIJKE COLLEGA ASTRONAUTE DE ZEVENDE HEMEL IN.
... waar ze na maanden droogoefenen ook wel aan toe waren
'de afzet is het lastigst'
Amerikaanse astronouten hebben in 1996 verscheide seksexperimenten in de ruimte uitgevoerd. De proeven moesten onder andere uitwijzen welke standjes tijdens lange ruimtevluchten naar bijvoorbeeld Mars het meest geschikt zouden zijn.
'met alleen op je rug liggen kom je er niet'

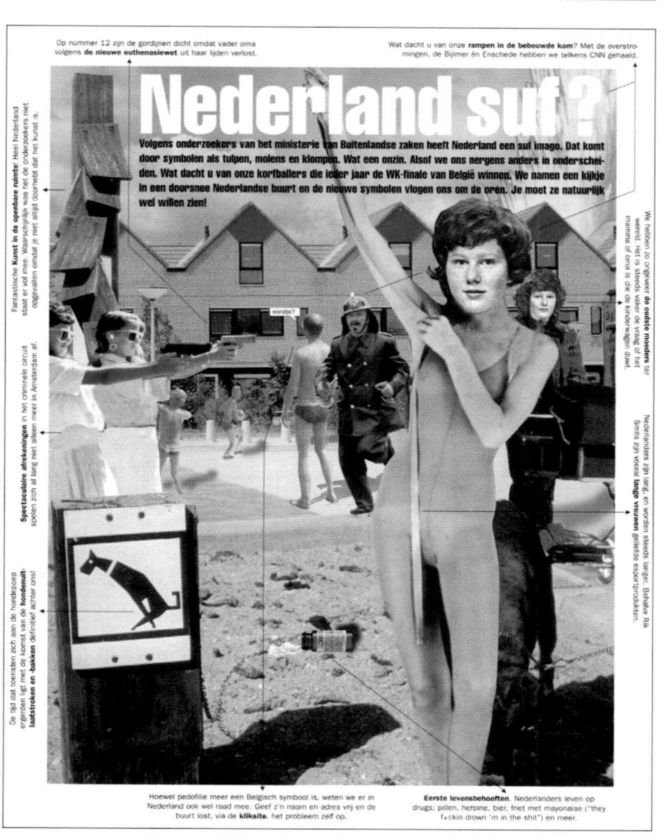

Op nummer 12 zijn de gordijnen dicht omdat vader oma volgens de nieuwe euthenasiewet uit haar lijden verlost.
Wat dacht u van onze rampen in de bebouwde kom? Met de overstromingen, de Bijlmer én Enschede hebben we telkens CNN gehaald.
Nederland suf?
Volgens onderzoekers van het ministerie van Buitenlandse zaken heeft Nederland een suf imago. Dat komt door symbolen als tulpen, molens en klompen. Wat een onzin. Alsof we ons nergens anders in onderscheiden. Wat dacht u van onze korfballers die ieder jaar de WK-finale van België winnen. We namen een kijkje in een doorsnee Nederlandse buurt en de nieuwe symbolen vlogen ons om de oren. Je moet ze natuurlijk wel willen zien!
Fantastische Kunst in de openbare ruimte! Heel Nederland staat er vol mee. Waarschijnlijk was het de onderzoekers niet opgevallen omdat je niet altijd doorhebt dat het kunst is.
worstje?
Hoewel pedofilie meer een Belgisch symbool is, weten we er in Nederland ook wel raad mee. Geef z'n naam en adres vrij en de buurt lost, via de kliksite, het probleem zelf op.
Eerste levensbehoeften. Nederlanders leven op drugs; pillen, heroine, bier, friet met mayonaise ("they f*ckin drown 'm in the shit") en meer.

Zo'n combinatie van kwaliteit, actieradius, sportiviteit, leiderschap én charisma hadden we op de Hollandse velden nog nooit eerder gezien!
Daar zijn wij toch maar eenvoudige koemannetjes bij!
Zo'n mooie traptechniek heeft zelfs de boer niet!

Illustraties en columns, Joost Overbeek
Opdrachtgevers: Nieuwe Revu, Johan

Onorthodoxe illustraties en 'visuele columns' in de onnavolgbare stijl van grafisch ontwerper Joost Overbeek.

Illustrations and columns, Joost Overbeek
Clients: Nieuwe Revu, Johan

These unorthodox illustrations and 'visual (magazine) columns' are the inimitable style of graphic designer Joost Overbeek.

Begrenzing
'Als alles kan kan niets' is de titel van de monografie over kunstenaar Harry Boom die door Lex Reitsma werd vormgegeven. Zo'n zin vat op de meest kernachtige wijze samen hoe essentieel begrenzing is voor het ontdekken van het onverwachte. Waar de oneindigheid regeert, heerst leegte. Ruimte ontstaat door ruimte af te perken – de grootste architecten hebben dat principe eindeloos opnieuw ingezet, dichters profiteerden van de dwang van rijm en metrum om de woorden voor het onzegbare te vinden, en ook binnen het grafisch ontwerp is eigenlijk geen werk denkbaar dat vanuit het onbegrensde kan ontstaan. Maatvoering, stramienen, kleurgebruik, typografie: in alle gereedschap ligt de beperking opgesloten. En net als in de bouwkunst kan in elk van die muren een doorbraak worden gemaakt. Vanuit het minimale kan een wijds uitzicht worden geopend. De grens bemiddelt tussen het eigene en het onbenoemde, tussen betekenis en sprakeloosheid. De grens maakt denken mogelijk en provoceert tot overschrijding. Om precies die reden is markering van de grens het belangrijkste gebaar dat de ontwerper kan maken. Het is de ontworpen verbeelding van een afspraak over wat vanzelfsprekend is en wat niet. Dat is wat goede vormgeving altijd onderscheidt van de middelmaat: een neiging tot grensvlucht die zonder douanepoorten zinloos zou zijn.

Building Borders
'If Anything is Possible Nothing is', is the title of the monograph on artist Harry Boom, designed by Lex Reitsma. A statement like this summarises, in the most poignant way possible, how essential limits are to discovering the unexpected. Emptiness holds sway where eternity rules. Space is created by fencing off space. The greatest architects have applied the principle over and over again. Poets have profited from the urge for rhyme and metre in order to find words for what cannot be said, and in graphic design as well, no work is even thinkable that could be created from the unlimited.
Format, pattern, colour, typography: the limitations are inherent in each of the tools. And just as in architecture, a breakthrough can be achieved in each of those walls. From a minimum of possibilities, a broad panoramas opened up. The border mediates between the personal possession and the unnamed, between meaning and speechlessness. The border makes it possible to think, and to provoke one to go beyond it. For precisely this reason, demarcation of the borders is the most important gesture that a designer can make. It is the designed image, the designed imagining of what is taken for granted and what is not. This is what always distinguishes good design from the mediocre: a tendency to escape the borders that would be senseless without the barrier of the garrison gates.

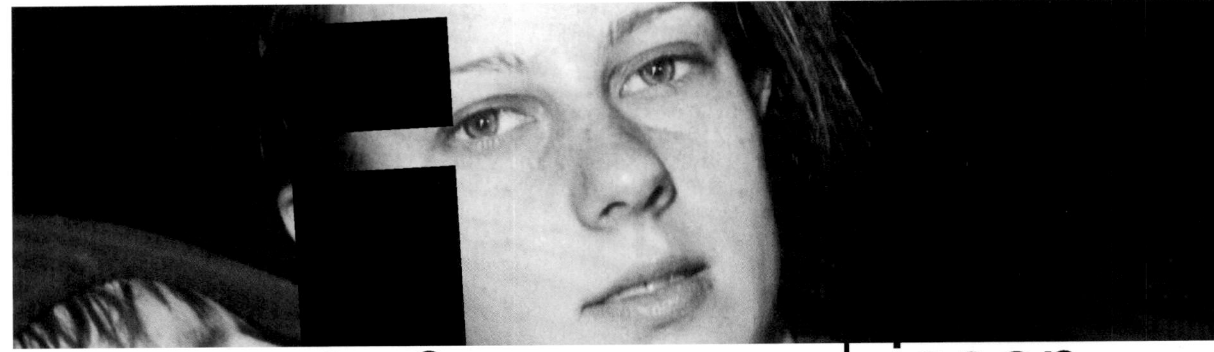

theater lantaren/venster rotterdam | do 2 t/m za 4 en di 7 t/m do 9 november 2000
aanvang 20.30 uur | reserveren 010 277 22 77

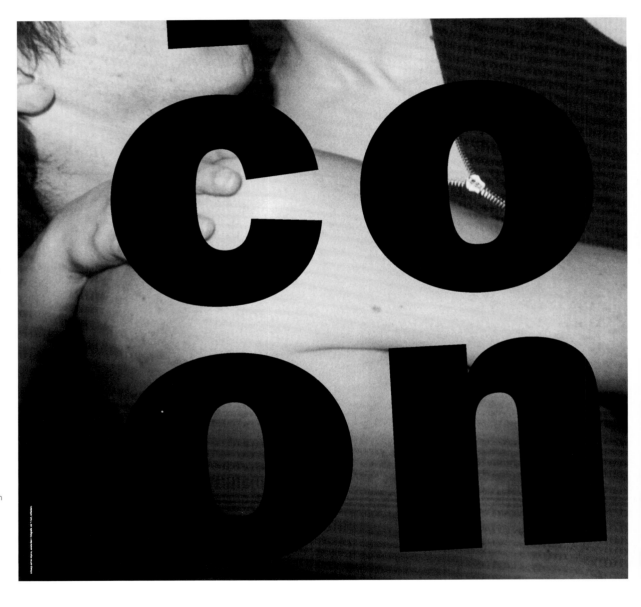

Icoon, Esther Noyons
Opdrachtgever: Rogie & Company

De voorstelling Icoon van choreograaf Piet Rogie voltrekt zich op een lege dansvloer. De persoonlijkheid van de dansers staat centraal. Op het affiche komt deze accentverschuiving terug: geen abstract beeld van dansers, maar mensen van vlees en bloed.

Icoon, Esther Noyons
Client: Rogie & Company

Icoon, or Icon, is a dance performance by choreographer Piet Rogie, which takes place on an empty dance floor. The personalities of the dancers are central. This shift in accent is reflected in the poster: these are no abstract images of dancers, but people made of flesh and blood.

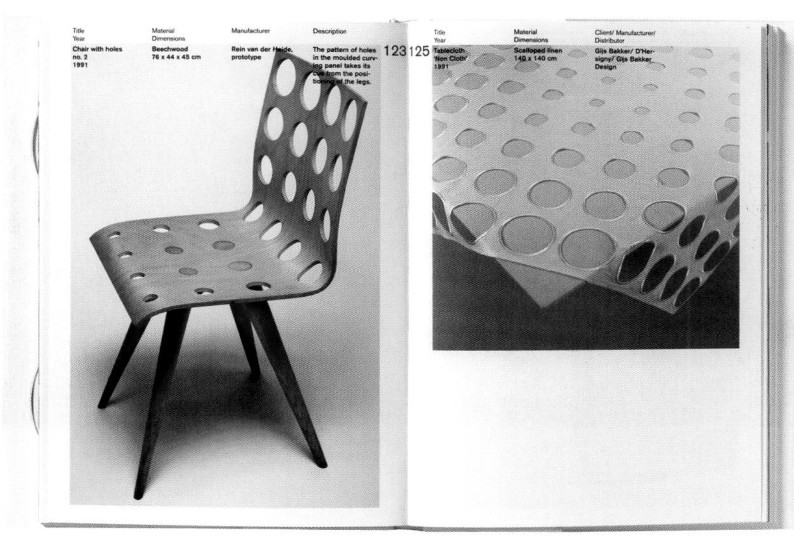

Gijs Bakker / Objects to Use, Thomas Buxó
Opdrachtgever: 010 Publishers

De uitgestanste gaten in het omslag zijn een voor de hand liggende verwijzing naar het bekende 'Gaten-project' van Gijs Bakker – het resultaat is er niet minder fraai om. Door het plaatsen van Bakkers ontwerpen op wit gesatineerd papier, afgewisseld met foto's uit diens persoonlijke leven op hardgele, ongestreken pagina's, heeft Buxó met een simpele ingreep bewerkstelligd dat dit boek ondanks zijn conceptuele eenvoud niet verveelt en een aangenaam karakter heeft.

Gijs Bakker / Objects to Use, Thomas Buxó
Client: 010 Publishers

The holes punched in the cover are an obvious reference to Gijs Bakker's well-known 'Holes Project', but the result is no less appealing for that. By reproducing Bakker's designs on white satin paper, interspersed with photographs from Bakker's life and printed on hard-yellow, non-signatured pages, Buxó has with one simple operation succeeded in ensuring that this book is not boring and has apleasing character, despite its conceptual simplicity.

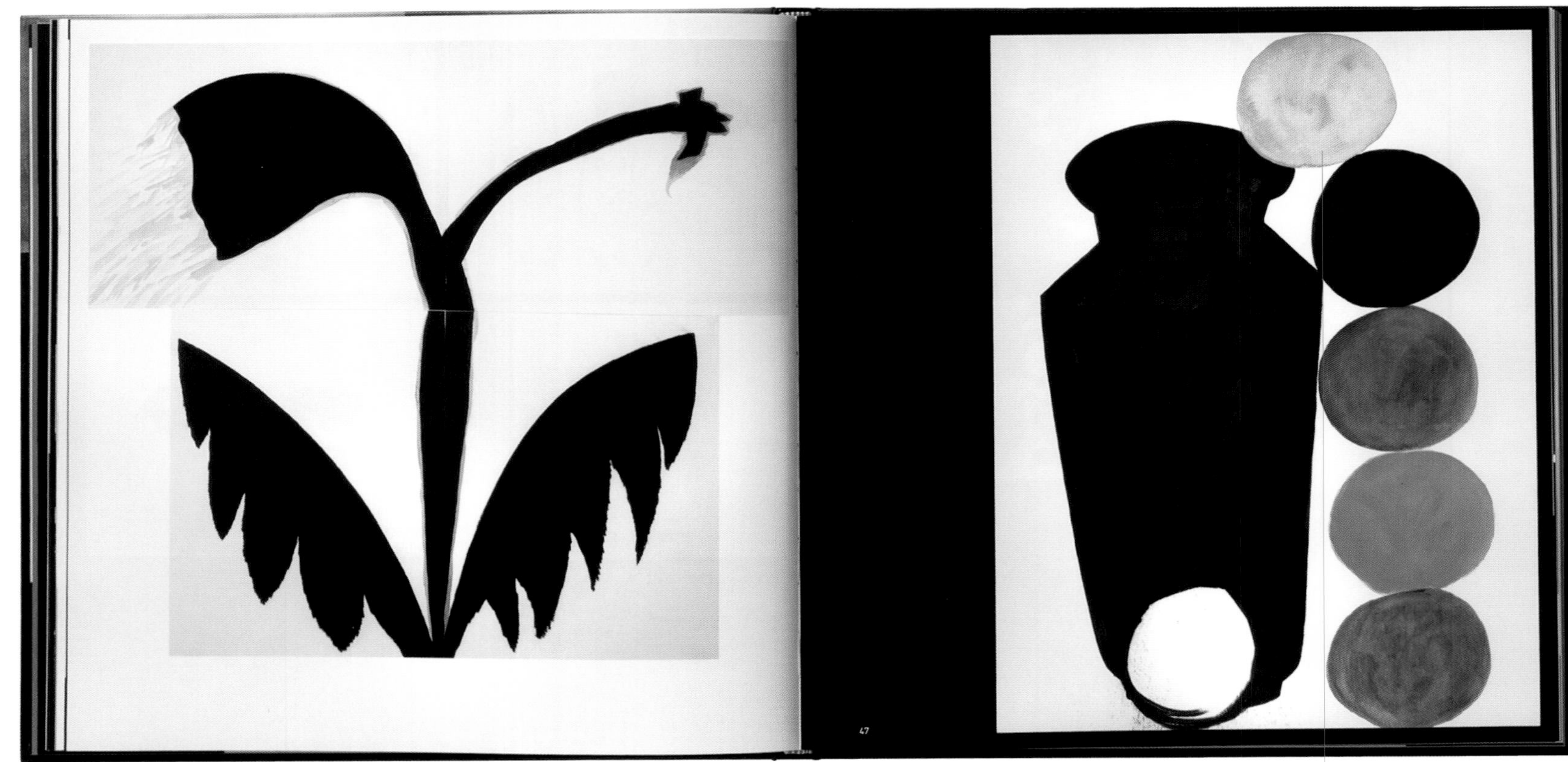

Harry Boom. Als alles kan kan niets, Lex Reitsma
Opdrachtgever: Stichting Harry Boom

Het vakmanschap van Lex Reitsma komt volledig tot zijn recht in deze oeuvre-catalogus. Uitsluitend met behulp van de mise-en-page en de keuze voor een zwarte of een witte achtergrond, slaagt hij erin het beeldend werk van Harry Boom te laten spreken. Hoewel elke spread anders is, wordt een vloeiend verhaal verteld met behulp van ritme en asymmetrie.

Harry Boom: If Anything is Possible Nothing is, Lex Reitsma
Client: Harry Boom Foundation

Lex Reitsma's skill shows up completely in this catalogue. Using only the layout and the option of a black or a white background, he succeeds in making Harry Boom's works speak. Although every spread is different, a fluent story is told with the aid of rhythm and asymmetry.

Nature or nurture?

Boys play with guns, girls play with dolls. There's plenty of evidence to support this stereotypical view; all we have to do is look around. But do children follow these patterns of behaviour because of their social conditioning or their genetic predisposition? As we cannot choose our genes or the circumstances in which we are born, the question remains: as individuals, how much free choice do we really have?

The prickly nature/nurture debate has been ricocheting around the walls of academia for centuries. Today, the most widely held belief is that each of us is born with our own unique mental circuitry which is determined both by our genetic make-up and by our social environment.

Within our first year of life we will have already acquired most of the brain power we'll ever need; this helps us to rapidly acquire information about the world around us during our all-important formative years. By the age of six we will have a vocabulary of around 13,000 words and instinctively 'know' how to construct sentences.

Unfortunately, the rate at which the brain grows starts to slow down by the age of ten. And as we grow older, our short-term memory and ability to process information declines. But it's not all bad news: our ability to use accumulated knowledge – what we might call innate 'wisdom' or 'gut feeling' – could improve. 'This might explain why elderly judges are capable of lucid judgements in court, yet may be quite unable to operate a video recorder.'[06]

Thinking without thinking

06 → 07 SOMETHING TO THINK ABOUT...

The beauty in the beast
Is one culture's idea of beauty different from another's? Not according to the cognitive scientist, Steven Pinker. He asserts that all people from all cultures consider the same features beautiful; if asked to pick out a 'beauty' and a 'beast' from a line-up, everyone would choose the same lucky – or unlucky – individuals.

But maybe not everyone. Pinker cites Woody Allen's hypothetical letters from Vincent van Gogh to his brother, titled: If the Impressionists Had Been Dentists. 'Mrs. Sol Schwimmer is suing me because I made her bridge as I felt it and not to fit her ridiculous mouth! That's right! I can't work to order like a common tradesman! I decided her bridge should be enormous and billowing, with wild, explosive teeth flaring up in every direction like fire! Now she is upset because it won't fit her mouth!... I tried forcing the false plate in but it sticks out like a star burst chandelier. Still, I find it beautiful.'

Something to think about...

Insinger de Beaufort | Annual Review 1999 →

Something to Think About, Dietwee communicatie en vormgeving
Opdrachtgever: Insinger de Beaufort

Insinger de Beaufort is een private investeringsbank voor zeer gefortuneerde particulieren, die op wil vallen binnen deze overwegend conservatieve markt. In die opzet zijn de ontwerpers met dit jaarverslag zeker geslaagd. Het voldoet in geen enkel opzicht aan de gangbare typologie van het jaarverslag. De typografie is eenvoudig, de fotografie extreem, de kleurkeuze ongebruikelijk. De hoogglanzende afwerking brengt het geheel op een vreemde manier in balans.

Something to Think About, Dietwee communicatie en vormgeving
Client: Insinger de Beaufort

Insinger de Beaufort is a private investment bank for highly affluent individuals. They want to stand out in this overwhelmingly conservative market and the designers have certainly achieved that in this annual report. In no way does it reflect the usual typological expectations for annual reports. The typography is simple, the photography extreme, the use of colour unusual. In a strange way, the high-gloss finish brings the whole into balance.

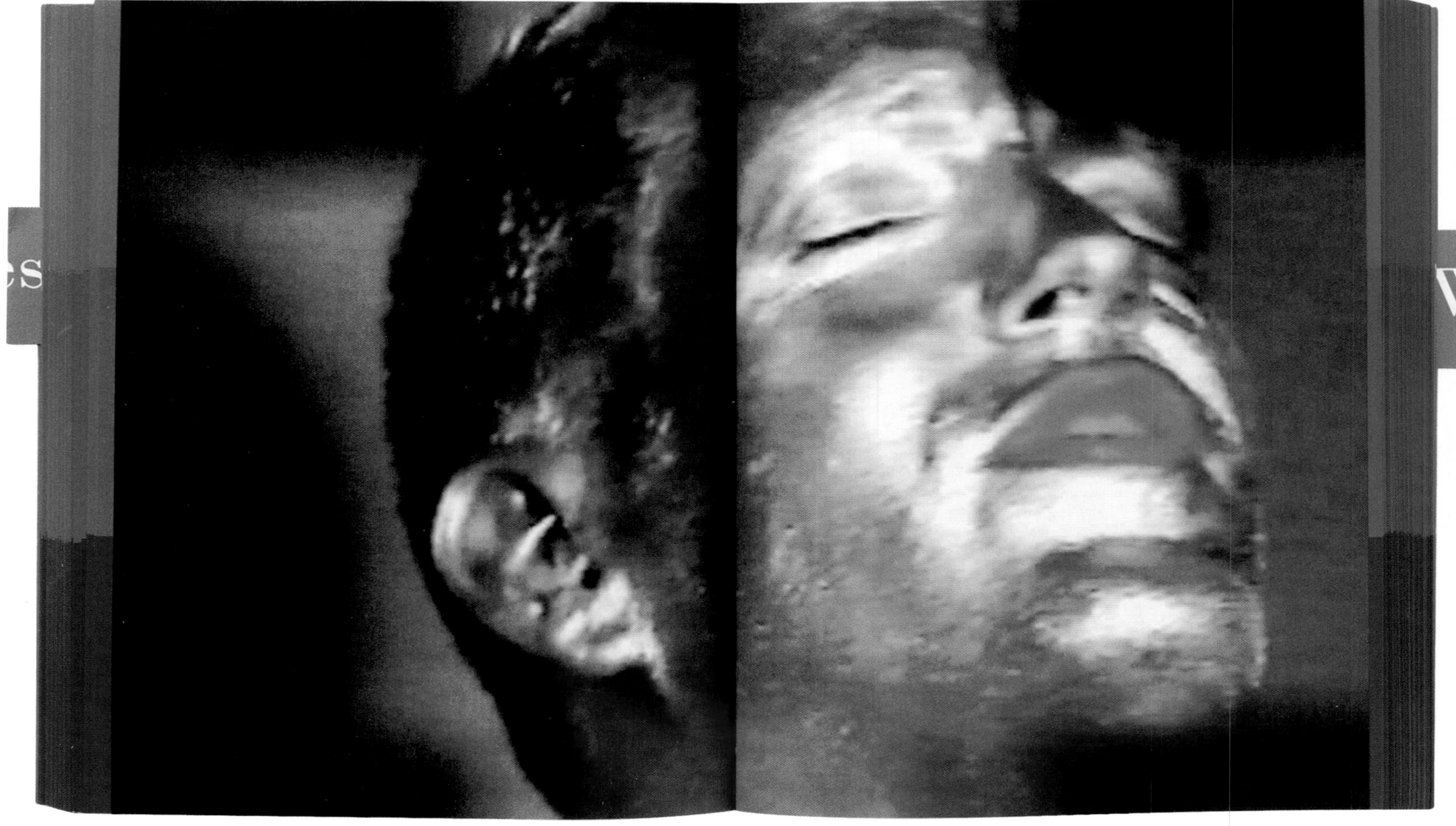

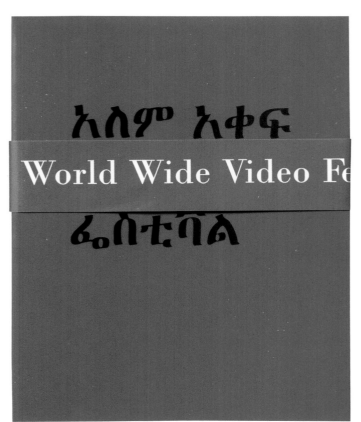

World Wide Video Festival 2000, Irma Boom
Opdrachtgever: Stichting World Wide Video Festival

Het binnenwerk van deze catalogus is zeer systematisch van opzet: elk programmaonderdeel heeft een eigen kleur, alle afgebeelde videostills kregen een gehele spread toebedeeld. De rauwe kwaliteit van de stills, die ontstaat door de grove resolutie, wordt door het ongestreken papier verzacht maar niet tenietgedaan. Op de snede schemeren de kenmerkende RGB-kleuren door als een extra verwijzing naar het onderwerp.

World Wide Video Festival 2000, Irma Boom
Client: World Wide Video Festival Foundation

The inside of this catalogue is very systematically organised. Each programme segment has a colour of its own and all the video stills are allocated full spreads. The raw quality of the stills, resulting from their course resolution, has been softened by the unsignatured paper, but by no means undermined. On the edge, a shadow of the characteristic RGB colour scheme peeks through as an extra reference to the subject.

tijdschrift voor kunst en cultuur jaargang XVIII, no. 3, oktober 2000, themanummer / 9,50
DECORUM
flirting?
fl.

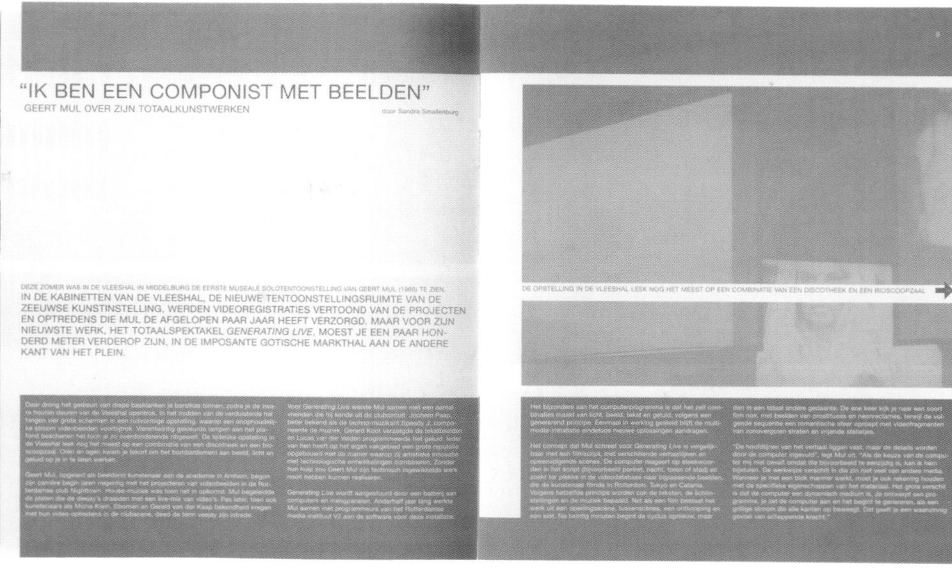

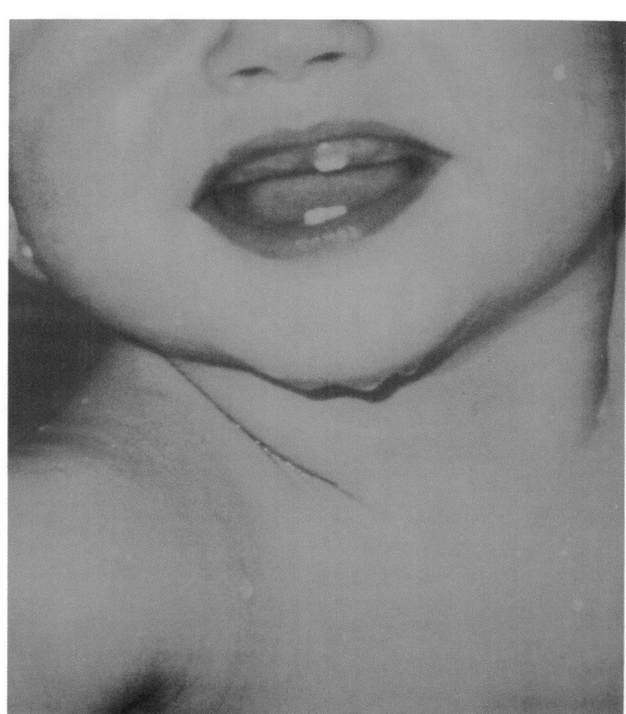

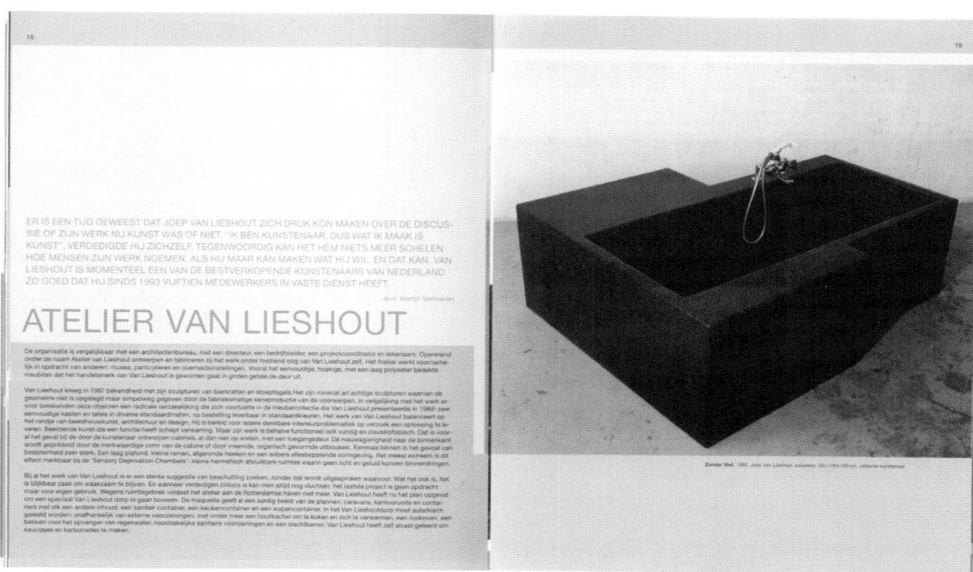

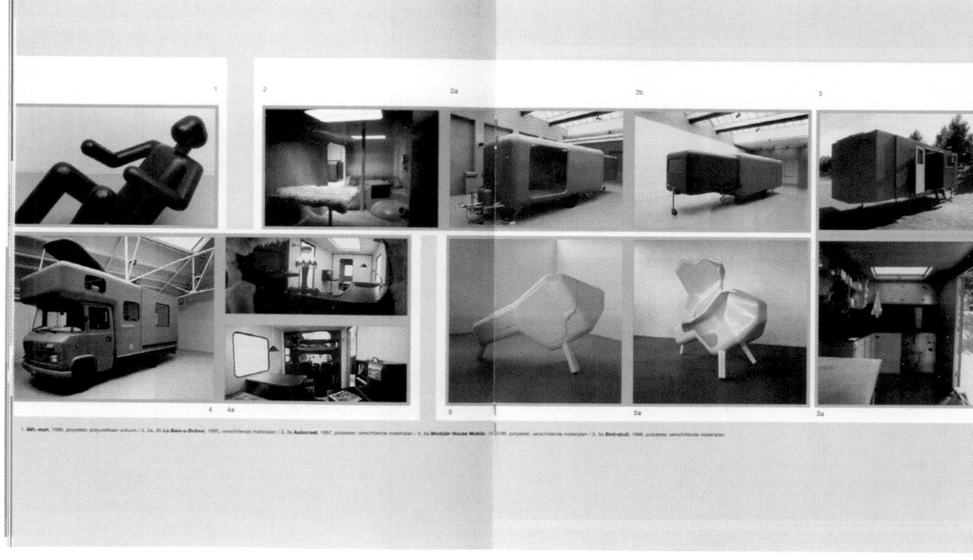

Decorum, Harmine Louwé
Opdrachtgever: Decorum, Stichting Moderator

Louwé geeft een nieuwe invulling aan het woord 'glossy'. Decorum is een zeer hoogglanzend kunsttijdschrift, dat volgens een eenvoudig stramien is opgebouwd, hetgeen echter effectief gemaskeerd wordt door een uitgekiende beeldbehandeling.

Decorum, Harmine Louwé
Client: Decorum, Moderator Foundation

Louwé gives a new meaning to the word 'glossy'. Decorum is an extremely glossy art magazine composed following a simple plan, which however is effectively masked by a sophisticated visual treatment.

000 013 026 039 052 065 078 091 104 117 130 143 156
001 014 027 040 053 066 079 092 105 118 131 144 157
002 015 028 041 054 067 080 093 106 119 132 145 158
003 016 029 042 055 068 081 094 107 120 133 146 159
004 017 030 043 056 069 082 095 108 121 134 147 160
005 018 031 044 057 070 083 096 109 122 135 148 161
006 019 032 045 058 071 084 097 110 123 136 149 162
007 020 033 046 059 072 085 098 111 124 137 150 163
008 021 034 047 060 073 086 099 112 125 138 151 164
009 022 035 048 061 074 087 100 113 126 139 152 165
010 023 036 049 062 075 088 101 114 127 140 153 166
011 024 037 050 063 076 089 102 115 128 141 154 167
012 025 038 051 064 077 090 103 116 129 142 155 168

SOLAR_ INITIATIVE

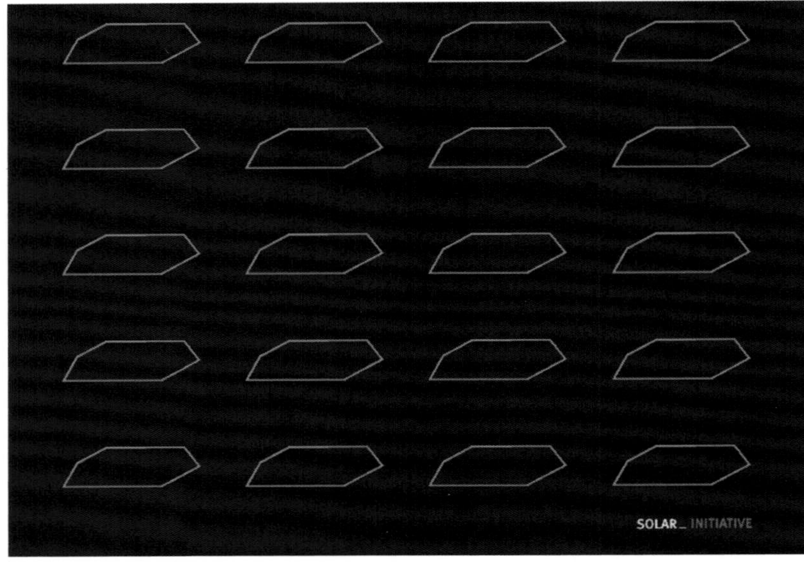

www.solar.nl, Solar_Initiative
Eigen initiatief

Solar_Initiative bestaat uit 12 mensen van verschillende creatieve disciplines, die in wisselende verbanden met elkaar samenwerken. De website biedt een eerste kennismaking. Dankzij de kunst van het weglaten blijft hij overzichtelijk.

www.solar.nl, Solar_Initiative
Designer initiative

Solar_Initiative is made up of 12 people from different creative disciplines who work together in varying combinations. The website offers a preliminary introduction. Thanks to the art of elimination, it remains easy to navigate.

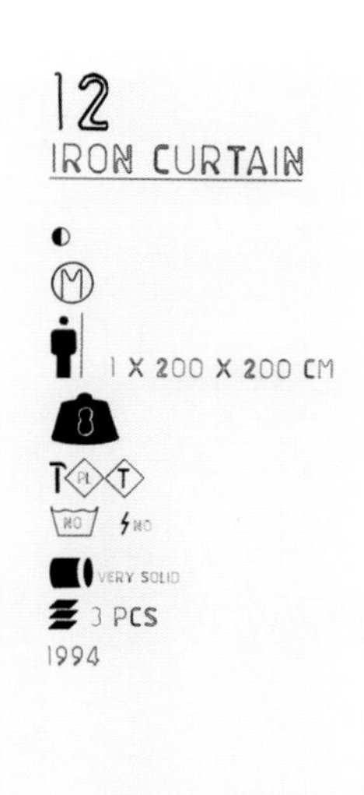

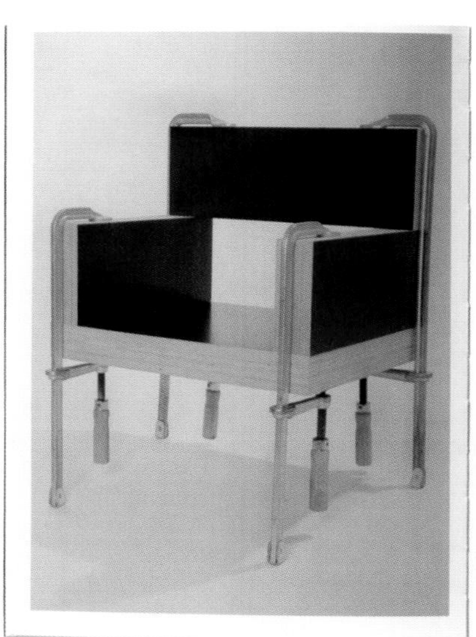

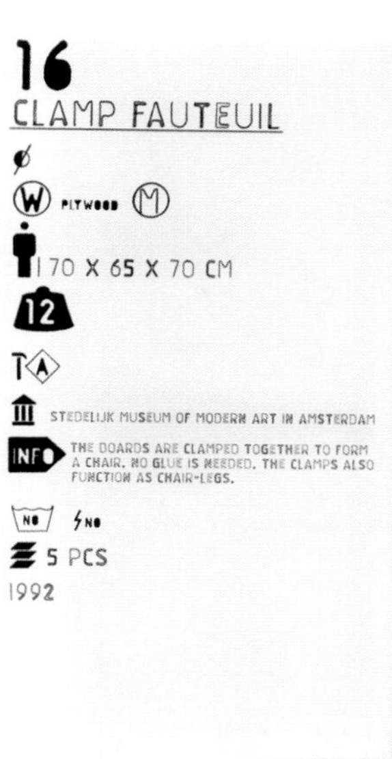

16
CLAMP FAUTEUIL
PLYWOOD
70 X 65 X 70 CM
12
STEDELIJK MUSEUM OF MODERN ART IN AMSTERDAM
INFO
THE BOARDS ARE CLAMPED TOGETHER TO FORM A CHAIR. NO GLUE IS NEEDED. THE CLAMPS ALSO FUNCTION AS CHAIR-LEGS.
NO
NO
5 PCS
1992

Stallinga, Lava
Opdrachtgever: Henk Stallinga

Henk Stallinga maakt producten die een verhaal vertellen in één zin. Zo'n product is dit boek – waarin zijn bekendste producten worden gepresenteerd – er zelf ook één. Het omslag bestaat uit een plastic mal met de sjablonen waarmee het binnenwerk is getypografeerd.

Stallinga, Lava
Client: Henk Stallinga

Henk Stallinga makes products that tell a story in a single sentence. This book – in which his most well-known products are presented – is such a product. The cover consists of a plastic mould with the templates used to create the typography of the interior.

Het kunstmatig landschap, Joseph Plateau
Opdrachtgever: NAi Uitgevers

Een complex gestructureerde uitgave – ruim 130 projecten van meer dan zestig bureaus – waar de ontwerpers van Joseph Plateau met vrij dwingende middelen eenheid in hebben gebracht. Het resultaat is een mengvorm tussen een boek en een tijdschrift.

Het kunstmatig landschap, Joseph Plateau
Client: NAi Publishers

'The Artifical Landscape' is a complex publication – over 130 projects by more than sixty studios – into which Joseph Plateau designers imposed unity by fairly forceful means. The result is a mixed form, between a book and a magazine.

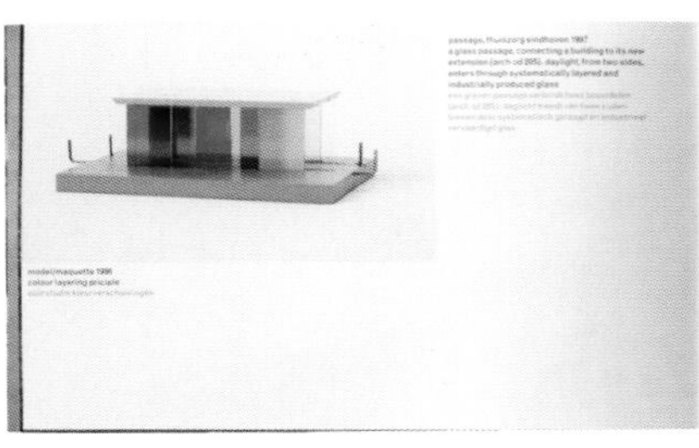

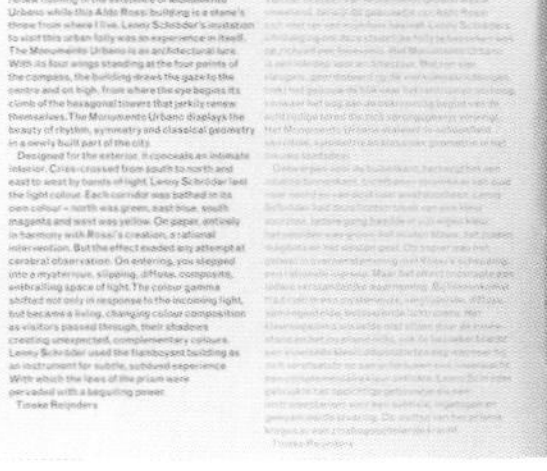

Lenny Schröder, Jaap van Triest
Opdrachtgevers: Lenny Schröder, lyr

Deze kleine fullcolour kunstenaars-catalogus, met werk van Lenny Schröder, laat zich door de vernuftige indeling en vouwwijze op (ten minste) twee manieren lezen. Door het geringe formaat is het panoramisch effect dat vier pagina's naast elkaar opleveren overtuigend. Het boekje werd mee-gedrukt op de rand van het drukvel van een andere productie.

Lenny Schröder, Jaap van Triest
Clients: Lenny Schröder, lyr

This small, full-colour catalogue of work by Lenny Schröder can be read in (at least) two ways as a result of the ingenious arrangement and method of folding. The limited format makes the panoramic effect produced by four pages next to each other very convincing. The booklet was printed on the edge of the printing plate used for another production.

Traditie
De letter is wellicht de rijkste erfgenaam van Nederland. Wie dat verwende kind als drager in zijn drukwerk laat soleren, weet zich op de vingers gekeken door generaties letterontwerpers en typografen: Schuitema, Van Krimpen, Van der Does, Brand, Noordzij, Crouwel, Martens, Unger... Genoeg, zou je denken, om voor lange tijd genezen te zijn.
En toch is het typografisch beeld nooit uit de voorste rijen van de Nederlandse grafische vormgeving verdwenen. Een verdienste die zeker door de kracht van de traditie is ingegeven, maar ook door de enorme vitaliteit van het gedrukte woord zoals die de laatste jaren bijvoorbeeld door de Werkplaats Typografie in Arnhem wordt gestimuleerd. Telkens opnieuw blijkt het schatgraven lonend. Met de minste middelen worden juwelen gemaakt. Traditie hoeft allerminst ballast te zijn, integendeel: in de overlevering schuilt de meest vruchtbare kern voor vernieuwing.

Tradition
The letter is probably the Netherlands' wealthiest progeny. Anyone who permits that indulged child to go it alone in anything he sends to press knows his every move is being scrutinised by generations of letter designers and typographers: Schuitema, Van Krimpen, Van der Does, Brand, Noordzij, Crouwel, Martens, Unger... Enough, you would think, to have cured us of the affliction for a long time to come.
Nonetheless, the typographic image has never disappeared from the front lines of Dutch graphic design. It is a virtue certainly imbued with the strength of tradition, but also with the enormous vitality of the printed word, as it has been stimulated, for example, by the Werkplaats Typografie (Typography Workshop) in Arnhem. Again and again, the treasure hunt pays off. Jewels are produced with the meagrest of means. By no account does tradition have to be ballast. On the contrary, acceding to tradition provides the most fruitful nucleus for renewal.

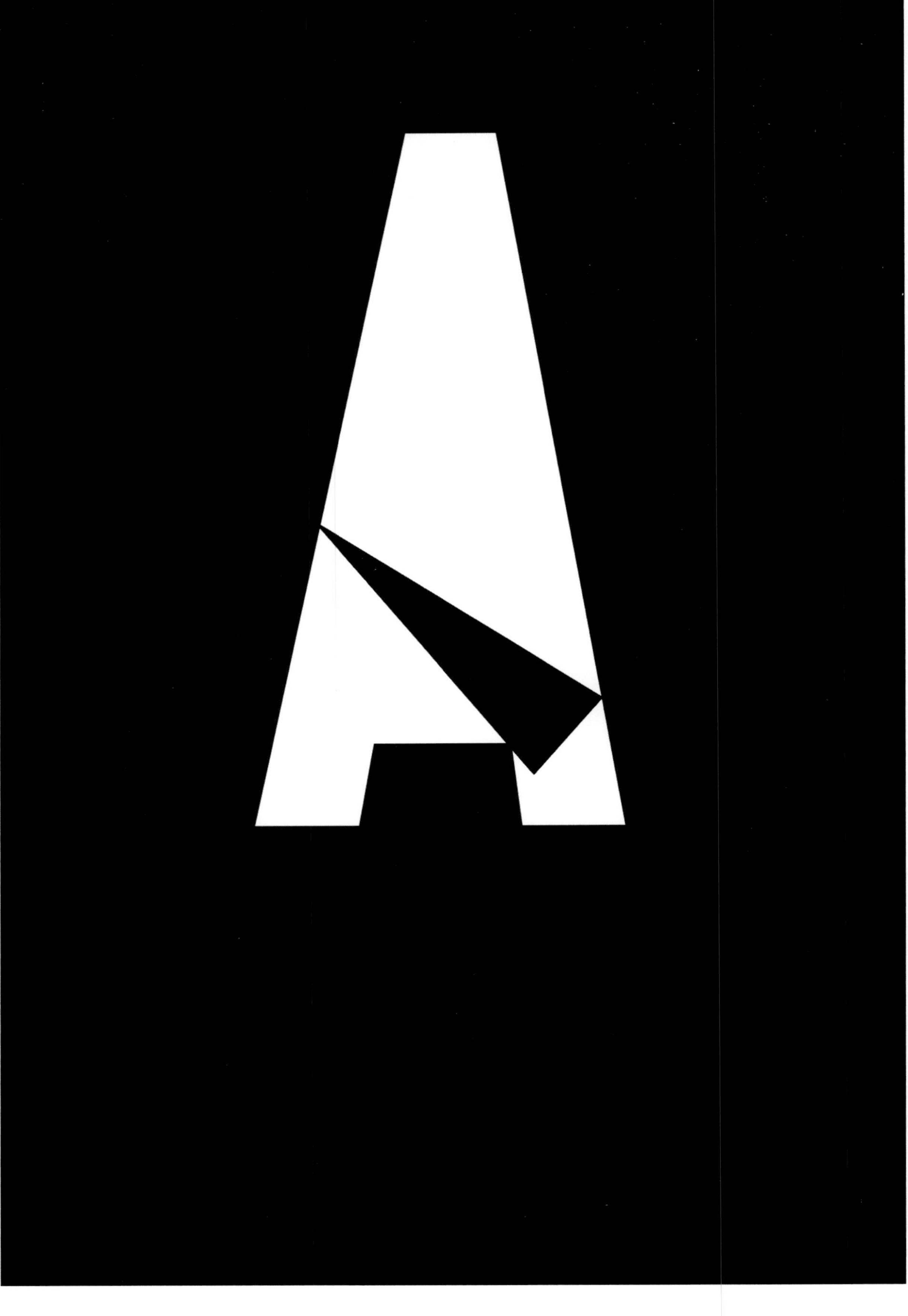

A voor Ada, Melle Hammer
Op verzoek van het Stedelijk Museum Amsterdam

Illustratie aangeboden aan Ada Stroeve bij haar afscheid van het Stedelijk Museum Amsterdam als conservator toegepaste grafische kunst.

A for Ada, Melle Hammer
At the request of the Amsterdam Stedelijk Museum

The illustration was presented to Ada Stroeve at her retirement from the Amsterdam Stedelijk Museum as their curator for applied graphics.

Springdance **Ontmoeting / Cinema 2000**

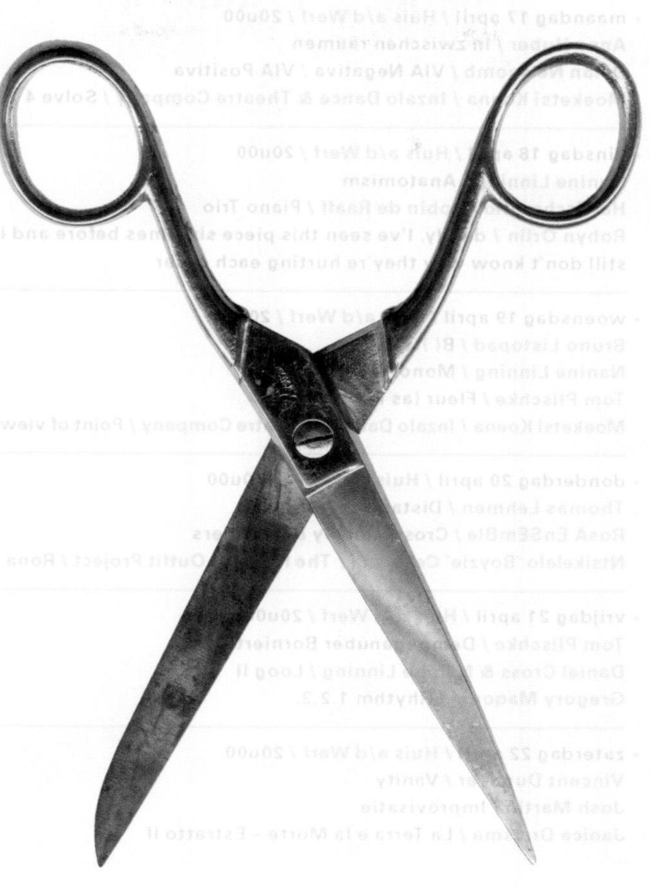

1

Ontmoeting zaterdag 22 april

- **zaterdag 22 april / Huis a/d Werf / 20u00**
- **Vincent Dunoyer / Vanity**
  Na een lange carrière als danser zet Vincent Dunoyer nu de stap naar het zelf choreograferen. Voor *Vanity* vertrok hij van een muziekstuk van de Amerikaan James Tenney. Tijdens de uitvoering van *Deus ex Machina* verlaat de muzikant op een bepaald punt het podium terwijl het stuk gewoon doorgaat. Dit spel van aan- en afwezigheid werd ook de basis voor de choreografie. "Ik probeer de gangbare opvatting over een live performance in vraag te stellen. Hoeveel "live" is er echt nodig? Welke herinnering laat de performer na?" / After a long career as a dancer Vincent Dunoyer now takes the step of choreographing himself. For *Vanity* he took as his starting point a piece of music by the American James Tenney. During the performance of *Deus ex Machina* at a certain point the musician leaves the stage whilst the piece continues. This game of presence and absence became the basis for the choreography. "I try to question the usual perception of a live performance. How much 'live' is really necessary? What memories does the performer leave behind? / *Choreografie en dans*: Vincent Dunoyer / *Muziek*: James Tenney / *Uitgevoerd door*: Michael Weilacher & Alex Fostier
- **Josh Martin / Improvisatie**
  Josh Martin begon in 1996 een opleiding Audio–Design aan de Musikhochschule in Basel. Daar ontstond zijn interesse voor 'live electronics' en interactieve systemen. In Basel maakte hij ook kennis met enkele dansers en choreografen en begon hij te werken aan een concept waarbij de geluiden van dansers worden gekoppeld aan computeralgoritmen om alzo tot een geïntegreerde compositie te komen. Hoe dat klinkt zal hij zelf demonstreren in samenwerking met een van de andere deelnemers aan de Ontmoeting. / In 1996 Josh Martin began a study of Audio–Design at the Musikhochschule in Basel. There he developed an interest in live electronics and interactive systems. In Basel he also met dancers and choreographers and started to work on a concept

20

zaterdag 22 april **Ontmoeting**

in which he combines sounds of dancers and computer algorithms in order to create an integrated composition. He will demonstrate how this sounds in collaboration with an Ontmoeting partner.

- **Janica Draisma / La Terra e la Morte – Estratto II**
  Janica Draisma begon al in 1998 met de voorbereidingen van het project *La Terra e la Morte*. Ze liet zich inspireren door de gelijknamige gedichtenbundel en het dagboek van de Italiaanse schrijver Cesare Pavese. De negen gedichten gaan over verlangen en heimwee naar liefde, naar het verleden, naar een minaar en beschrijven in metaforen het vrouwelijke, de natuur, de vrijheid. *La Terra e la Morte* zou in eerste instantie enkel een film worden maar tijdens de lange voorbereidingsperiode ontstond ook een live project dat éénmaal als 'work in progress' werd getoond. Tijdens de Ontmoeting wordt deze live gedanste 'work in progress', met Harry de Wit aan de piano, éénmalig hernomen. / Janica Draisma began the preparations for the project *La Terra e la Morte* in 1998. She was inspired by the poems and diary of the Italian writer Cesare Pavese. The nine poems are an interior monologue about desire and memories of love, for the past, for a lover, and describe in female metaphors nature and freedom. Initially *La Terra e la Morte* was planned only as a film, but during the long preparatory period a live project emerged as a 'work in progress'. This is a unique opportunity to see the live 'work in progress', with Harry de Wit on piano. / *Choreografie*: Janica Draisma / *Dans*: Cibelle Domingos de Padua / *Muziek*: Harry de Wit

21

Cinema

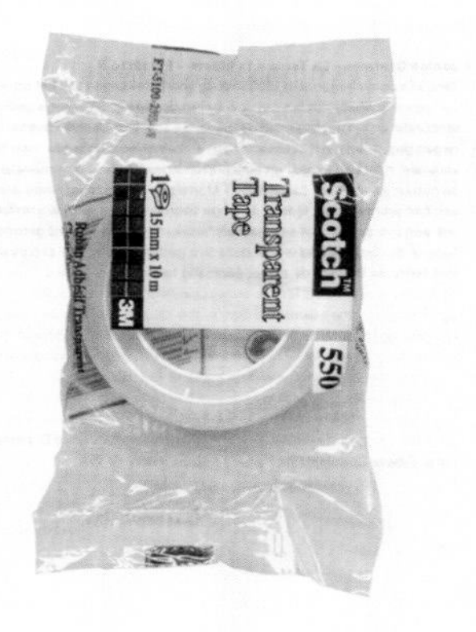

22

zaterdag 22 april **Cinema**

- **zaterdag 22 april / Filmtheater 't Hoogt / 12u00**
- **NPS / BBC / Dansblik / Dance for the Camera / 10 premières**
  In Europa zijn NPS en BBC twee van de weinige openbare omroepen die de afgelopen jaren een consequent en consistent beleid hebben gevoerd t.a.v. de dansfilm. De series Dansblik van NPS en Dance for the Camera van BBC hanteren hetzelfde format: een cineast en een choreograaf maken samen een korte film van negen minuten. / In Europe the NPS and the BBC are two of the national TV stations with a consistent policy concerning dance films over the past few years. Both stations work regularly as coproducers of films and both regularly commission short films. The series Dansblik by the NPS and Dance for the Camera by the BBC use the same format: a film maker and a choreographer together make a short 9 minute film / Springdance/Cinema toont tien van hun recent geproduceerde korte films in wereldpremière. / Springdance/Cinema presents the world premiere of ten of these recently produced short films.
- **The lift**
  ***Regie*: Jane Thorburn / *Choreografie*: Carol Brown**
- **Rust zacht**
  ***Regie*: Annick Vroom / *Choreografie*: Het Hans Hof Ensemble**
- **Resistor**
  ***Regie*: Mike Stubbs / *Choreografie*: Maria Voortman/ Roberto de Jonge**
- **Tus ojos negros**
  ***Regie*: Wolke Kluppell / *Choreografie*: Suzy Blok**
- **The Linesman**
  ***Regie*: Brett Turnbull / *Choreografie*: Daniel O'Neill**
- **Men of good fortune**
  ***Regie*: Dick Hauser / *Choreografie*: Job Cornelissen & Sassan Saghar Yaghmai**
- **To a woman's heart**
  ***Regie*: Bob Bentley / *Choreografie*: Karin Post**

23

Springdance: Ontmoeting / Cinema 2000, Herman van Bostelen
Opdrachtgever: Springdance

Dit boekje is door zijn verfijnde vormgeving een kostbaar kleinood. Het is intiem, maar tegelijkertijd bijna monumentaal. De schaar op het omslag is een originele en veelzeggende verwijzing naar de dans.

Springdance: Ontmoeting / Cinema 2000, Herman van Bostelen
Client: Springdance

This booklet, thanks to its refined design, is a valuable little gem. It is intimate, but at the same time almost monumental. The pair of scissors on the cover is an original reference that has a great deal to say about the dance.

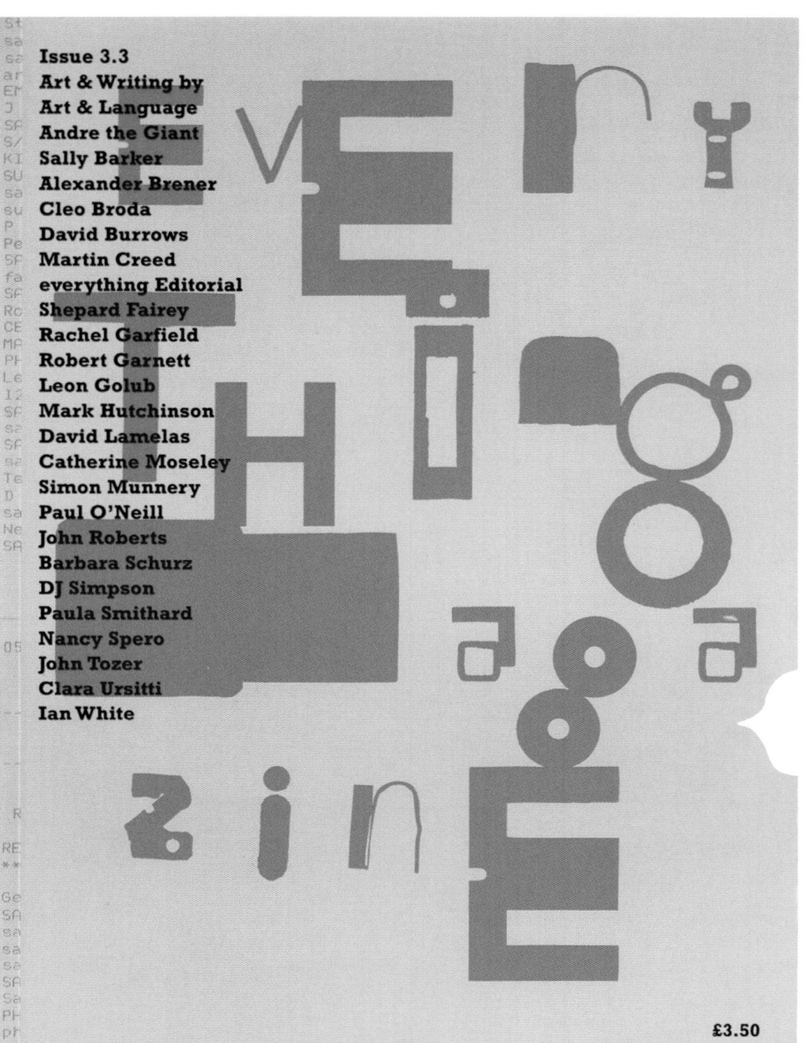

Issue 3.3
Art & Writing by
Art & Language
Andre the Giant
Sally Barker
Alexander Brener
Cleo Broda
David Burrows
Martin Creed
everything Editorial
Shepard Fairey
Rachel Garfield
Robert Garnett
Leon Golub
Mark Hutchinson
David Lamelas
Catherine Moseley
Simon Munnery
Paul O'Neill
John Roberts
Barbara Schurz
DJ Simpson
Paula Smithard
Nancy Spero
John Tozer
Clara Ursitti
Ian White
£3.50

Issue 3.2
Art & Writing by
Sally Barker
John Beck
David Burrows
Matthew Collings
Arnaud Desjardin
Sarah Dobai
everything Editorial
Matthew Fuller
Mark Hutchinson
Komar & Melamid
Mike Nelson
Janette Parris
Prawn Publishing
John Roberts
Paul Sakoilsky
Howard Slater
Johnny Spencer
Rod Stentor
Szuper Gallery
John Tozer

every-thing Maga-zine

£3.50

Everything Magazine,
Stuart Bailey, Ruth Blacksell
Opdrachtgever: Everything Magazine

Twee stevige, 'ouderwets' grafische omslagen in een tijd waarin een tijdschrift zonder foto op de voorkant een grote uitzondering is.

Everything Magazine,
Stuart Bailey, Ruth Blacksell
Client: Everything Magazine

In an age where a magazine without a photograph on the cover is a rare exception to the rule, here you find two solid and 'old-fashioned' graphic design covers.

B L D
B E P A
L E N D

Architectuurcafé Arnhem presenteert Molenaar en Van Winden Architecten

MV
WA

Het Architectuurcafé Arnhem nodigt u uit voor een lezing over de renovatie van het Provincie- en Gemeentehuis.

De lezing vindt deze keer plaats op 9 mei (de 2de dinsdag), om 20.30 uur, café Verheijden, Wezenstraat 6, Arnhem.

De sprekers zijn Leon van Meijel, Architectuurhistoricus, Annette Claasen en Wim Visser, van B en D Architecten, en Edward Morroy, van AGS Architekten.

<**lat.**, *re-* [wederom] + *novare* [nieuw maken, vernieuwen, iets nieuws maken], van *novus* [nieuw], daarmee idg. verwant.

E N R O A V

MONK Architecten / Rob Nas

L a n d
g o e d
e r e n

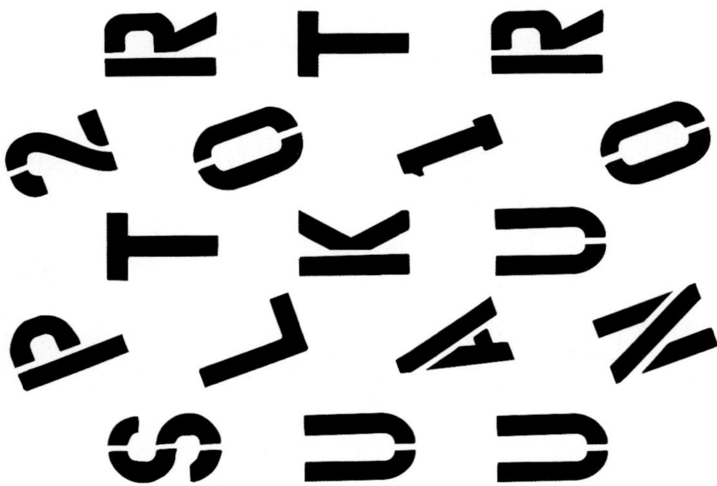

nieeuw

Architectuurcafé Arnhem, Ingo Offermanns (Werkplaats Typografie)
Opdrachtgever: Architectuurcafé Arnhem

Door kleine ontsporingen zijn deze uitnodigingen meer dan alleen geslaagde typografische composities.

Architectuurcafé Arnhem, Ingo Offermanns (Werkplaats Typografie)
Client: Architectuurcafé Arnhem

Small lapses make these invitations to the Arnhem Architecture Café more than just successful typographic compositions.

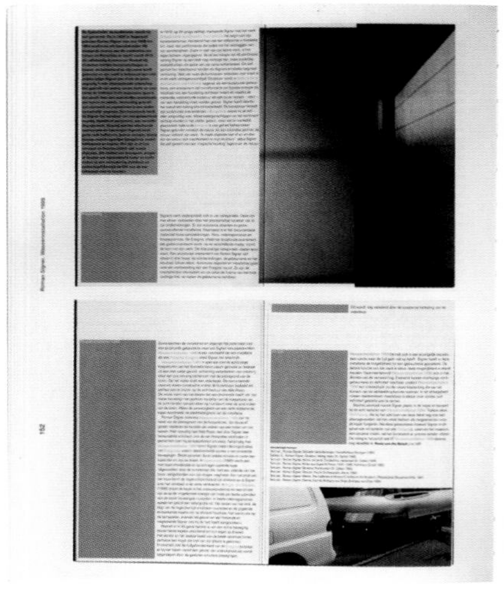

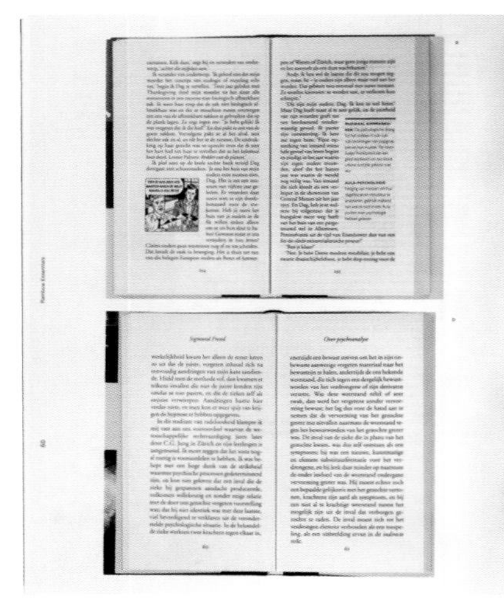

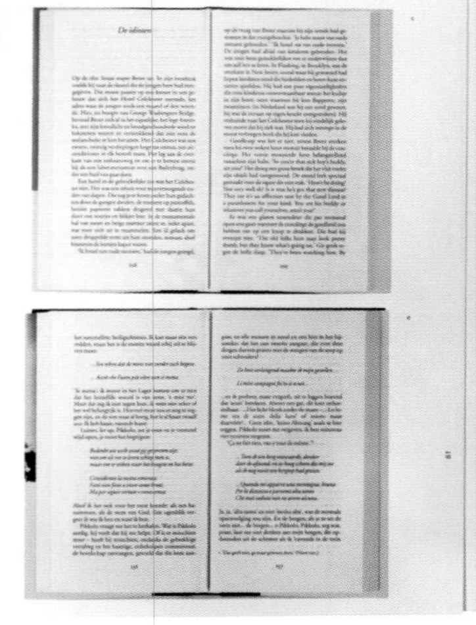

De Best Verzorgde Boeken 1999, Christine Alberts, Stuart Bailey (Werkplaats Typografie)
Opdrachtgever: Stichting De Best Verzorgde Boeken

De catalogus De Best Verzorgde Boeken 1999 wordt geleverd in een geschenkverpakking die tevens het omslag is: een feestelijk gebaar dat past bij het bekronen van goed verzorgd drukwerk. Op het eigenlijke omslag – voor en achter – wordt de inhoud alvast onthuld in de vorm van acht lijsten die betrekking hebben op de veertig bekroonde uitgaven. Het boek is typografisch 'best' verzorgd en slim van opzet, met een ruimhartige hoeveelheid fullcolour reproducties van het binnenwerk van elk Best Verzorgde Boek.

The Best Book Designs 1999, Christine Alberts, Stuart Bailey (Werkplaats Typografie)
Client: De Best Verzorgde Boeken Foundation

The 1999 'Best Book Designs' catalogue is supplied in a gift-wrapping which also serves as the cover: a festive gesture that matches the awarding of a prize to the best book designs. Meanwhile, on the actual front and back covers, the contents are divulged in the form of eight frames relating to the forty prize-winning editions. The book is well designed typographically and cleverly laid-out, with a generous amount of full-colour reproductions of the interior of each of the Best Designed Books.

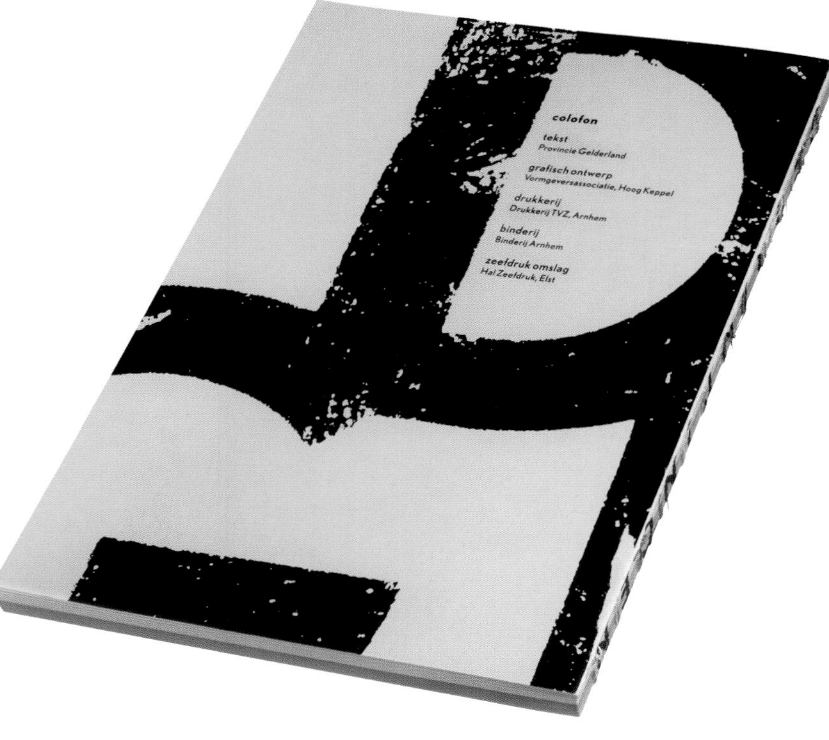

Inspraakeditie Cultuurbeleid Gelderland 2001-2004, Vormgeversassociatie
Opdrachtgever: Provincie Gelderland

In de rug is het woord 'verbindingen' te lezen, het thema van deze nota over het cultuurbeleid van de provincie Gelderland. Deze editie was uitsluitend bestemd voor een inspraakronde en was daarom maar één maand 'geldig'. Deze tijdelijkheid werd door de Vormgeversassociatie benadrukt met de kopieachtige kwaliteit van het drukwerk en de onafgewerkte bindwijze.

Gelderland Culture Policy 2001-2004, Vormgeversassociatie
Client: Province of Gelderland

On the spine can be read the word 'connections', the theme of this document about the cultural policy of the province of Gelderland. The edition was only meant to serve as an opportunity for public comment and was therefore only 'valid' for one month. This temporariness was emphasised by the Vormgeversassociatie with the photocopy-like quality of the printing and the unfinished method of binding.

infoArcadia is een project van
Maarten de Reus
en Ronald van Tienhoven
Zij nodigden een internationaal
gezelschap van beeldend
kunstenaars en deskundigen op
het gebied van communicatie,
vormgeving, en psychologie
uit om aan de tentoonstelling en
het symposium deel te nemen
Grafische vormgeving door
Werkplaats Typografie, Arnhem
Opening 22 januari 2000
17.00 uur
s t r o o m
haags centrum voor
beeldende kunst
spui 193–195
2511 Den Haag
telefoon 070 3658985
www.stroom.nl
e-mail info@stroom.nl
fax 070 3617962
Dit project werd mede mogelijk
gemaakt door
de Mondriaan Stichting
het Prins Bernhard Fonds
het Herinneringsfonds
Vincent van Gogh
het Gijzelaar Hintzenfonds
Souverein Projects Amsterdam
Bernard Cella : beeldend kunstenaar OOST
Martin Dodge : cyber geography research GB
Douwe Draaisma : psycholoog RU-Groningen NL
Yuri Engelhardt : AIO informatica faculteit UVA NL
Bob Horn : information designer & theoretician USA
Jouke Kleere
Stroom Hcbk
25 jan — 22 apr 2000 di-za 12-17 uur
Haags centrum voor beeldende kunst

● ● ●

Why another graphic design magazine?

This pilot issue of ...
(a graphic design / visual culture magazine)
hopes to answer itself
being an encyclopaedia of previous attempts
with extended articles on a select few

During this field trip we hope to plot the next issue
i.e. how?
where?
when?
who?
based on the experiences of those who
tried already

Those 3 dots were chosen as the title for being
something close to an internationally-recognised
typographic mark
but now they seem even more appropriate as
a representation of what we intend the project to become:
A magazine in flux
ready to adjust itself to content

and here is the first list of our aims to date:
(to be) critical
flexible
international
portfolio-free
rigorous
useful

en
eeney
mas
: media
eneurs

Paul Mijksenaar / Piet Westendorp : TU Delft industrieel ontwerpen NL

Bert Mulder : informatie-adviseur NL

Matt Mullican : beeldend kunstenaar USA

Origin Medialab : interface research NL

Ad Reinhardt : beeldend kunstenaar USA

Schie 2.0 : stedenbouwkundigen & planologen NL

Armand Schulthess : encyclopedist ZWIT

Jorinde Seijdel : publicist NL

Sensorium : interface & information designers JAP

Paul Slovic : psycholoog USA

Tjebbe van Tijen : beeldend kunstenaar bibliothecaris NL

~~~

Over de vormgeving van informatie

oArcadia

Symposium 18,19 feb info 070 3658985

InfoArcadia, Stuart Bailey (Werkplaats Typografie)
Opdrachtgevers: Stroom HCBK, Maarten de Reus, Ronald van Tienhoven

Indachtig het onderwerp van de tentoonstelling – het belang van de vormgeving van informatie – is de informatie op dit affiche zeer overzichtelijk weergegeven. Door voor- en achterzijde naast elkaar te plaatsen wordt het beeld gecompleteerd.

InfoArcadia, Stuart Bailey (Werkplaats Typografie)
Clients: Stroom HCBK, Maarten de Reus, Ronald van Tienhoven

Heedful of the subject of the exhibition – the importance of information design – the information on this poster is rendered in a very orderly way. The picture is completed by putting the front and the back next to each other.

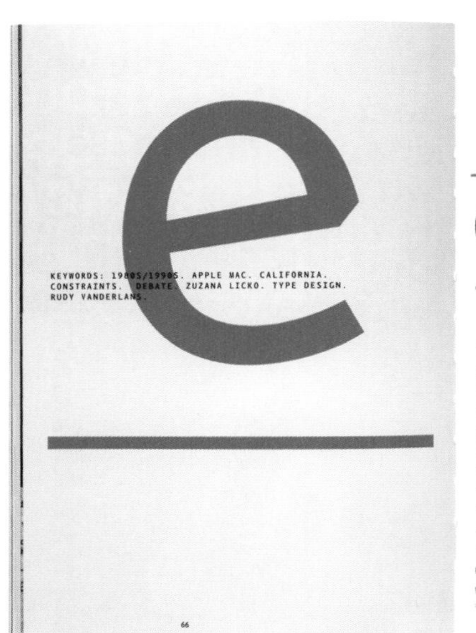

migre

Growing up in public

The prevailing US stronghold of Postmodern graphic design is cluttered with icons. From the late 1980s onwards, a number of key schools (CalArts, Cranbrook, Rhode Island), personalities (Keedy, Carson, Makela, Deck) and publications (Ray Gun, Beach Culture) combined to form a catalyst, gradually establishing a network of ideological typographic discourse. Constantly in-breeding and multiplying, the wide-ranging debate has since reached a certain level of distinction most convincingly articulated through the work of Miller and Lupton.

67

70

71

Dot Dot Dot Magazine, Jurgen Albrecht, Stuart Bailey, Peter Bilák, Tom Unverzagt
Eigen initiatief

Een nieuw tijdschrift over grafische vormgeving, waarvan de redactie bestaat uit vier ontwerpers. Het wil 'kritisch, flexibel, internationaal, rigoureus, bruikbaar en vrij van portfolio's' zijn. Geheel in overeenstemming met deze sympathieke ambitie hebben de ontwerpende redacteurs ervan afgezien om van het blad een etalage te maken van hun eigen virtuositeit of experimenteerdrift.

Dot Dot Dot Magazine, Jurgen Albrecht, Stuart Bailey, Peter Bilák, Tom Unverzagt
Designer Initiative

(...) is a new magazine about graphic design, with an editorial staff of four graphic designers and striving to be 'critical, flexible, international, rigorous, useful and portfolio-free'. Entirely in keeping with this sympathetic ambition, the designing editors have avoided allowing the magazine to become a showcase for either their own virtuosity or their desire to experiment.
~~~

Tijd

Het jaar begon met de anticlimax rond de millenniumbug. Wereldwijd zouden computersystemen crashen omdat zij de omslag van 99 naar 00 niet konden maken. Dat was althans de voorspelling. De technologische cultuur bereikte in de laatste minuut van 1999 wellicht haar breekpunt. Een jaar lang waren er noodverbanden gelegd om bij bedrijven, ziekenhuizen, hulpdiensten, banken en overheden de schade te beperken. Maar wat gebeurde er? Toen de champagnekurken knalden, draaide de wereld door. Zelfs minieme storingen bleven vrijwel achterwege. Het nieuwe millennium begon als ieder ander jaar: met onschuldig vuurwerk dat pas maanden later zijn ware gezicht liet zien toen een complete Enschedese stadswijk in rook opging als gevolg van een vuurwerkexplosie. Tijd was daar de klap van het moment. Ontreddering, chaos, dood en verdriet. Langzaam ontrolde zich vervolgens een ander tijdsbesef: dat van de reconstructie. Hoe heeft zo'n ramp kunnen gebeuren en wie was er op welk tijdstip verantwoordelijk? Procesanalyses moesten de toedracht van het ongeluk onthullen, rechtzaken de schuldigen aanwijzen. De klap veranderde in een slepend spoor. De euforie over het nieuwe millennium was weggevaagd. Vormgevers vervolgden hun werk, met de gebruikelijke haast en de incidentele bezinning. Er moesten nieuwe agenda's worden uitgebracht, oude histories gedocumenteerd.

Time

The year began with the anticlimax concerning the millennium bug. Around the world, computer systems were going to crash because they could not make the switch from 99 to 00. That was the prediction, in any case. In the final minute of 1999, our technological culture might have reached its breaking point. A year long, the bandages were applied in companies, hospitals, aid services, banks and government offices in hopes of limiting the damage. But what happened? When the corks popped on the champagne, the world kept turning. Even the most minute disturbances were practically non-existent.

The new millennium began like any other year, with innocent fireworks that would only show their true face months later, when in Enschede, a whole urban neighbourhood went up in smoke following an explosion in a fireworks factory. There, time was the blow of the moment. Desperation, chaos, death and sadness. Very slowly, a different perception of time ensued, one of reconstruction. How could such a disaster have happened, who was responsible and at which moment? Process analysis would have to unveil the facts behind the accident, courts point out the guilty. The explosion mutated into a lingering path. The euphoria of the new millennium had been wiped away. Designers picked up their work again, with the usual rush and the occasional meditative reflection. There were new agendas to be published and old histories to be recorded.

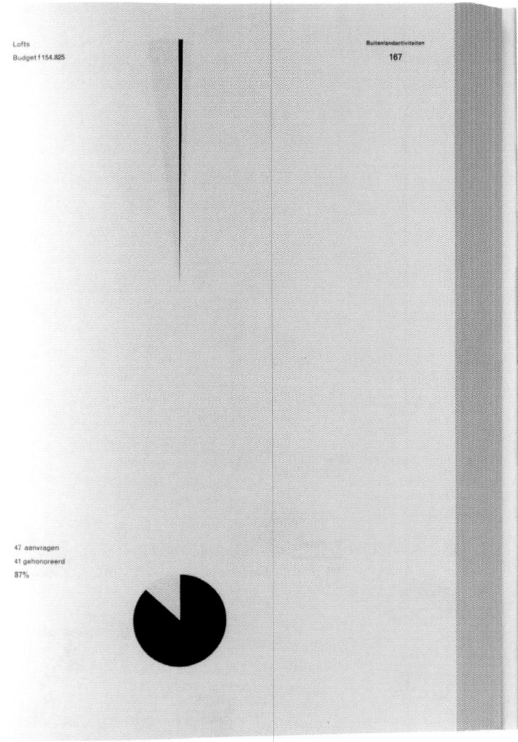

Mondriaan Stichting Jaarverslag 1999, Walter Nikkels
Opdrachtgever: Mondriaan Stichting

Het boekblok is volmaakt van omvang, gewicht en stoffelijkheid, en ligt zeer aangenaam in de hand. Het binnenwerk is typografisch knap verzorgd, hetgeen van Walter Nikkels kan worden verwacht. De 'uitgeklede' weergave van de schijfdiagrammen is een vondst die beeldschone grafische beelden oplevert.

Mondriaan Foundation Annual Report 1999, Walter Nikkels
Client: Mondriaan Foundation

The book is perfect as regards size, weight and materiality, which makes it very pleasant to hold in the hand. The inside is typographically immaculate, as can be expected of Walter Nikkels. The 'undressed' rendering of the pie-charts is a treasure that yields stunning graphic images.

99

HELLO

99

MILLENNIUM 99
RESET
00
VOOR NU EN VOOR NOOIT! MILLENNIUM NR.15
RESET: 51 PAGINA'S LITERATUUR EN 48 PAGINA'S
KUNST VAN EXPOSITIE *DOEL ZONDER OORZAAK*

96

Serge van Duijnhoven

De race naar het verdwijnen

Mooie ideeën beginnen met gevaarlijke slogans. 'We willen niet sterven in deze eeuw'; deze hartenkreet, die in 1992 '93 met viltstift op de deur van het mannentoilet van Hotel Winston in de Amsterdamse Warmoesstraat) stond gekrast, ontketende het idee om met vrienden en geestverwanten een nieuw periodiek te beginnen. Een 'tijdboek' dat de vinger aan de pols legde van relevante culturele ontwikkelingen in de negentiger jaren: MillenniuM.

De toiletspreuk in Winston werkte bezwerend op een jeugdig groepje dat behalve een zekere gevoeligheid voor de tijdgeest ook een creatieve drang deelde, die in de gangen van de universiteit en academie dreigde te verstikken. In onze hoofden gistte een broeierig mengsel van overmoed en dadendrang. De oude, bestaande massa stonk naar belegenheid, cynisme, verzadiging. Het was tijd voor een initiatief waarin engagement zonder ironie gepaard kon worden aan kunst, een intitiatief waarin reflectie zich niet hoefde te hullen in de toga van het intellectualisme, waarin de verzuiling van de culturele wereld omgesmeed kon worden tot een vitale samenballing van disciplines. Een initiatief waarin recente ontwikkelingen op het gebied van kunst, cultuur en politiek werden geïnventariseerd zonder dat ze op beschouwelijke wijze werden stukbecommentariëerd. Waarin jonge mensen een poging ondernamen om terrein te ontginnen dat braak was komen te liggen tussen de elite- en de massacultuur.

Het groepje kwam bijeen op cenakel-achtige locaties, op zolderverdiepingen, in cafés, tussen de bar en het biljart van Hotel Winston en De Kring. We creëerden een tweewekelijkse salon in de Pijp die de naam 'Perron Nul' meekreeg, naar de Rotterdamse dug-out voor verslaafden bij het Centraal Station.

MillenniuM #15 Reset

95

We wilden een club we wilden een clan we wilden de bal in het net we wilden een manifest we wilden een warm nest we wilden een pluim op de kruin een tempel op het puin we wilden een appel en een ei we wilden een sfinx zijn uit de as we wilden de vonk zijn bij het gas we wilden de wieders zijn de telers van het kruid we wilden de kaviaar zijn onder de kuit we wilden de neus zijn van de zalm we wilden het gif zijn in de walm we wilden het spook zijn op de kastelen de enkelingen tussen de velen de zieners tussen de schelen we wilden de sprooksprekers zijn met de schorre kelen...

MillenniuM was een excavatie, een bouwput, een krakkemikkig platform voor het lanceren van experimenten. Een afgraving aan de morsige bedding van de taal en de cultuur in Vlaamse en Hollandse contreien.

Het tijdschrift, dat als een soort home-made vlaggenscheepje naar voren was geschoven door de Stichting Kunstgroep Lage Landen, zocht en vond in het begin enige tijd samenwerking met geestverwante bladen in de marge, bijvoorbeeld met het ietwat zwaarwichtige Verschillig uit Antwerpen (later herdoopt tot Sample) en het obstinate, anti-literaire Kitoko Jungle Magazine uit Vilvoorde. De redacties wisselden bijdragen uit, zochten elkaar op en zorgden zelfs voor verspreiding van elkaars issues. Op theatergebied was er de samenwerking met het commedia-dell'arte gezelschap Dinska Bronska uit Gent, met Maarten Vonk uit Huizen en met Maarten Bleijerveld die in de Melkweg een theaterstuk opvoerde dat gebaseerd was op het levensverhaal van de Ethiopische keizer Haile Selassie.

Ondanks de gulle steun van geldschieter en 'dichter-soldaat' Danny Seljee (de rennende cavalerist die de 64 millequiz van Jos Brink had gewonnen door alles af te weten over Oscar Wilde) en de sympathie van een behoorlijk hechte achterban, bleef alles vooral een kwestie van droom- en handwerk. Een kwestie van discussiëren, enveloppen likken en postzegels plakken, van vergaren en vergaderen, van spuien en blussen, van ruziën en motiveren, uitwerken en opnieuw proberen.

De inzet was, zoals alles op het gebied van kunst en cultuur, vooral een kwestie van temperament. Ieder tijdschrift wordt tot leven gewekt 'met het bloed dat drukinkt heet' om met Gerrit Komrij te spreken, en draagt als het goed is dus op iedere pagina de vlekkerige sporen van opvattingen en voorkeuren, van verwantschap en vijandschap, horigheid en originaliteit.

De redactie van MillenniuM deed zeven jaar mee aan het rondsprenkelen van wat druppels eigen bloed via de projecten van de Kunstgroep Lage Landen en de publicatie van een tijdschrift dat om tal van redenen nimmer regelmatig is verschenen.

MillenniuM #15 Reset

MillenniuM 15 'RESET', De Designpolitie
Opdrachtgever: Uitgeverij De Bezige Bij, MillenniuM

MillenniuM nummer 15 werd gepresenteerd tijdens de jaarwisseling – de allereerste publicatie van het jaar 2000 dus. Omdat bij de oprichting in 1995 al besloten was tot opheffing op 31 december 1999, tevens de allerlaatste aflevering van dit gevarieerde literaire tijdschrift. MillenniuM kreeg al naar gelang het thema elke aflevering een radicaal andere vorm. Dit keer een royaal magazine-formaat.

MillenniuM 15 'RESET', De Designpolitie
Client: De Bezige Bij Publishers, MillenniuM

The 15th issue of MillenniuM was presented at the New Year, making it the first publication of the year 2000. It was already decided when the magazine was established in 1995 that it would be discontinued on December 31st, 1999, so this was also the final issue of this diverse literary magazine. Each issue of MillenniuM had a radically different form, in keeping with its theme. This time, it was in a royal magazine format.

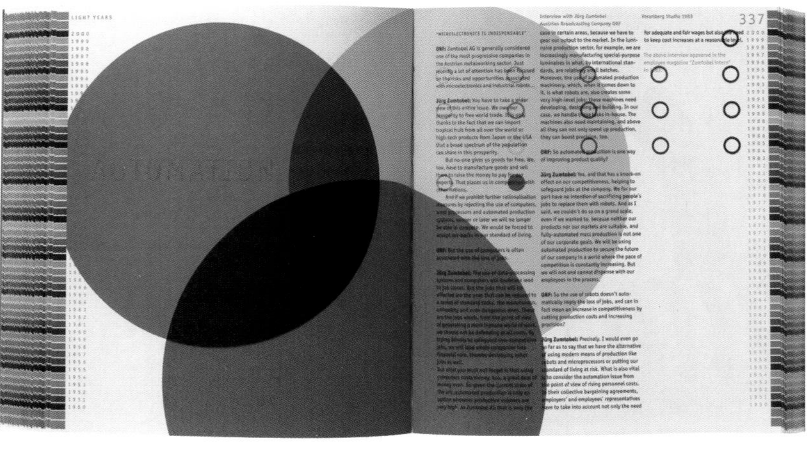

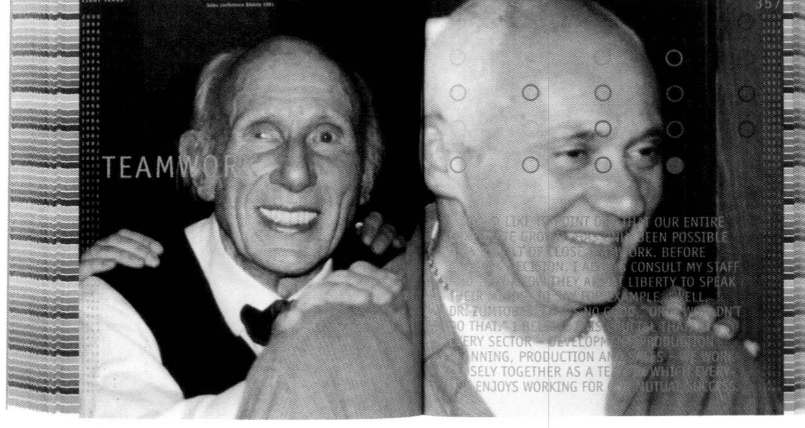

Lightyears. Zumtobel 2000-1950, Irma Boom
Opdrachtgevers: Birkhäuser Verlag, Zumtobel KG

De bedrijfsgeschiedenis van de lichtfabrikant Zumtobel wordt in dit jubileumboek achterstevoren verteld (2000-1950), een opzet die het gevoel van terugkijken in de tijd versterkt. Ook in andere opzichten doet deze publicatie aan 'het SHV-boek' denken, Irma Booms bekendste ontwerp. Een minder luxueuze, meer toegankelijke variant.

Lightyears: Zumtobel 2000-1950, Irma Boom
Clients: Birkhäuser Verlag, Zumtobel KG

This 50-year anniversary publication tells the history of the lighting producer Zumtobel in reverse order (2000-1950), an approach that reinforces the feeling of looking back in time. There are also other ways in which the book reminds one of 'the SHV book', Irma Boom's best known design. This is a less luxurious and more accessible variation.

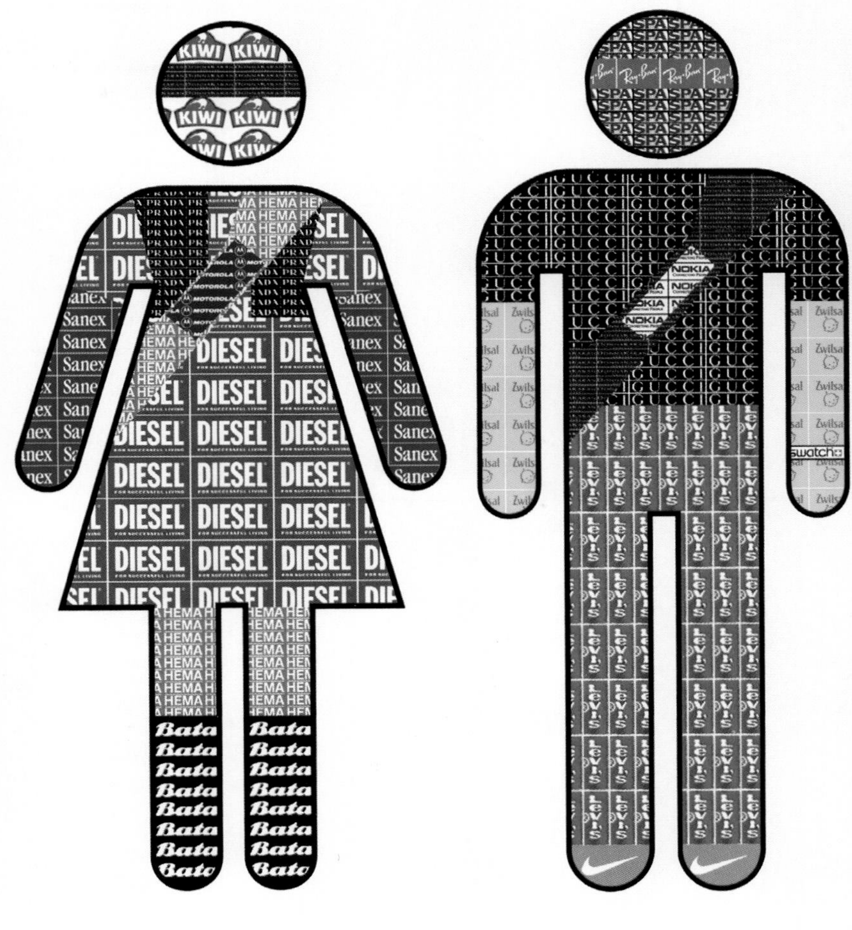

Vormberichten,
Mark van den Driest, Dirk Laucke
Opdrachtgever: Beroepsorganisatie Nederlandse Ontwerpers BNO

Het resoluut scheiden van het advertentiekatern en het redactionele katern door beide verschillende formaten te geven, is een ware vondst. Dit onderscheid wordt nog eens benadrukt door de twee verschillende papiersoorten die voor beide gebruikt zijn. Paradoxaal genoeg versterkt deze ingreep de eenheid van het blad. Tevens wordt ermee optimaal ruimte geboden aan de omslagillustratie, die voor elk nummer door een andere ontwerper wordt vervaardigd. Het bovenaan uitstekende binnenwerk is sterk aanwezig dankzij de energieke kleur. Ook binnenin wordt de fluoriserende steunkleur effectief gebruikt: schematisch en consequent. De typografie is sober en functioneel. Met dit alles wordt overgebracht dat Vormberichten weliswaar een tijdschrift voor ontwerpers is, maar ook een 'clubblaadje'.

Vormberichten,
Mark van den Driest, Dirk Laucke
Client: Association of Dutch Designers BNO

The creation of a resolute division between advertising and the editorial sections of a magazine by giving them two different formats is a real find. The distinction is further emphasized by the different papers used for each. Paradoxically enough, this change reinforces the unity of the magazine as a whole. It also provides optimal space for the cover illustration, done by a different designer for each issue. The inside, which protrudes at the top, is a strong presence, thanks to energetic colour. The fluorescent supporting colour is also effectively used on the inside. It is schematic and consistent, and the typography is sober and functional. With all this, the message comes across that Vormberichten is indeed a magazine for designers, but also a 'club' magazine.

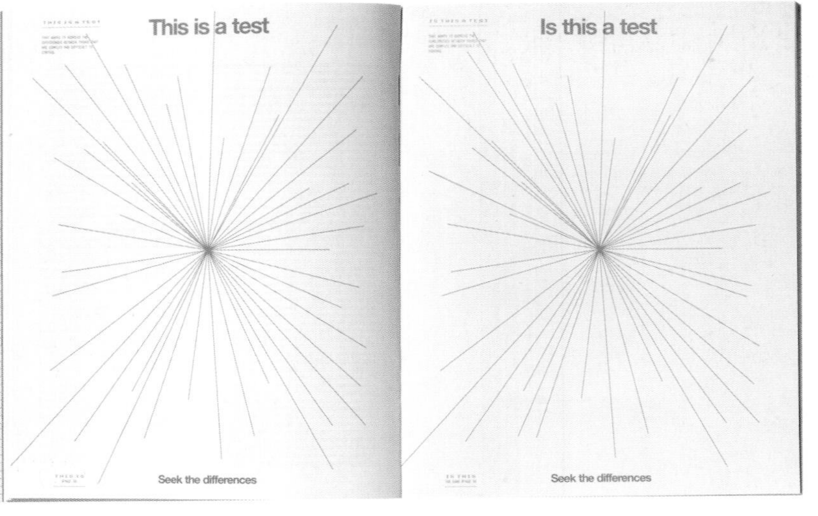

This is As If
The Game of Art and Media

Is this imagination

Is this As If
The Game of Art and Media

This is For Real

This is For Real, Maureen Mooren, Daniël van der Velden
Opdrachtgevers: Stedelijk Museum Amsterdam, NAi Uitgevers

Elk kunstwerk wordt in deze catalogus tweemaal op exact dezelfde wijze gereproduceerd. Eén keer met het onderschrift 'This is For Real', op de naastliggende pagina met 'This is Fiction', of een variant hierop. Hiermee wordt de lezer keer op keer aan het denken gezet over het thema authenticiteit/waarachtigheid, dat in alle opgenomen kunstwerken een rol speelt. De visuele retoriek is verpletterend, maar werkt wel. De ontwerpers zijn erin geslaagd een dimensie toe te voegen aan de documentaire functie van de museumcatalogus.

This is For Real, Maureen Mooren, Daniël van der Velden
Clients: Stedelijk Museum Amsterdam, NAi Publishers

Every work of art in this catalogue is reproduced twice in exactly the same way, one time with the caption 'This is For Real' and on the adjacent page with 'This is Fiction'. The reader is hence set to thinking time and time again about the theme of authenticity/truthfulness, which plays a role in all the works included.
The visual rhetoric is overwhelming, but it does work. The designers have succeeded in adding an extra dimension to the documentary function of a museum catalogue.

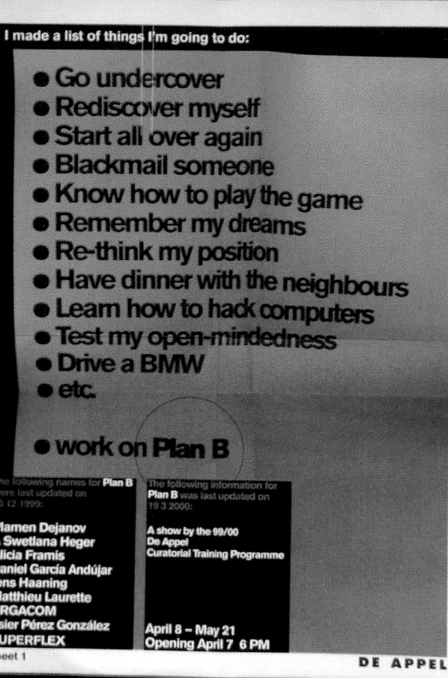

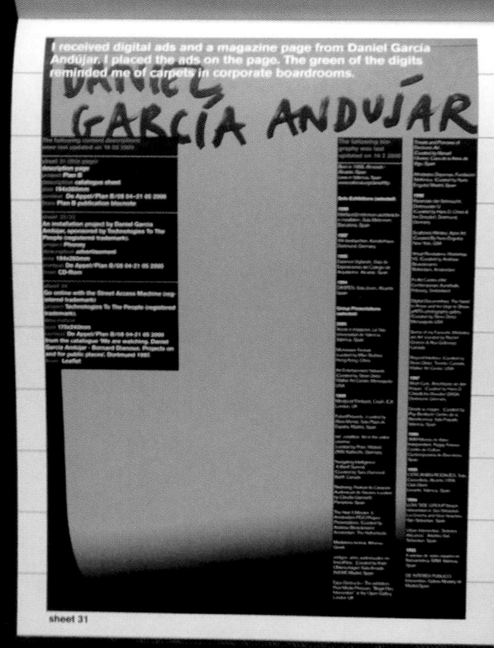

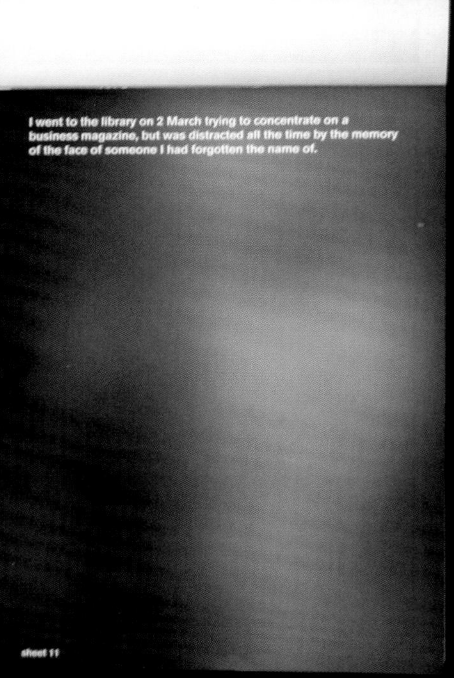

Plan B, Maureen Mooren, Daniël van der Velden, i.s.m. Hieke Compier
Opdrachtgever: De Appel

Catalogus bij de presentatie 'Plan B' in kunstcentrum De Appel te Amsterdam. In Plan B werden alternatieven onderzocht voor het produceren en presenteren van kunst. Om het procesmatige van de aanpak van de tentoonstellingsmakers te benadrukken, heeft de catalogus de vorm van een notitieblok, waarin dagboekachtige aantekeningen alle onderdelen op anekdotische wijze met elkaar verbinden.

Plan B, Maureen Mooren, Daniël van der Velden, in cooperation with Hieke Compier
Client: De Appel

Catalogue for the presentation of 'Plan B' in De Appel art centre in Amsterdam. Plan B investigated alternative ways of producing and presenting art. In order to emphasise the process-like approach of the curators, the catalogue is in the form of a memo pad, in which diary-like notes connect all the parts with each other in an anecdotal way.

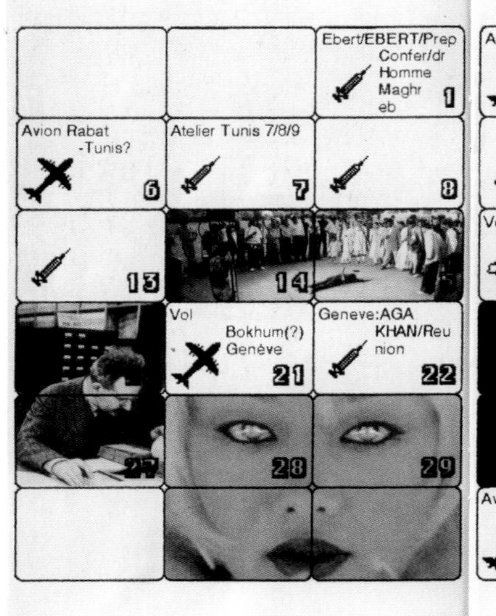

beleidsforum | Unie op locatie

DO 19 | 10

Aanvang: 20.30
Toegang: gratis

Rotterdams
Centrum voor Theater,
Mathenesserdijk 293.

Delfshaven

Onder de noemer *Grote stedenbeleid* wordt gepoogd de leefbaarheid in het dichtbevolkte Nederland te behouden. De inspanningen zijn hierbij gericht op de probleemwijken van de steden. De gemeente Rotterdam dicht cultuur een centrale rol toe waar het de verhoging van leefbaarheid van wijken betreft. Onlangs heeft zij opdracht gegeven aan de sociaal wetenschappelijke afdeling van de dienst Sociale Zaken en Werkgelegenheid om onderzoek te doen naar de sociaal-culturele betekenis van de creatieve sector in Delfshaven. Uit het onderzoek blijkt dat een brede creatieve sector meer tot stand brengt op sociaal economisch gebied dan maatregelen die vanuit dit beleidsterrein worden genomen. Een van de belangrijkste aanbevelingen van het onderzoek is daarom dat het stimuleren en faciliteren van lokaal beschikbaar creatief potentieel en initiatief een belangrijk onderdeel zou moeten zijn van een sector-overschrijdende beleidsstrategie. Op locatie in Delfshaven toetst Zaal de Unie deze aanbeveling aan de politieke en culturele praktijk.

stadsplatform | kinderboeken

VR 20 | 10

Aanvang: 19.30
Toegang: gratis

Boeken verdwijnen nooit

De Rots is een jaarlijkse prijs voor tien basisscholen en buurthuizen met de meest originele Kinderboekenweek-activiteit. **Loes Luca** zal deze Rotterdamse Kinderboeken Superprijs uitreiken die bestaat uit een trofee, een pakket kinderboeken, cd-roms en een boekenbon.

De hoofdprijs is een kunstproject dat op een basisschool of in een buurthuis wordt uitgevoerd. De winnende inzendingen voor *De Rots* zijn te bezichtigen in de etalages van tien Rotterdamse boekhandels.

Voorafgaand aan de uitreiking zullen kinderen en schrijvers in debat gaan over (kinder)boeken en over de toekomst van boeken. Steeds meer kinderen en volwassen brengen uren door achter de computer en de televisie. Is er nog tijd om een boek te lezen? Vinden kinderen een boek minder interessant dan internet? Of denken kinderen dat boeken lezen nooit uit zal raken?

stadsplatform | architectuur

WO 25 | 10

Aanvang: 20.30
Toegang: gratis

ArchitectuurCases Rotterdam

Welstand nieuwe stijl: ook in Rotterdam?

Als het aan Staatssecretaris Remkes ligt wordt volgend jaar een gewijzigde Woningwet van kracht, waarin vooral het welstandsbeleid een totaal ander gezicht moet krijgen. Meer openheid, transparantere regels en het vergunningsvrij maken van 'kleine' objecten die niet groter zijn dan 100 m³ staat in dit nieuwe beleid centraal. De Rotterdamse commissie voor Welstand en Monumenten bracht in september een verslag uit over haar welstandsbeoordelingen in de afgelopen tien jaar en presenteerde haar nieuwe voorzitter J. Wolf.

Op deze avond van ArchitectuurCases Rotterdam wordt, na een korte terugblik op deze afgelopen tien jaar uitgebreid gesproken over de wijze waarop invulling kan worden gegeven aan een Welstandscommissie nieuwe stijl.

Zaal De Unie, Ben Laloua
Opdrachtgever: Zaal De Unie

Deze programmaboekjes worden door Ben Laloua met zoveel zorg ontworpen dat het een soort minitijdschriftjes zijn, zonder dat dit afbreuk doet aan de bruikbaarheid. Elke aflevering is op een verleidelijke manier anders dan de andere. Dit wordt mede bereikt door de wisselende externe beeldbijdragen van personen als Chris Dercon (directeur Museum Boijmans Van Beuningen), Max Bruinsma (designcriticus) en Claudie de Cleen (kunstenares). Het ontwerp van de omslagen wisselt met de seizoenen.

Zaal De Unie, Ben Laloua
Client: Zaal De Unie

These programme booklets were made with such care that they have become a kind of mini-magazine, without it detracting from their practical convenience. Seductively, each edition is a little different than the others. Ben Laloua has achieved this partly through changing external images of people such as Chris Dercon (director of Boijmans Van Beuningen Museum), Max Bruinsma (design critic) and Claudie de Cleen (artist). The cover design changes with the seasons.

STEEDS SLIMMER
VERSLAG LEZINGENREEKS DUURZAAM ONTWERPEN
MEI 2000

VORMGEVINGSINSTITUUT

00.01

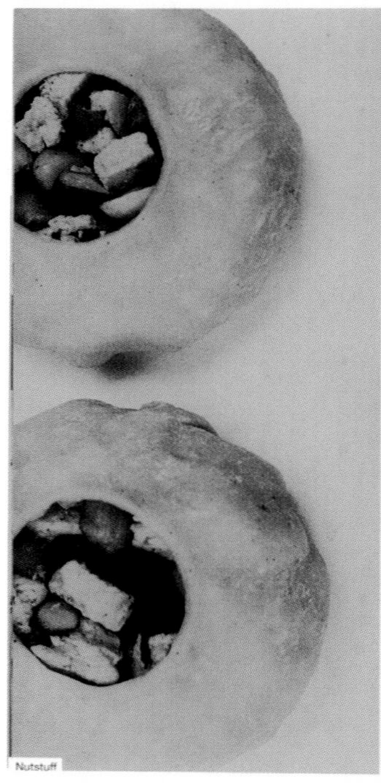

Nutstuff

P / PAPIEREN VAAS

De papieren vaas (gelamineerde watervaste papieren zak met vaasopdruk) kun je weggooien. Het kan een geschenk zijn bij aankoop van een bos bloemen. Je vult de vaas met water waardoor deze stabiel wordt, en zet de bloemen erin. Wanneer de bloemen uitgebloeid zijn, gooi je het water eruit en de vaas bij het groente- en tuinafval. De papieren vaas is een onderdeel van het afstudeerproject voor de Design Academy Eindhoven.

P / PET BIERFLESSEN

Door toepassing van twee speciale barrièrelagen voor het koolzuur en toevoeging van actieve zuurstof is het bier zes maanden houdbaar. De gewichtsbesparing is groot, 35 gram tegenover 250 gram van een glazen fles. Ook logistiek hebben de PETflessen grote voordelen. De flessen kunnen in ongeblazen toestand (préforms) naar de vulfabriek worden gebracht. Dat scheelt flink veel ruimte in de vrachtwagen. Dit zou op kunnen wegen tegen de (nu nog) hogere kosten van de flessen. Heineken (export)bier is in Franse supermarkten momenteel te koop in PETflessen. Een nadeel is dat ze maar één maal gebruikt kunnen worden. De flessen zijn volledig recyclebaar (eventueel tot fleece).

voonten af te wijken. Eten is niet alleen maar het in de mond proppen van voeding. Het heeft ook te maken met smaak, rituelen en beleving. Echt iets voor designers eigenlijk.
Katja Gruijters, met voedselproducten afgestudeerd aan The design academy in Eindhoven, is één van de eerste industrieel ontwerpers die beroepsmatig voedingsmiddelen ontwikkelen, misschien wel de eerste die niets anders doet. Er zijn wel collega's die incidenteel iets op dat gebied hebben gedaan, zoals een pasta die door de vermaarde Italiaanse autostylist Giugaro van een vorm werd voorzien.
Gruijters werkt sinds haar afstuderen voor HAK en Honig en voor Soekos, een bedrijf dat zich specialiseert in vleeswaren en vegetarische en biologische producten.
Het 'basismateriaal' van de ontwerper heet NPF. Dat staat voor Novel Protein Food. Het is een verzamelnaam voor nieuwe eiwitstructuren op basis van schimmels. Ze zijn nog niet op grote schaal beschikbaar, maar worden ontwikkeld aan de Landbouwuniversiteit Wageningen. Deze eiwitten belasten het milieu maar liefst 50 tot 30 maal minder dan varkensvlees, kunnen met de eigen landbouw worden geteeld en zijn lekker. En met kruiden nog lekkerder. De crux is acceptatie door de massa. Het volstaat niet om er namaakvlees van te maken, want daarmee beperk je het marktsegment. Dat blijkt uit de valse hamburgers die nu op de markt zijn. Voor een ontwerper is namaak ook niet interessant.
Ontwerpen is opeens een andere bezigheid en Gruijters heeft er veel plezier in. Ingrediënten zijn het gereedschap en de computer staat ernaast. Het gaat echt om ontwikkeling van het voedsel zelf. Gruijters: 'Alle aandacht gaat nu naar de verpakking, maar maak maar eens een pakje soep open. Wat je dan aantreft kun je moeilijk aantrekkelijk noemen.'
De grondstof mag dan nog in ontwikkeling zijn, het product dat ervan gemaakt moet gaan worden is al klaar. 'Brando' heet de nieuwe voedsellijn die Katja Gruijters heeft ontwikkeld op basis van de concepten geweten, gezond, genot en lekker. Brando kan in kant-en-klare koelverse vorm bestaan. Verder is diepvries een optie. Afhaal-Brando zou ook kunnen. In dat geval maakt bijvoorbeeld een traiteur in de supermarkt het gerecht klaar. De laatste mogelijkheid is een naturelvorm, waarmee de consument zelf aan de slag kan. Het is dan een kaasachtige substantie.
De Brandolijn bestaat in vijf varianten, allemaal natuurlijk met NPF als belangrijkste bestanddeel. De vijf ontwerpen: Cheeselegs zijn met Brando gevulde aubergines, de Atlantic Roll bevat zeewier. Boccito's zijn roerbakbolletjes, Spinny Cushions lijken nog het meest op ravioli en Nutstuff. Dat is een ingrediënt van NPF met spinazie en noten. Met een geïnteresseerd geraakte ontwerper werkt Gruijters nu aan verpakking. Daarvoor denkt zij aan biopolymeren, afbreekbare kunststoffen. Zij wil een compleet concept kunnen laten zien.

SLIM FIETSENMAKEN

De vraag naar transport neemt zo toe, dat de openbare ruimte het niet meer kan bijsloffen. Wegen slibben dicht en openbaar vervoer in de spits begint overeenkomsten te vertonen met een mobiele legbatterij. Er ligt een kans voor tweewielers. En die verbruiken nog minder energie op de koop toe. De moeilijkheid is dat de ontwikkeling van fietsen is vastgelopen in prijsoorlogen.
Dat stelt Marcel Schreuder van Springtime, een vijf jaar jong ontwerpbureau waar nu 20 mensen werken. Het heeft onder meer mobiliteit als uitgangspunt gekozen en zich intelligent en met verve op de open

16.17

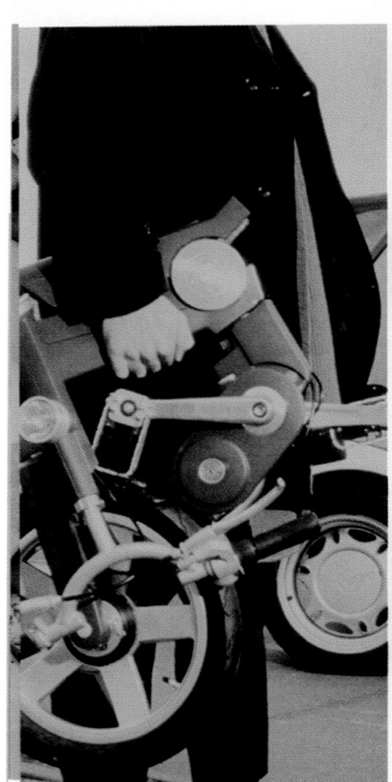

Tango

R / RADIO OP ZONNE-ENERGIE

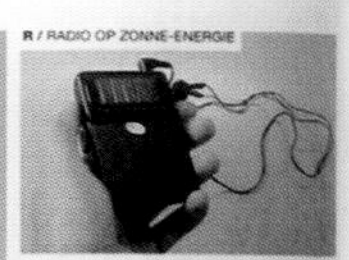

De radio is heel compact en de vormgeving heeft duidelijk aandacht gekregen. Handig buitenop de kleding te bevestigen met behulp van de clip. En dan maar hopen dat de zon schijnt.

S / SELFPOWERED TOETSENBORD

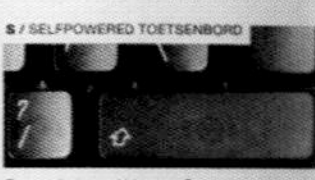

Een veelbelovend idee van Compaq ontwerper Adrian Crisan is omschreven in het patent voor een 'self powered' toetsenbord. Met deze uitvinding zou de accu van je laptop tijdens het typen continu een beetje bijgeladen worden. De accu zou kleiner en lichter kunnen worden of minder lading behoeven.
Volgens het patent worden de toetsen voorzien van piepkleine magneetjes die door een spoeltje bewegen door de indrukking tijdens het typen. Door deze beweging ontstaat een inductiestroompje dat via een condensator de accu van de laptop oplaadt. De trend bij de mobiele computerapparatuur is dat de onderdelen steeds minder stroom verbruiken, dus zijn er zeker kansen voor dit systeem.
De grote vraag is wat Compaq ermee doet. Nog heel weinig jammer genoeg.

S / SOLAR MULTIPURPOSE WATER RESISTANT WARNING LIGHT

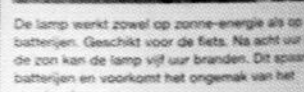

De lamp werkt zowel op zonne-energie als op batterijen. Geschikt voor de fiets. Na acht uur in de zon kan de lamp vijf uur branden. Dit spaart batterijen en voorkomt het ongemak van het verwisselen.

kansen gestort. Zijn activiteiten op het gebied van mobiliteit heeft het gebundeld in de holding Urban Solutions, samen met Union, bekend van de fietsen, en Sachs dat motoren produceert. Onder de vlag van Urban Solutions ontwikkelde Springtime drie concepten, waarvan er twee werkelijk slim zijn. Het derde heeft potentie, maar kan nog wat extra aandacht gebruiken.
Om met het laatste te beginnen: Zeus is de naam, op een tamelijk ingewikkelde manier te herleiden tot Zero Emission. Hij is dan ook gegeven aan een zeer compacte elektrische scooter voor kleine afstanden. Het voertuig is voortgekomen uit een studieproject dat Michiel Knoppert deed bij Industrieel Ontwerpen in Delft.
De scooter is uitstekend doordacht: je zit rechtop, om goed om je heen te kunnen kijken. De motor is in het achterwiel verwerkt. Energie zit in een metaalhybride-batterij en er is een display dat de actieradius aangeeft: hoe harder je rijdt, des te minder ver kan hij. Bij maximale snelheid haalt hij een afstand van 30 tot 35 kilometer. Als klap op de vuurpijl dient de helm tevens als slot.
Het design van Zeus moest tegengesteld zijn aan dat van een normale scooter. Helaas heeft dat uitgangspunt ertoe geleid dat de vormgeving als het ware ontbreekt. Hij had er zakelijk moeten uitzien, maar ook zo'n uitgangspunt vergt expressie. Tegengestelde uitstraling impliceert niet dat het product geen eigen gezicht mag hebben. Zeus oogt nu als een interessant concept in het voorlaatste stadium van ontwikkeling.
Springtime kan wel degelijk een product afmaken. Dat blijkt uit de andere twee ontwerpen die Schreuder liet zien. Het eerste is de Roodrunner, een knalrode bakfiets die voor PTT POST werd ontworpen. Hij heeft de nationale pers gehaald. Een flinke vrachtfiets wordt noodzakelijk omdat de postbode, behalve dat hij of zij zich door een steeds vollere stad moet heenworstelen, geconfronteerd wordt met steeds meer te bezorgen post. Dat is onder meer het gevolg van de opkomst van E-commerce.
De nieuwe bakfiets is uitgekiend ontworpen. Terwille van de stabiliteit draait de vacuumgevormde bak niet mee bij het sturen. Alleen de voorwielen kantelen rond fuséepennen, net zoals dat bij de meeste auto's gaat. Eventueel is de fiets leverbaar met 'electrodrive powerassist', een al vrij bekend systeem om de fietser elektrisch bij te staan bij het trappen. Het imago van de Roodrunner is belangrijk. De postbezorger moet ermee gezien willen worden.
Voor afstanden tot een kilometer of vijf zijn vouwfietsen handig. Verbeteringen blijven alleen steeds achterwege door de noodzaak voor fietsproducenten elk dubbeltje zes keer om te keren alvorens het in de knip te houden. Springtime heeft een uitweg gezocht en gevonden bij de auto-industrie. De redenering is dat iemand die een nieuwe auto koopt grif drieduizend gulden extra uitgeeft voor een setje lichtmetalen velgen. Dus waarom zou een gelikte vouwfiets geen accessoire kunnen zijn, een integraal onderdeel van de functionaliteit van de auto. Dat is de Tango geworden.
De auto-industrie is een geweldige inspiratiebron vanuit het oogpunt van technische integratie. Schreuder: 'Je stapt toch niet uit om even de dynamo aan te zetten?' De Tango onderscheidt zich dan ook nadrukkelijk van de andere vouwfietsen. De aandrijving is volledig gesloten. Alle bekabeling is ondergebracht in een kunststof schaal. Er is geen vette ketting en zelfs geen tandriem. Het vouwprincipe is heel simpel. Volkswagen gaat de Tango leveren als accessoire voor de nieuwe Kever en Urban Solutions brengt hem ook apart op de markt, vanaf september. De fiets is niet goedkoop. De prijs van fl 2950,–

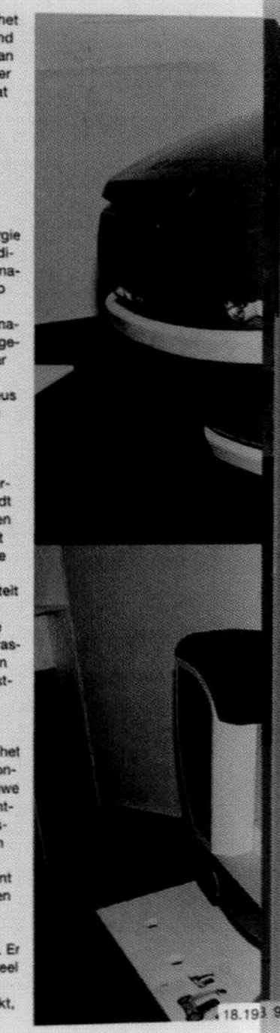

18.19

Steeds slimmer, Erik Wong
Opdrachtgever: Vormgevingsinstituut

Verslag van een reeks lezingen in het Vormgevingsinstituut. Omdat het boekje gratis zou worden toegezonden aan de bezoekers van de lezingen en het budget beperkt was, koos Erik Wong voor een geraffineerd 'low-tech' boekje. Dat raffinement zit hem met name in de elegante (Japanse) bindwijze, de manier waarop foto's over twee pagina's heenlopen en andere details.

Steeds slimmer, Erik Wong
Client: Netherlands Design Institute

'Even Smarter' is a report of a series of lectures in the Design Institute. Since the booklet would be sent free to those attending the lectures and the budget was limited, Wong opted for a sophisticated 'low tech' booklet. The sophistication lies particularly in the elegant (Japanese) binding method, the way in which photographs run over two pages and other details.

Scott in his electronics workshop, North Hills, NY, c.1959

Introduction

Beware!
Warped Genius at Work

by Irwin Chusid
Director, Raymond Scott Archives

For decades, Raymond Scott (1908–1994) was renowned as a bandleader, composer and pianist, who led a unique six-man "Quintette" and an orchestra during the Big Band heyday of the '30s and '40s. He had a penchant for quirky titles (e.g., "New Year's Eve in a Haunted House"), and for rewiring classical motifs for jazz ensemble. In the 1950s, Scott led the house band on TV's long-running *Your Hit Parade*. And his melodies, through their adaptation by Warner Bros. music director Carl Stalling, found their way into countless Bugs Bunny cartoons. Scott was admired for his popular music legacy—and dismissed for it, as well, by some purists.

Throughout Scott's career in the public spotlight, there were occasional reports of an alter ego—the inventor, the engineer, the professor in the lab coat, the electronic music pioneer. But little of this work received public exposure.

In 1997, Basta reissued Scott's 3-volume *Soothing Sounds for Baby*, a series of electronic recordings for infants that was virtually ignored upon its original 1964 release. Suddenly, Scott was hailed as an avatar in the fields of electronica, minimalism, ambient, and proto-disco. Critics popped champagne corks:

"Scott was a musical visionary ahead of his time, and even today his music sounds like it's beamed down from another planet.... Far from being soothing, his electronic

9

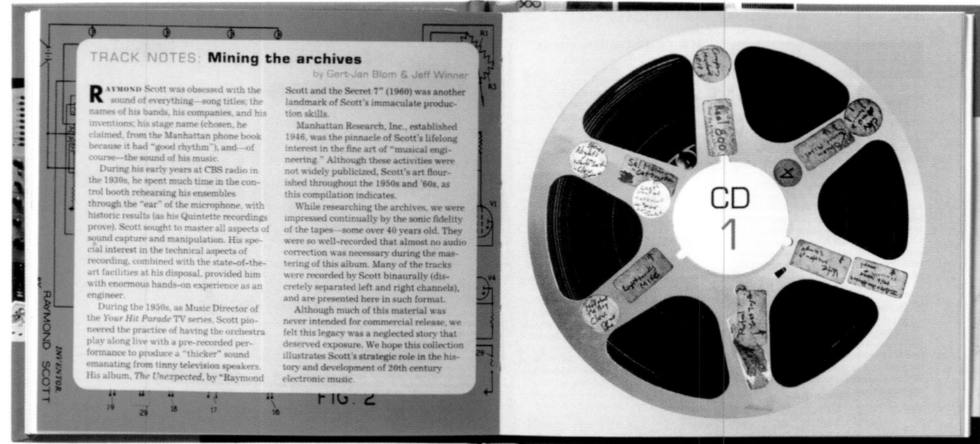

TRACK NOTES: Mining the archives

by Gert-Jan Blom & Jeff Winner

Raymond Scott was obsessed with the sound of everything—song titles; the names of his bands, his companies, and his inventions; his stage name (chosen, he claimed, from the Manhattan phone book because it had "good rhythm"), and—of course—the sound of his music.

During his early years at CBS radio in the 1930s, he spent much time in the control booth rehearsing his ensembles through the "ear" of the microphone, with historic results (as his Quintette recordings prove). Scott sought to master all aspects of sound capture and manipulation. His special interest in the technical aspects of recording, combined with the state-of-the-art facilities at his disposal, provided him with enormous hands-on experience as an engineer.

During the 1950s, as Music Director of the *Your Hit Parade* TV series, Scott pioneered the practice of having the orchestra play along live with a pre-recorded performance to produce a "thicker" sound emanating from tinny television speakers. His album, *The Unexpected*, by "Raymond Scott and the Secret 7" (1960) was another landmark of Scott's immaculate production skills.

Manhattan Research, Inc., established 1946, was the pinnacle of Scott's lifelong interest in the fine art of "musical engineering." Although these activities were not widely publicized, Scott's art flourished throughout the 1950s and '60s, as this compilation indicates.

While researching the archives, we were impressed continually by the sonic fidelity of the tapes—some over 40 years old. They were so well-recorded that almost no audio correction was necessary during the mastering of this album. Many of the tracks were recorded by Scott binaurally (discretely separated left and right channels), and are presented here in such format.

Although much of this material was never intended for commercial release, we felt this legacy was a neglected story that deserved exposure. We hope this collection illustrates Scott's strategic role in the history and development of 20th century electronic music.

Manhattan Research Inc.,
Piet Schreuders
Opdrachtgever: Basta Audio/Visuals

Met voor Schreuders' kenmerkende zorgvuldigheid verzorgde cd-doos. Deze bevat twee cd's (vermomd als geluidsband) en een zeer uitgebreide verhandeling over de Amerikaanse uitvinder/componist Raymond Scott. Schreuders toont zijn betrokkenheid bij het onderwerp en laat het historisch fotomateriaal optimaal tot zijn recht komen door de typografische stijl qua sfeer aan te laten sluiten bij plaats en tijd van de opnamen.

Manhattan Research Inc.,
Piet Schreuders
Client: Basta Audio/Visuals

CD box attended to with Schreuders' typical meticulousness. It contains two CDs (disguised as audiotape) and a very extensive essay about the American inventor/composer Raymond Scott. Schreuders shows his involvement with the subject and does full justice to the historical photographic material by linking the atmosphere of the typography style to the time and place in which the pictures were made.

[Z]OO agenda. Speed 2001, Dirk Laucke
Opdrachtgever: [Z]OO Producties

Nummer 16 in een reeks agenda's, uitgegeven door [Z]OO Producties. Opdracht is elk jaar aan een andere ontwerper om een agenda te ontwerpen die gaat over 'tijd' in de meest ruime zin des woords. Laucke besloot de gejaagheid van het moderne bestaan te verbeelden. Afkortingen in het kalendarium bewerkstelligen een gepaste kortademigheid.

[Z]OO diary: Speed 2001, Dirk Laucke
Client: [Z]OO Producties

Number 16 is a series of diaries published by [Z]OO Producties. Each year a different designer is commissioned to design a diary, which deals with 'time' in the widest sense of the word. Laucke decided to represent the nervousness of modern life. Abbreviations in the calendar bring about an appropriate shortwindedness.

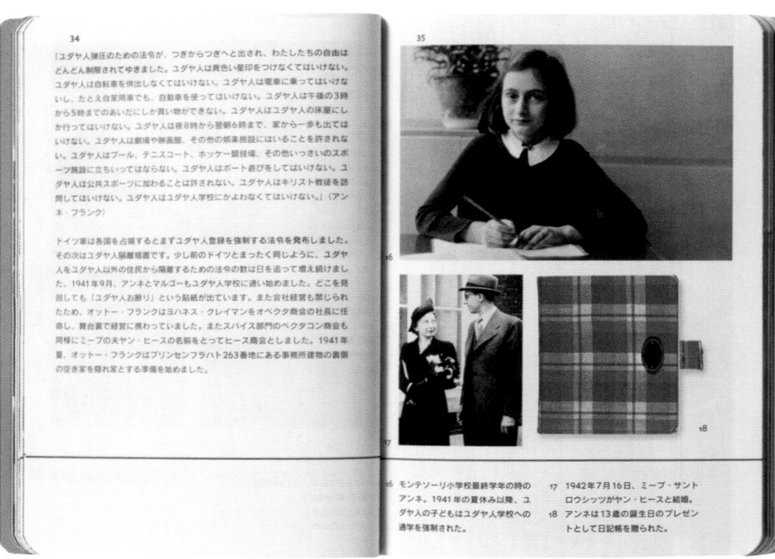

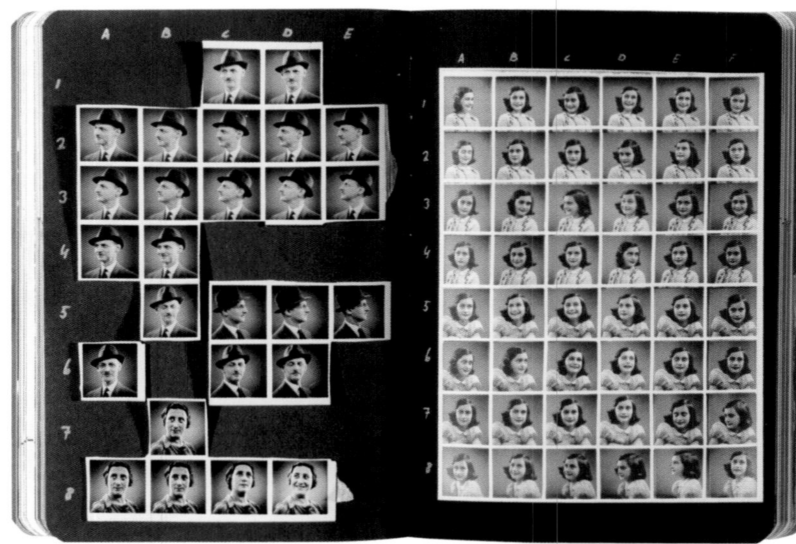

Anne Frank Huis. Een museum met een verhaal, Beukers Scholma
Opdrachtgever: Anne Frank Stichting

Van deze catalogus bestaat ook een luxe gebonden versie die ruim twee keer zo groot is als de pocketversie. Een indrukwekkend document, uiteraard goeddeels vanwege het onderwerp. Het boek slaat door de combinatie van de zorgvuldige fotografie en de respectvolle vormgeving precies de juiste toon aan. In de pocketeditie blijft deze sfeer behouden, maar deze heeft als voordeel dat zij intiemer is door het (toepasselijke) dagboekachtige karakter. Door haar handzaamheid is het een ideale tegemoetkoming aan de eindeloze hoeveelheid buitenlandse bezoekers die het Anne Frank Huis jaarlijks bezoeken. Verkrijgbaar in zeven talen.

Anne Frank House: A Museum with a Story, Beukers Scholma
Client: Anne Frank Foundation

There is a luxury edition of this book that is about twice the size of this pocket edition. It is an impressive document, undoubtedly largely due to its subject. The book sets just the right tone in combining careful photography and respectful design. This atmosphere is preserved in the pocket edition, which has an advantage in that its (appropriately) diary-like character is more intimate. Because it is convenient, it is ideally adapted for the endless numbers of foreigners who visit the Anne Frank House every year. It is available in seven languages.

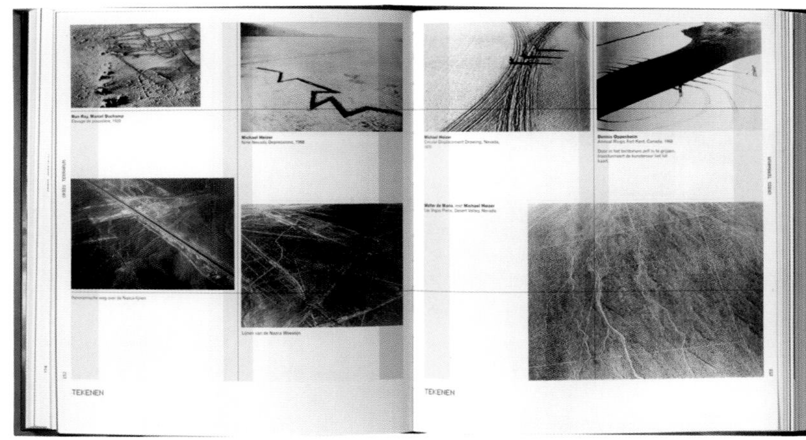

Orbis Terrarum. Werelden van verbeelding, Mevis & Van Deursen
Opdrachtgever: Antwerpen Open

Catalogus bij de tentoonstelling 'Orbis Terrarum', waarin werken van hedendaagse kunstenaars naast cartografische meesterwerken uit voorgaande eeuwen werden tentoongesteld. De cartografie is ontstaan uit de heroïsche scheepstochten van de eerste ontdekkingsreizigers. Mevis & Van Deursen voeren ons per vliegtuig het boek binnen: tegenwoordig kan iedereen wereldreizen ondernemen en vanuit het vliegtuig zijn eigen landkaart tekenen.

Orbis Terrarum: Werelden van verbeelding, Mevis & Van Deursen
Client: Antwerpen Open

Catalogue for the exhibition 'Orbis Terrarum: Worlds of Imagination', in which works by contemporary artists were shown next to cartographic masterpieces from earlier centuries. Cartography arose from the heroic sea journeys undertaken by the first discoverers. Mevis & Van Deursen lead us into the book by aeroplane: nowadays everyone can undertake world journeys and draw their own maps from the aeroplane window.

14 januari
Piet Zwart ontwerper van de (vorige) eeuw
Tijdens de nieuwjaarsreceptie van de Beroepsorganisatie Nederlandse Ontwerpers BNO maakte voorzitter Lex Donia bekend dat Piet Zwart gekozen is tot de meest gezichtsbepalende Nederlandse ontwerper van de twintigste eeuw. Een oproep eind november leverde een grote stroom inzendingen op. Al snel werd duidelijk dat Piet Zwart de voorkeur had van het merendeel van de respondenten. Zwart (1885-1977), bij het grote publiek vooral bekend vanwege zijn baanbrekende grafische ontwerpen voor de PTT en de NKF, werd door de inzenders vooral geroemd om zijn veelzijdigheid. Zwart hield zich naast grafisch ontwerpen ook bezig met fotografie en ruimtelijk en industrieel ontwerpen. Ook onderstreepten zij de invloed die zijn werk vandaag de dag nog steeds heeft.

De toptien:
Piet Zwart (41 stemmen)
Wim Crouwel (15 stemmen)
Gerrit Rietveld (11 stemmen)
Benno Premsela (10 stemmen)
Anthon Beeke (8 stemmen)
Gert Dumbar (4 stemmen)
Bruno Ninaber, Ootje Oxenaar, Willem Strijbos, H.N. Werkman (3 stemmen)

25 januari t/m 22 april
InfoArcadia - informatievormgeving, Stroom HCBK, Den Haag
Tentoonstelling over de vormgeving van informatie. Tegenwoordig is dit volgens de samenstellers van de tentoonstelling een (grafisch) specialisme, waarin marketingstrategieën, public relations en technische manipulatie een rol spelen. Hoe kan de interface de toegankelijkheid en openbaarheid van informatie vergemakkelijken of belemmeren?

12 februari
Making It, Jan van Eyck Akademie, Maastricht
Symposium over de hedendaagse praktijk van het grafisch ontwerpen, dat werd ingeleid door Cees Hamelink, hoogleraar internationale communicatie aan de Universiteit van Amsterdam, met een betoog over de communicatiemogelijkheden van het digitale tijdperk. Verder kwam een aantal ex-studenten van de Jan van Eyck Akademie aan het woord, zoals Jop van Bennekom, Felix Janssens, Daniël van der Velden en Zeina Maasri. Zij spraken op persoonlijke wijze over het conflict tussen hun eerste ervaringen in de ontwerppraktijk en hun ambities.

15 februari
Golden Bee Award voor Samenwerkende Ontwerpers
Grafisch ontwerpbureau Samenwerkende Ontwerpers heeft in Moskou voor het Jaarverslag van de Secon Group een Golden Bee Award ontvangen, tijdens Golden Bee 5, International Biennial of Graphic Design, Moscow 2000. De Golden Bee Awards worden om de twee jaar georganiseerd door onder andere de Association of Designers of Russia.

16 februari
Typography & Other Serious Matters winnaar Graficus Kalenderwedstrijd
Ontwerpbureau Typography & Other Serious Matters heeft met het ontwerp voor de kalender 'Cijfers', gemaakt in opdracht van de Stichting Jeugdzorg Rotterdam/Zuid-Holland Zuid, de Kalenderwedstrijd 2000 gewonnen. De Kalenderwedstrijd is de jaarlijkse bekroning van de beste en mooiste relatiekalenders en wordt georganiseerd door het tijdschrift 'Graficus'.

1 maart t/m 21 mei
Typografie van De Stijl, Scryption, Tilburg
Tentoonstelling met typografie uit de periode van De Stijl. Werk van Kurt Schwitters, Theo van Doesburg en Antony Kok, waaronder exemplaren van het tijdschrift 'De Stijl' en enkele bijzonder vormgegeven klankdichten van Antony Kok.

11 maart t/m 1 mei
Dans la Rue - Franse affiches, Stedelijk Museum, Amsterdam
Tentoonstelling met meer dan 170 affiches uit de collectie van het Stedelijk Museum. De vijf oudste affiches, waarvan de ontwerpers anoniem zijn, dateren van vóór 1870.

t/m 12 maart
Zwart-Wit in Kleur, Verzetsmuseum, Amsterdam
Tentoonstelling met affiches uit de Tweede Wereldoorlog, die inzicht geven in veranderingen die zich tijdens de bezetting hebben voorgedaan. Gelijktijdig met de expositie was een presentatie te zien van affiches met als thema 'mensenrechten', gemaakt door studenten van de Hogeschool voor de Kunsten Arnhem.

14 maart, 21 maart, 28 maart
Movers & Shakers in de beeldeconomie, Vormgevingsinstituut, Amsterdam
Reeks lezingen over beeld en beeldmakers. Verspreid over drie avonden kwamen elf sprekers aan het woord, onder wie Tirso Francés, Jeroen Klaver, Peter de Wit, Roy Kahmann en Walter van Lotringen. De bedoeling van de reeks was om een breed beeld te schetsen van hedendaagse ontwikkelingen die voor beeldmakers van belang zijn.

23 maart
Lees mij (niet)!, Sociëteit Baby, Amsterdam
Vier lezingen over de vormgeving van vakbladen voor ontwerpers, georganiseerd door de BNO. Redactieleden

14 January
Piet Zwart: Designer of the (Previous) Century
During the New Year's reception of the Association of Dutch Designers, or BNO, chairman Lex Donia announced that Piet Zwart had been chosen as the most important Dutch designer of the twentieth century. From the large number of entries sent in response to the call for nominations at the end of November, it was clear that Piet Zwart was the favourite. Zwart (1885-1977), widely known for his pioneering graphic designs for the PTT postal service and the NKF, owes his fame among the respondents chiefly to his exceptional versatility. Besides his graphic work, Zwart was also involved with photography and environmental and industrial designs. Respondents also emphasized the continues influence that Zwart's work still has today.

The Top Ten:
Piet Zwart (41 votes)
Wim Crouwel (15 votes)
Gerrit Rietveld (11 votes)
Benno Premsela (10 votes)
Anthon Beeke (8 votes)
Gert Dumbar (4 votes)
Bruno Ninaber, Ootje Oxenaar, Willem Strijbos, H.N. Werkman (3 votes)

25 January - 22 April
InfoArcadia: Information Design, Stroom HCBK, the Hague
The exhibition concerned the design of information, which, according to the curators, is nowadays a (graphics) speciality in which marketing strategies, public relations and technical manipulation play a role. How can the interface facilitate or hinder accessibility and disclosure of information?

12 February
Making It, Jan van Eyck Academy, Maastricht
This symposium on the practice of contemporary graphic design was introduced by Cees Hamelink, professor in international communications at the University of Amsterdam. He dealt with the issue of communication in the digital age. Also taking part were several former students of the Jan van Eyck Academy, including Jop van Bennekom, Felix Janssens, Daniël van der Velden and Zeina Maasri, who spoke about the conflict between their initial experiences in design practice and their ambitions.

15 February
Golden Bee Award for Samenwerkende Ontwerpers
During Golden Bee 5, the International Biennial for Graphic Design held in Moscow, the Samenwerkende Ontwerpers graphic design studio received a Golden Bee Award for their work on the Secon Group's Annual Report. The Golden Bee Awards are organised every two years, primarily by the Association of Designers of Russia.

16 February
Typography & Other Serious Matters wins the Graficus Calendar Competition
Typography & Other Serious Matters won the Calendar Competition for 2000 with their design for the 'Ciphers' (Numbers) calendar commissioned by Jeugdzorg Rotterdam/Zuid-Holland Zuid, a foundation for youth care. The annual Calendar Competition is organised by Graficus magazine to present awards for the best and the most attractive promotional calendars.

1 March - 21 May
De Stijl Typography, Scryption, Tilburg
This exhibition of typography from the De Stijl period included work by Kurt Schwitters, Theo van Doesburg and Antony Kok, copies of De Stijl magazine and a number of specially designed sound poems by Antony Kok.

11 March - 1 May
Dans la Rue: The French Poster, Stedelijk Museum, Amsterdam
One hundred seventy posters were exhibited from the Stedelijk Museum collection. The five oldest posters, designed anonymously, date from before 1870.

Through 12 March
Black and White in Colour, Museum of the Resistance, Amsterdam
An exhibition of posters from the Second World War provided insight into changes that took place during the Occupation. Concurrent with the exhibition was a presentation of posters on the theme of human rights, made by students from the High School for the Arts in Arnhem.

14 March, 21 March, 28 March
Movers & Shakers in the Image Economy, Netherlands Design Institute, Amsterdam
This was a lecture series on images and image-makers. Over the course of three evenings, eleven speakers took part, including Tirso Francés, Jeroen Klaver, Peter de Wit, Roy Kahmann and Walter van Lotringen. The purpose of the series was to offer a broad outline of current developments of interest to image-makers.

23 March
Lees mij (niet)!, Sociëteit Baby, Amsterdam
Four lectures on the design of trade journals for designers were organised by the BNO designers' association. Editors Hester Wolters (Vormberichten), Dirk van Ginkel (Identity Matters), Gert Staal (Items) and Wim van de Kerkhof (Product) spoke on new design for their magazines and how it relates to editorial principles and aims.

Hester Wolters (Vormberichten), Dirk van Ginkel (Identity Matters), Gert Staal (Items) en Wim van de Kerkhof (Product) over de nieuwe vormgeving van hun tijdschrift en hoe deze zich verhoudt tot de redactionele uitgangspunten en doelstellingen.

24 maart
Gouden medaille voor Irma Boom
Bij de jaarlijkse manifestatie 'Schönste Bücher aus aller Welt' in Leipzig heeft de internationale jury een gouden medaille toegekend aan de catalogus van het World Wide Video Festival 1998, ontworpen door Irma Boom. Daarnaast was er een bronzen medaille voor 'If/Then. Design Implications of New Media', ontworpen door Mevis & Van Deursen. Ten slotte was er een eervolle vermelding voor 'De gedichten van Herman de Coninck', vormgegeven door Steven van der Gaauw. Een zevenkoppige jury koos de prijzen uit een aanbod van meer dan zeshonderd boeken uit 34 landen.

28 maart
Tentoonstelling Studio Dumbar reist door
De reizende tentoonstelling van Studio Dumbar, 'Behind the Seen', werd op 28 maart geopend in de Academy of Arts & Design, Tsinghua University in Peking, China. De tentoonstelling is op uitnodiging van de grootste Chinese kunstacademie, de Academy of Arts & Design, Tsinghua University, afgereisd naar Peking. Dit was de tweede in de reeks van Chinese Studio Dumbar-exposities. In april 1999 werd 'Behind the Seen' al getoond in de prestigieuze Shanghai Library te Shanghai. Van 19 oktober tot en met 12 november deed de tentoonstelling, Montreal (Canada) aan.

6 april
Vandejong ontvangt twee Zilveren ADCN-Lampen
Vandejong heeft in het kader van de ADCN Reclame Jaarprijzen 1999 twee Zilveren Lampen (in de categorieën art-direction en typografie) gekregen voor de campagne 'dail-sfeq-3000', die gemaakt werd in opdracht van Dox Records. De Jaarprijzen voor Reclame en Vormgeving worden elk jaar uitgereikt door de Art Directors Club Nederland.

6 april
Claudia Faensen Packaging Designer of the Year 2000
Deze wedstrijd voor talent op het gebied van verpakkingsontwerp wordt jaarlijks door Aestron Foundation georganiseerd. De deelnemers krijgen de opdracht om een verpakking voor een fictief product te ontwerpen. Claudia Faensen (ABK Maastricht) werd uitgeroepen tot winnaar.

18 april
Grafische Cultuurprijs voor Ada Stroeve
Ada Stroeve is de Grafische Cultuurprijs toegekend in het jaar dat zij – na een dienstverband van 35 jaar – afscheid nam als conservator grafische vormgeving van het Stedelijk Museum. De Grafische Cultuurprijs wordt door de BNO en de Grafische Cultuurstichting toegekend aan een persoon of organisatie die zich verdienstelijk heeft gemaakt voor de grafische cultuur in Nederland.

18 april
Beukers Scholma winnen Scholco-bekroning 2000
Met hun inzending 'Anne Frank Huis. Een museum met een verhaal' heeft het Haarlemse ontwerpbureau Beukers Scholma de Scholco-bekroning 2000 gewonnen. De Scholco-bekroning wordt georganiseerd door de Grafische Cultuurstichting met steun van Van Heek Scholco International bv en bestaat uit de tweejaarlijkse toekenning van een prijs voor de beste toepassing, qua vorm en uitvoering, van linnen voor een grafisch of aanverwant product.

12 mei
Infographics Jaarprijs voor Theo Barten
De jaarlijks uit te reiken Infographics Jaarprijs is in 2000 door de BNO, in samenwerking met het 'Algemeen Dagblad', ingesteld om het vak van maker van infographics te stimuleren. Theo Barten werd met zijn illustratie '4000 jaar schilderwerk' voor Akzo Nobel Decorative Coating / Sikkens Bouwverven de eerste winnaar.

15 mei
Kritisch advies Raad voor Cultuur
De Raad voor Cultuur heeft op 15 mei advies uitgebracht aan staatssecretaris Van der Ploeg over de 'Cultuurnota 2001-2004'. Hierin worden niet alleen algemene richtlijnen gegeven voor het kunstbeleid van de overheid, maar zijn ook afzonderlijke adviezen opgenomen over de subsidieaanvragen die voor deze periode werden ingediend door instellingen en initiatieven uit de wereld van de kunst. Opmerkelijk was het advies om het Vormgevingsinstituut op te heffen en weer opnieuw op te richten met een vernieuwde taakstelling.

19 mei
Internationale Browserdag, Paradiso, Amsterdam
Presentatie van de dertig beste inzendingen voor de Browser Competitie, waaraan kan worden deelgenomen door studenten aan kunstacademies in binnen- en buitenland. Dit jaar was het thema 'The End of Browsers'. Daarnaast ook presentaties van diverse interactie- en multimedia-ontwerpers.

20 mei
Kijken versus zien, Stadhuis, Hilversum
Minisymposium voor branchevertegenwoordigers van het midden- en kleinbedrijf als kennismaking met ontwerpen, in het kader van de presentatie van het nieuwe BNO-jaarboek 'Dutch Design 2000/2001'. Drie sprekers gaven hun visie op de toekomst en hoe ontwerpen hierin past: Josephine Green (Philips Design), Edmond Ronnooy Kan en Paul Linsse. Na afloop werd het eerste

24 March
Gold Medal for Irma Boom
At the annual 'Schönste Bücher aus aller Welt' festivities in Leipzig, the international jury awarded a gold medal to the catalogue of the 1998 World Wide Video Festival, designed by Irma Boom. In addition, there was a bronze medal for 'If/Then: Design Implications of New Media', designed by Mevis & Van Deursen. Finally, 'The Poems of Herman de Coninck', designed by Steven van der Gaauw, received an honourable mention. A jury of seven selected the awards from more than 600 books from 34 countries.

28 March
Studio Dumbar, travelling exhibition
Studio Dumbar's travelling exhibition, 'Behind the Seen', opened on 28 March in China's largest art academy, the Academy of Arts & Design, Tsinghua University in Peking. This is the second in the series of Studio Dumbar exhibitions in China. 'Behind the Seen' had already been shown in April 1999 in the prestigious Shanghai Library. From Peking, the exhibition moved to Montreal, Canada (19 October - 12 November).

6 April
Vandejong receives Two Silver ADCN Lamps
Under the auspices of the 1999 ADCN Annual Advertising Awards, the Vandejong communications agency received two Silver Lamps, in art direction and typography, for their 'dail-sfeq-3000' campaign for Dox Records. The Annual Advertising Awards are presented by the Art Directors Club of the Netherlands.

6 April
Claudia Faensen Packaging Designer of the Year 2000
This annual competition for talent in the field of packaging design is organised by the Aestron Foundation. Entrants are required to design the packaging for a fictitious product. Claudia Faensen of the Academy for Fine Arts in Maastricht was declared the winner.

18 April
Graphics Culture Award for Ada Stroeve
Ada Stroeve was presented the Graphics Culture Award in the year that she retired – after a tenure of 35 years as curator of graphic design at the Amsterdam Stedelijk Museum.
The Award is presented by the BNO designers' association and the Graphics Culture Foundation to a person or organisation that has been of particular service to graphic design culture in the Netherlands.

18 April
Beukers Scholma wins the Scholco Award 2000
The Haarlem-based design studio Beukers Scholma won the Scholco Award for 2000 for their 'Anne Frank House: A Museum with a Story'.
The Scholco Award is organised every two years by the Graphics Culture Foundation, with support from Van Heek Scholco International bv, and is presented for the best application, in terms of form and workmanship, of linen as a material for a graphics or related product.

12 May
Annual Infographics Prize for Theo Barten
The Annual Infographics Prize was initiated in 2000 by the BNO Association of Dutch Designers, in association with the Algemeen Dagblad newspaper, to stimulate the information graphics field. Theo Barten became the first winner with '4000 Years of Paint Work' an illustration for Akzo Nobel Decorative Coating/Sikkens Industrial Paints.

15 May
Critical Response from the Culture Council
On 15 May, the national Council on Culture issued its response to the Secretary of State for Culture on the 2001-2004 Policy Paper on Culture. The policy paper contained not only general guidelines for government cultural policy, but also included individual recommendations concerning subsidy applications submitted for the period in question by organisations and initiatives from the world of the arts. One remarkable piece of advice was to abolish the Netherlands Design Institute and set it up later with new objectives.

19 May
International Browser Day, Paradiso, Amsterdam
This was the presentation of the thirty best entries for the Browser Competition, open to students from art academies at home and abroad. This year's theme was 'The End of Browsers'. There were also presentations by various interactive and multimedia designers.

20 May
Looking versus Seeing, City Hall, Hilversum
A mini-symposium as an introduction to design for branch representatives from small and medium-sized businesses, held for the presentation of the new BNO Association of Dutch Designers yearbook, 'Dutch Design 2000/2001'. Three speakers, Josephine Green (Philips Design), Edmond Ronnooy Kan and Paul Linsse gave their views on the future and its implications for design, followed by the presentation of the first copy of 'Dutch Design 2000/2001'.

25 May
Forty Prize-Winning Titles in Best Designed Books 1999
The Best Designed Books of the previous year are announced each year in the Stedelijk Museum in Amsterdam. The competition is organised by the

exemplaar van 'Dutch Design 2000/2001' uitgereikt.

25 mei
Veertig titels bekroond bij De Best Verzorgde Boeken 1999
Jaarlijks worden in het Stedelijk Museum te Amsterdam De Best Verzorgde Boeken van het voorgaande jaar bekendgemaakt. In de organiserende Stichting Best Verzorgde Boeken participeren de Grafische Cultuurstichting, de Stichting Collectieve Propaganda van het Nederlandse Boek (CPNB) en de BNO. Dit jaar werden veertig titels bekroond.

26 mei t/m 2 juli
De Best Verzorgde Boeken 1999, Stedelijk Museum, Amsterdam
Tentoonstelling met De Best Verzorgde Boeken van het voorbije jaar.

16 juni
Golden Award of Montreux voor ontwerp Lex Reitsma
Tijdens het Annual International Advertising Festival in Montreux heeft de website van De Nederlandse Opera (www.dno.nl), ontwikkeld door AGENCY.COM en vormgegeven door Lex Reitsma, een Golden Award gewonnen.

20 juni
Anthon Beeke in Japan
In het kader van de viering van vierhonderd jaar oude betrekkingen tussen Japan en Nederland, werd Anthon Beeke uitgenodigd om zijn werk te exposeren in de DDD gallery in Osaka. De tentoonstelling werd geopend met een lezing van Anthon Beeke, waarin hij niet alleen inging op zijn eigen werk, maar ook een historisch overzicht gaf van de ontstaansgeschiedenis van de Nederlandse grafische industrie en het grafisch ontwerpen. De tentoonstelling gaf een overzicht van zijn werk over de afgelopen twintig jaar.

24 juni t/m 3 september
Werkman en de avant-garde, Stedelijk Museum, Amsterdam
Tot de collectie van het Stedelijk Museum behoort een groot aantal werken van de Groningse kunstenaar Hendrik N. Werkman (1882-1945). In het prentenkabinet werden ongeveer zeventig werken uit deze collectie tentoongesteld.

30 juni
Beeld van een organisatie, Rijksmuseum, Amsterdam
Symposium over het ontwerpen van affiches voor culturele instellingen, georganiseerd naar aanleiding van de opening van de tentoonstelling 'Kom kijken!' in het Rijksmuseum. Frans van der Avert sprak over het affichebeleid van het Rijksmuseum door de jaren heen, Ranti Tjan ging in op de effectiviteit van affiches voor musea, Jan Bons toonde eigen werk voor culturele instellingen, en Joost Elffers sloot de middag af.

1 juli t/m 15 oktober
Kom kijken! Affiches van het Rijksmuseum, Rijksmuseum, Amsterdam
Tentoonstelling met de affiches die vanaf begin vorige eeuw voor exposities en evenementen in het Rijksmuseum gemaakt zijn.

9 juli t/m 22 oktober
Swip Stolk - Master Forever, Groninger Museum, Groningen
Een overzicht van de belangrijkste werken uit het grafische oeuvre van de omstreden ontwerper Swip Stolk.

6 augustus
Items/Drukkerij Industrie Prijs gewonnen door Wijntje van Rooijen
Wijntje van Rooijen (Hogeschool voor de Kunsten in Arnhem) heeft met haar project 'De wereld draait maar ik loop recht' de Items/Drukkerij Industrie Prijs gewonnen. De Items/Drukkerij Industrie Prijs wordt jaarlijks toegekend aan het beste grafisch vormgevingsproject uit de lichting afgestudeerden van het betreffende jaar.

19 augustus
Groen licht voor museum grafische vormgeving in Breda
Staatssecretaris Van der Ploeg verleende de gemeente Breda voor de Kunstenplan-periode 2001-2004 drie miljoen gulden subsidie om een museum voor grafische vormgeving op te richten. Naast de rijkssubsidie had de gemeente Breda een half miljoen gulden gereserveerd en kreeg de gemeente een meerjarige provinciale subsidie van totaal f 500.000 voor het museum.
Het Museum voor Grafische Vormgeving De Beyerd moet een plek worden waar ontwikkelingen van betekenis worden verzameld en getoond; een podium voor discussie en debat, voor kennisoverdracht, documentatie en presentatie. Daarnaast zullen publicaties worden geïnitieerd en uitgegeven. Vanaf 2002 wordt het Nederlands Archief Grafisch Ontwerpers (NAGO) opgenomen in het grafisch museum. Ook is een principeafspraak gemaakt met het Stedelijk Museum Amsterdam over het gebruik van hun collectie grafische vormgeving.

7 september
Kunstprijzen Stad Amsterdam voor Mieke Gerritzen en Jop van Bennekom
Met de Kunstprijzen worden door het Amsterdams Fonds voor de Kunst projecten bekroond die een belangrijke betekenis hebben binnen het oeuvre van een kunstenaar en een bijzondere bijdrage leveren aan de betreffende discipline. De Aanmoedigingsprijzen zijn bedoeld voor jonge kunstenaars die aan het begin van hun carrière staan. Mieke Gerritzen kreeg de H.N. Werkman-prijs voor haar ontwerp van de leaders voor Net 3. De Aanmoedigingsprijs Grafisch Ontwerp is toegekend aan Jop van Bennekom vanwege zijn werk voor tijdschriften.

Best Designed Books Foundation in association with the Graphics Culture Foundation, the foundation for Collective Propaganda of the Dutch Book (CPNB) and the BNO Association of Dutch Designers. This year there were forty prize-winning titles.

26 May - 2 July
The Best Designed Books 1999, Stedelijk Museum, Amsterdam
This was the Stedelijk Museum exhibition of the Best Designed Books of the past year.

16 June
Golden Award of Montreux for a Lex Reitsma design
During the Annual International Advertising Festival in Montreux, the website of the Netherlands Opera (www.dno.nl) received a Golden Award. The website was developed by AGENCY.COM and designed by Lex Reitsma.

20 June
Anthon Beeke in Japan
In connection with the celebration of four hundred years of relations between Japan and the Netherlands, the DDD gallery in Osaka held an exhibition of the work of Anthon Beeke over the last twenty years. Anthon Beeke opened the exhibition with a lecture, in which he not only talked about his own work, but gave an historical survey of the development of Dutch graphic design and the graphics industry during the past two decades.

24 June - 3 September
Werkman and the Avant-Garde, Stedelijk Museum, Amsterdam
A large number of works by the Groningen artist Hendrik N. Werkman (1882-1945) are included in the collection of the Stedelijk Museum. About seventy works from the collection were exhibited in the prints gallery.

30 June
Image of an Organisation, Rijksmuseum, Amsterdam
This was a symposium on designing posters for cultural institutions, organised in connection with the opening of 'Kom kijken!' (Come Look!) an exhibition held in the Rijksmuseum. Frans van der Avert spoke on the Rijksmuseum's policy regarding posters throughout the years, Ranti Tjan dealt with the effectiveness of posters for museums, Jan Bons showed work he had made for cultural institutions and the afternoon concluded with Joost Elffers.

1 July - 15 October
Kom kijken! (Come Look!) Posters for the Rijksmuseum, Rijksmuseum, Amsterdam
Posters made since the beginning of the last century for exhibitions and events in the Rijksmuseum were exhibited here.

9 July - 22 October
Swip Stolk: Master Forever, Groninger Museum, Groningen
A survey of the most important examples of graphic work by the controversial designer Swip Stolk.

6 August
Items/Printing Industry Prize awarded to Wijntje van Rooijen
Wijntje van Rooijen of the Arnhem Academy for the Arts won the Items/Drukkerij Industrie prize for her project 'The World Turns but I Walk Straight'. The prize is awarded annually for the best graphic design project from the year's new graduates.

19 August
Museum of Graphic Design in Breda gets the Go-Ahead
Secretary of State for Culture Van der Ploeg granted the city of Breda three million guilders for their 2000-2004 Arts Plan, in order to establish a museum of graphic design. In addition to the state subsidy, the city has reserved half a million guilders and will also be receiving long-term provincial government subsidy of another half a million.
The De Beyerd Museum of Graphic Design will be a place where significant developments are collected and exhibited. It will function as a platform for discussion, debate and the exchange of knowledge, and provide documentation and presentations. In addition, publications will be initiated and produced. The Netherlands Archive of Graphic Designers (NAGO) will be incorporated in the museum in 2002. An agreement has in principle also been reached with the Stedelijk Museum Amsterdam on the use of their graphic design collection.

7 September
City of Amsterdam Art Awards for Mieke Gerritzen and Jop van Bennekom
The Amsterdam Foundation for the Arts presents the Art Awards to projects that have significant meaning within the work of an artist and that make a special contribution to the discipline in question. The Incentive Awards are meant for young artists at the beginning of their careers. Mieke Gerritzen received the H.N. Werkman Prize for her designs for the Net 3 broadcast leaders. The Incentive Award for Graphic Design went to Jop van Bennekom for his magazine work.

9 September
South Holland Design Award
The South Holland Design Award is presented each year to students from the Willem de Kooning Academy in Rotterdam and the Royal Academy for the Fine Arts in the Hague. Winner in the category of Graphic Design was Martijn Rietveld, with a project dealing with the confrontation between a novice and a professional musician, with links to a similar comparison between two graphic designers. Winner in Audio-Visual Design was Jiska de Wit, with a

9 september
Zuid-Hollandse Vormgevingsprijs
De Zuid-Hollandse Vormgevingsprijs wordt elk jaar toegekend aan studenten van de Willem de Kooning Academie Rotterdam en de Koninklijke Academie van Beeldende Kunsten Den Haag. Winnaar in de categorie Grafische Vormgeving was Martijn Rietveld, met een project rondom de confrontatie tussen een beginnende en een professionele muzikant, met links naar eenzelfde vergelijking tussen twee grafisch vormgevers. Winnaar in de categorie Audiovisuele Vormgeving was Jiska de Wit, met een zoekprogramma ten behoeve van het bestand van de Rotterdamse cd-uitleen, waarbij gewerkt wordt met geluid in plaats van tekst.

11 september t/m 10 december
Josua Reichert - Printing is a Way of Life. Leven met Letters, Joods Historisch Museum, Amsterdam.
Tentoonstelling met werk van drukker Josua Reichert (Stuttgart, 1937). Schrift en letters vormen zijn werkterrein. De tentoonstelling bevatte hoogtepunten uit zijn omvangrijke oeuvre, waaronder zijn handdrukken van Hebreeuwse letters, gedichten en psalmen.

11 september t/m 3 december
Small Expo Great Typo, Typo Gallery, Amsterdam
Expositie met ontwerpen van Werkman, Sandberg, Grieshaber, Reichert en Ewald Spieker. Een beeld van de verwantschap tussen deze vijf: hun liefde voor het schrift en de letters, mede als dragers van een verborgen en poëtische boodschap.

16 september t/m 14 januari 2001
Henk Elenga. Index, Kunsthal, Rotterdam
Overzichtstentoonstelling van het werk van de veelzijdige kunstenaar/ontwerper Henk Elenga. Elenga was in 1979 medeoprichter van het Rotterdamse ontwerpbureau Hard Werken. Te zien waren ontwerpen voor tijdschriften, meubels, lampen en interieurontwerpen, geënsceneerde foto's en schilderijen uit de periode 1970 tot heden. Variërend van experimenten met gevonden voorwerpen tot het gebruik van de duurste Japanse inkten voor een logo-ontwerp.

21 september
Adverteerders beoordelen verpakkingsontwerpbureaus
Voor de derde keer werd een enquête gehouden onder opdrachtgevers naar de markt- en imagokarakteristieken van de Nederlandse verpakkingsontwerpbranche. Dit gebeurde in opdracht van 'Nieuwstribune', weekblad voor marketing, communicatie en media, en het Platform Packaging Design van de BNO. Du Bois Ording scoorde het hoogst op imago, kwaliteit en spontane bekendheid. In het algemeen bleken opdrachtgevers positief gestemd over de branche.

vanaf 5 oktober
Collectie Dick Bruna, Centraal Museum, Utrecht
De complete collectie Dick Bruna in permanente bruikleen van het Centraal Museum, met penseeltekeningen van Dick Bruna, boekomslagen, affiches, postzegels en karakters. Gelijktijdig met de overzichtstentoonstelling had Kids Centraal, het kindermuseum van het Centraal Museum, een Bruna-expositie voor kinderen.

30 oktober
Affiche van opdracht naar realisering, Nederlands Theater Instituut, Amsterdam
Ontwerpbureau HEFT, Meester/Paulussen Grafisch Ontwerpers en Niek Goldhoorn presenteerden een schetsontwerp voor het affiche bij de tentoonstelling '10 jaar Theateraffícheprijs', die voor 2001 staat gepland in het Theatermuseum. De briefing die zij bij deze opdracht kregen, werd uitgedeeld aan het publiek. Eymert van Manen, Rolf Hermsen, Edwin Bakker en voorzitter Edo van Dijk bespraken vervolgens de schetsontwerpen. Ook het publiek werd bij de discussie betrokken.

30 oktober
Vandejong wint Theateraffícheprijs 2000
Vandejong heeft met het drieluik 'Een echte Van Dongen' voor Harry Kies Theaterprodukties de Theateraffícheprijs 2000 gewonnen. De Riem + Honig Theateraffícheprijs wordt elk jaar uitgereikt aan het best ontworpen theateraffiche. De organisatie is in handen van het Nederlands Theater Instituut.

30 oktober t/m 24 november
Supersonic Transport, Vormgevingsinstituut, Amsterdam
Tentoonstelling over onafhankelijke popcultuurtijdschriften. Ongeveer honderd bladen uit onder andere de Verenigde Staten, Japan, Zweden, Canada, Frankrijk en Nederland, die zich een grote vrijheid permitteren wat betreft vormgeving en onderwerpkeuze.

3 november
LettError krijgt Charles Nypels Prijs 2000
Just van Rossum en Erik van Blokland, werkzaam onder de naam LettError, hebben de Charles Nypels Prijs 2000 gekregen voor hun innovatieve letterontwerpen en typografische experimenten. De Charles Nypels Prijs 2000 is een oeuvreprijs voor typografisch ontwerpers, die sinds 1985 wordt uitgereikt door de Charles Nypels Stichting, verbonden aan de Jan van Eyck Akademie.

11 november t/m 13 november
Doors of Perception, Rai-Congrescentrum, Amsterdam
De zesde editie van deze internationale conferentie over de nieuwe media had als thema 'Lightness'. Er waren dit jaar 1300 bezoekers uit 27 landen en dertig search programme designed for the Rotterdam CD lending library, which works with sound instead of text.

11 September - 10 December
Josua Reichert: Printing is a Way of Life; Living with Letters, Jewish Historical Museum, Amsterdam
The work of printer Josua Reichert, born in Stuttgart in 1937, encompasses the whole field of scripts and letters. The exhibition featured highlights from his extensive oeuvre, including block-printed Hebrew letters, poems and psalms.

11 September - 3 December
Small Expo Great Typo, Typo Gallery, Amsterdam
The exhibition included designs by Werkman, Sandberg, Grieshaber, Reichert and Ewald Spieker, illustrating the relationship between these five, their love of scripts and letters and the way these also serve to convey a hidden, poetic message.

16 September - 14 January 2001
Henk Elenga: Index, Kunsthal, Rotterdam
A retrospective exhibition of work by the versatile artist/designer Henk Elenga, co-founder in 1979 of the Rotterdam design studio, Hard Werken (Hard Working). The show includes his designs for magazines, furniture, lamps and interior designs, staged photographs and paintings from 1970 to the present, varying from experiments with found objects to the use of the most expensive Japanese inks for a logo design.

21 September
Advertisers judge packaging design agencies
For the third time, a poll was taken amongst clients regarding the marketing and imago characteristics of the Dutch packaging design industry. It was commissioned by Nieuwstribune (News Tribune), the weekly journal of marketing, communications and media, and the BNO Association of Dutch Designers Platform on Packaging Design. Du Bois Ording scored highest for imago, quality and spontaneous recognition. Clients generally appeared to be positively disposed to the field.

from 5 October
The Dick Bruna Collection, Centraal Museum, Utrecht
The complete Dick Bruna collection on permanent loan to the Centraal Museum, with drawings by Dick Bruna, book covers, posters, postage stamps and characters. Kids Centraal, the Centraal Museum's children's museum, also held a simultaneous Bruna exhibition for children.

30 October
The Poster from Commission to Completion, Netherlands Theatre Institute, Amsterdam
The HEFT design studio, Meester/Paulussen Graphic Designers and Niek Goldhoorn presented rough drafts for the poster to publicise the '10 Years of Theatre Posters Award' exhibition, planned for the coming year in the Theatre Museum. The briefing they were given for this assignment was also distributed amongst the public. Eymert van Manen, Rolf Hermsen, Edwin Bakker and chairman Edo van Dijk then discussed the rough drafts, with the public taking part in the discussion.

30 October
Vandejong wins the Theatre Poster Prize 2000
Vandejong won the Theatre Poster Prize with 'Een echte Van Dongen' (A real Van Dongen), a three-part poster for Harry Kies Theatre Productions. The Riem + Honig Theatre Poster Prize is awarded each year to the best designed theatre poster. It is organised by the Netherlands Theatre Institute.

30 October – 24 November
Supersonic Transport, Netherlands Design Institute, Amsterdam
Independent pop culture magazines were the subject of this exhibition, which included approximately a hundred magazines from countries including the United States, Japan, Sweden, Canada, France and the Netherlands. All allow themselves considerable freedom in terms of design and choice of subject.

3 November
LettError receives Charles Nypels Award 2000
Just van Rossum and Erik van Blokland, working under the name LettError, received the Charles Nypels Award for the year 2000 for their innovative typefaces and typographical experiments. The Charles Nypels Award is a prize for typographical designers and has been awarded since 1985 by the Charles Nypels Foundation, associated with the Jan van Eyck Academy.

11 November - 13 November
Doors of Perception, RAI Conference Centre, Amsterdam
The theme of the sixth edition of this international conference on new media was 'Lightness'. This year there were 1300 visitors from 27 countries and thirty speakers. During the E-culture fair, which was organised at the same time in the RAI Conference Centre, numerous innovative new media projects from various countries were presented.

13 November
The Frans de Jong Prize for Julia Born
Julia Born of the Gerrit Rietveld Academy was the winner of the Frans de Jong Prize 2000. The Prize is awarded annually year by the Royal Academy for the Fine Arts in the Hague and the Book Museum to a graphic designer or artist who is in his or her final year of art school or has recently graduated. The prize is meant as a stimulus to breaking new ground between autonomous art and visual communications.

sprekers. Tijdens de E-culture fair, die tegelijkertijd in het Rai-Congrescentrum werd georganiseerd, werden tal van innovatieve nieuwe-mediaprojecten gepresenteerd uit verschillende landen.

13 november
Frans de Jong-prijs voor Julia Born
Julia Born (Gerrit Rietveld Academie) heeft de Frans de Jong-prijs 2000 gewonnen. Deze wordt sinds 1996 om de twee jaar door de Koninklijke Academie van Beeldende Kunsten en het Museum van het Boek verleend aan een grafisch ontwerper/kunstenaar die in de eindfase van de opleiding is of deze kortgeleden heeft afgerond. De prijs is bedoeld als stimulans om nieuwe terreinen te betreden tussen autonome kunst en visuele communicatie.

20 november
Deutscher Preis für Kommunikations-design
Bij deze prestigieuze internationale prijsvraag hebben twee Nederlandse inzendingen de onderscheiding 'Highest Design Quality' gekregen. Deze eer was voorbehouden aan 22 van de 2349 inzendingen. Het ging om het BNO-jaarboek 'Dutch Design 2000/2001', ontworpen door Atelier René Knip, en de bedrijfsbrochure 'Stretch' van Yess International Consultants, een ontwerp van Samenwerkende Ontwerpers.

20 november, 21 november
Blurring Boundaries, Vormgevings-instituut, Amsterdam
Vier lezingen over de toekomst van het grafisch ontwerpen, met als uitgangspunt de betekenis van geluid/muziek. Als spreker traden op: Max Kisman, Peter Mertens, Ian Anderson (Designers Republic), Marius Waltz (Oslo) en David Karam (Verenigde Staten).

26 november t/m 7 januari 2001
Ben Bos, grafisch vormgever, De Beyerd, Breda
Overzichtstentoonstelling van het werk van grafisch ontwerper Ben Bos. Na een bijna dertig jaar lange carrière als creative director bij Total Design in Amsterdam, staat Ben Bos te boek als autoriteit op het gebied van de visuele bedrijfscommunicatie. Eenvoud, transparantie en functionaliteit zijn kenmerkend voor zijn ontwerpen.

28 november
Papyrus Erkenning 2000
De Lutkie & Smit JaarverslagErkenning is voortgezet onder de naam Papyrus Erkenning. Als Beste Jaarverslag van Nederland werd uitgeroepen 'Jaarverslag Tas Groep 1999' naar een ontwerp van Lava Grafisch Ontwerpers. De Beste Bedrijfsbrochure van Nederland was de brochure 'Stretch' van Yess International Consultants, ontworpen door Samenwerkende Ontwerpers. KesselsKramer kreeg de Originaliteitsprijs voor de bedrijfsbrochure van Ilse. In de afgelopen zeven jaar is 'de erkenning voor het beste jaarverslag van Nederland' uitgegroeid van een ontwerpersprijs naar een prijs voor het totale concept. Ook wordt jaarlijks de beste bedrijfsbrochure bekroond en wordt een originaliteitsprijs uitgereikt.

4 december
Resultaten BNO-brancheonderzoek over 1999
In 2000 is weer een brancheonderzoek verricht onder de leden van de BNO. In 1999 is de totale omzet van de ontwerpsector het miljard ruimschoots gepasseerd (f 1.051.897.000). Meer dan de helft daarvan werd gerealiseerd door grafisch-ontwerpbureaus. Deze lieten de grootste stijging in de gemiddelde omzet zien (25%). De omzet werd voor 43% in de zakelijke dienstverlening gerealiseerd, voor 29% in de industrie, voor 14% bij de overheidssector. Kunst en cultuur, particulieren en overige waren samen goed voor 14%.

14 december
Jop van Bennekom Artdirector van het Jaar 2000
Tijdens het TijdschriftenGala is Jop van Bennekom uitgeroepen tot Artdirector van het Jaar 2000, vanwege zijn werk voor 'Re-Magazine'. De Neroc Mercur Artdirector van het Jaar 2000-bekroning maakt deel uit van de Mercurs, het jaarlijkse prijzenfestijn voor Nederlandse publiekstijdschriften. In de categorie Artdirector van het Jaar worden artdirectors/vormgevers bekroond die op een originele en vernieuwende wijze het tijdschrift vormgeven.

20 November
Deutscher Preis für Kommunikations-design
Two Dutch entries for this prestigious international competition received the distinction of 'Highest Design Quality', an honour reserved for 22 of the 2349 entries.
They were the BNO Association of Dutch Designers yearbook, 'Dutch Design 2000/2001', designed by Atelier René Knip, and the company brochure 'Stretch' for Yess International Consultants, designed by Samenwerkende Ontwerpers.

20 November, 21 November
Blurring Boundaries, Netherlands Design Institute, Amsterdam
Four lectures on the future of graphic design, with the significance of sound or music as the point of departure. Speakers were Max Kisman, Peter Mertens, Ian Anderson of Designers Republic, Marius Waltz (Oslo) and David Karam (United States).

26 November – 7 January 2001
Ben Bos: Graphic Designer, De Beyerd, Breda
The retrospective exhibition was of the work of graphic designer Ben Bos. After an almost thirty year career as creative director with Total Design in Amsterdam, Ben Bos has a reputation as an authority in the field of visual communications for businesses. His designs are characterised by simplicity, transparency and functionality.

28 November
Papyrus Recognition 2000
The Lutkie & Smit Annual Report Award continues under the name of the Papyrus Award. The Best Annual Report in the Netherlands was declared to be the Tas Group's 1999 Annual Report, designed by Lava Graphic Designers. The Best Dutch Company Brochure was 'Stretch' from Yess International Consultants, designed by Samenwerkende Ontwerpers. KesselsKramer received the Originality Award for their company brochure for the Ilse search engine. During the last seven years, 'the award for the recognition of the best annual report in the Netherlands' has grown from a designer's prize into a prize for the total concept. Annual awards are also given for the best company brochure and for originality.

4 December
Results of the BNO Association of Dutch Designers Survey for 1999
In 2000, BNO members again participated in a survey of the design field. In 1999, the total turnover in the design sector easily exceeded one billion guilders (*f* 1,051,897,000), more than half of which was realised by graphic design agencies, who saw the highest increase in average turnover (25%). 43% of the turnover was realised in services for the commercial world, 29% for industry and 14% for government sectors. Art, culture, private initiatives and miscellaneous together accounted for 14%.

14 December
Jop van Bennekom, Art Director of the Year 2000
During the Magazines Gala, Jop van Bennekom was declared Art Director of the Year 2000, for his work for 'Re-Magazine'. The Neroc Mercur Art Director of the Year award is part of Mercurs, the annual awards festival for Dutch magazines. The Art Director category acknowledges art directors and designers who design magazines in an original and innovative way.

p. 16-17 **Title: KLEUR!**
Design: 75B / Robert Beckand, Rens Muis, Pieter Vos
Sponsor: Bezet

p. 18 **Title: Skate Parc Westblaak**
Design: 75B / Robert Beckand, Rens Muis, Pieter Vos
Client: CBK Rotterdam

p. 18-19 **Title: Exorcism Aesthetic Terrorism**
Design: 75B / Robert Beckand, Rens Muis, Pieter Vos
Client: Museum Boijmans Van Beuningen

p. 20-21 **Title: HOLNDFSTVL 2000**
Design: Laboratorivm
Photography: Laboratorivm, stock
Client: Holland Festival

p. 21-22 **Title: CrazyGoals™**
Design: 75B / Robert Beckand, Rens Muis, Pieter Vos
Client: Projektburo Euro 2000 Rotterdam

p. 23 **Title: Olympisch Stadion**
Design: Greet / Greet Egbers
Client: Stichting Olympisch Stadion

p. 24 **Title: Het stadion**
Subtitle: De architectuur van de massasport
Design: Vanessa van Dam, goodwill
Photograph (cards): Mick Visser
Photograph (overview): Ger van der Vlugt
Clients: NAi (Michelle Provoost), One Architecture (Matthijs Bouw)

p. 25 **Titles: Babette – see also www.babette.net, Alles over voetbal deel 5**
Design: Studio van Joost Overbeek bv
Client: Boomerang Free Cards

p. 26 **Title: Ilse**
Design: KesselsKramer
Client: Ilse

p. 27-28 **Title: Een echte Van Dongen**
Design: Vandejong / René Put
Concept: Pjotr de Jong, René Put
Photography: Annaleen Louwes
Client: Harry Kies Theaterprodukties

p. 28 **Title: MassiveMusic**
Design: The Stone Twins / Declan Stone, Garech Stone
Illustration: Garech Stone
Text copy: The Stone Twins, Dave Bell, MassiveMusic
Client: MassiveMusic

p. 29 **Title: www.longneck.nl**
Design: artmiks [vormgevers] / Marco de Boer, Walter Teygeler
Photography: Erik Nap, Walter Teygeler
Art direction: Marco de Boer
Music: D-VLP
Clients: Heineken, KesselsKramer

p. 30 **Title: Come to the Village of Milly-Molly-Mandy**
Design: Maureen Mooren, Daniël van der Velden
Artist: Madeleine Berkhemer
Client: Cokkie Snoei Gallery

p. 31 **Title: www.lfs.nl**
Subtitle: Presents
Design: lfs / Ellen Pronk

p. 32 **Title: De Complete Stad**
Design: Vandejong / René Put, Antoin Buissink
Concept: Pjotr de Jong, Chantal Kortenhorst, Antoin Buissink
Photography: Auke Vleer (portraits), Raymond Wouda (landscapes)
Client: ING Vastgoed

p. 33 **Title: Käthe Ruyssenaars**
Subtitle: Vrienden voor het leven
Design: De Designpolitie / Richard van der Laken, Pepijn Zurburg
Photography: Juul Hondius
Client: Käthe Ruyssenaars

p. 34-35 **Title: Nu is het tijd om afscheid te nemen**
Design: Ben Laloua
Client: Uitgeverij Atlas

p. 36 **Title: Hedendaagse verbeelding**
Subtitle: Reflecties op de beeldcultuur
Design: Ben Laloua
Clients: CFK, Zaal De Unie

p. 37 **Title: Festival a/d Werf 2000**
Design: -SYB- grafisch ontwerp / Sybren Kuiper
Illustration: Sybren Kuiper
Client: Huis a/d Werf

p. 38-39 **Title: Rotterdam 2001, Culturele Hoofdstad van Europa**
Design: Mevis & Van Deursen
Client: Rotterdam 2001, Culturele Hoofdstad van Europa

p. 40 **Title: Shield for Rotterdam**
Design: 75B / Robert Beckand, Rens Muis, Pieter Vos
Client: Rotterdam 2001, Culturele Hoofdstad van Europa

p. 41-42 **Title: Exedra**
Design: Vanessa van Dam
Photographs: Jacqueline van Oostveen
Client: Exedra, centrum voor hedendaagse kunst, architectuur en vormgeving

p. 43 **Title: hidden®**
Design: Opera Ontwerpers / Marty Schoutsen, Marjet van Hartskamp
Photographs: Reinout van den Bergh
Client: hidden®

p. 44-45 **Title: AVL bank notes**
Design: Floor Houben
Client: Atelier van Lieshout

p. 46 **Title: Tinker Imagineers**
Design: Dietwee communicatie en vormgeving / Robin Uleman
Art direction: Ron Faas, Tirso Francès
Illustration: Robin Uleman
Client: Tinker Imagineers

p. 47 **Title: Ben Er #2**
Subtitle: Werken
Design: Harmine Louwé
Texts: Tekst >> Ursula van Riel / Ursula van Riel, Ellen Camerik, Karlijn Noordam
Client: Ben Nederland bv

p. 48 **Title: Cultuur als confrontatie**
Subtitle: Uitgangspunten voor het cultuurbeleid 2001-2001
Design: Thonik / Nikki Gonnissen, Thomas Widdershoven
Photography: Juul Hondius
Client: Ministerie van OCenW

p. 49 **Title: I Think This is the Beginning of a Beautiful Friendship**
Design: Marjet van Hartskamp, Evelien van Vugt
Photographs: Jelle Zijlstra

p. 50-51 **Title: Wir bauen für uns!**
Design: Steffen Maas, Marc Bijl

p. 52-53 **Title: Over the Edges**
Design: Thonik / Nikki Gonnissen, Thomas Widdershoven
Photography: Dirk Pauwels
Client: Stedelijk Museum voor Actuele Kunst Gent

p. 54 **Title: Light Wall for the KPN Building**
Design: Studio Dumbar / Henri Ritzen
Architecture: Renzo Piano Building Workshop
Photograph: Sybolt Voeten / Michel Kievits
Client: KPN Vastgoed & Facilities

p. 55 **Title: Bezet**
Design: Paul du Bois-Reymond and Mark Klaverstijn (Machine), Leonard van Munster (Don Leo) – formerly DEPT
Client: Bezet

p. 56 **Title: An Endless Tribute to You**
Design: Erik Wong
Client: Gemeente Gouda

p. 57-58 **Title: Japan. Towards Total Scape**
Design: Mevis & Van Deursen
Client: NAi

p. 58-59 **Title: Superdutch**
Design: Mevis & Van Deursen
Client: Thames & Hudson

p. 60 **Title: Bewoningsin(ter)venties**
Design: Bureau voor Tele(Communicatie), Historiciteit & Mobiliteit / Felix Janssens
Photography: Ralph Kämena
Client: Themazecorporation / Dennis Kaspori

p. 61 **Title: TENTPLAZA.**
Design: Bureau voor Tele(Communicatie), Historiciteit & Mobiliteit / Anke Bangma, Felix Janssens, Peter Westenberg
Contributors: Anke Bangma, Peter Westenberg
Client: TENT. Centrum Beeldende Kunst

p. 62 **Title: Carp**
Design: Sabine Verschueren (art direction), Paul van der Groen, Ellen Sanders, Daniëlle van Steenbergen
Photography: Roy Tzidon ('avontuur'), Appie Bood, Esther Silversmit ('blij'), Thijs Wolzak ('datahotels'), Auke Vleer ('snelweg')
Client: CrossPoints

p. 63-64 **Title: Bergweg**
Subtitle: New Notational Systems for Urban Situations
Design: Minke Themans
Concept: deMink

p. 65-66 **Title: Oase 53**
Design: Karel Martens, Joris Maltha (Werkplaats Typografie)
Typesetting, layout: Joris Maltha, Batia Suter (Werkplaats Typografie)
Clients: Uitgeverij SUN, Stichting Oase

p. 67-68 **Title: UNFR Index**
Design: Arjan Groot / (020) ontwerpers

p. 69 **Title: JACK 03**
Design: GM
Client: JACK

p. 70 **Title: Jonus**
Design: GM
Client: Jonus

p. 71 **Title: Wallpaper no. 6**
Design: Persijn Broersen

p. 72 **Title: The Next Blueprint in Denim**
Design: (formerly) OK
Original concept: Thomas Buxó, Yolanda Huntelaar, Richard Niessen, Harmen Liemburg
Illustration: Harmen Liemburg
Client: Fanclub

p. 73 **Title: Movements**
Subtitle: Introduction to a Working Process
Design: Irma Boom
Clients: Storefront, Inside Outside

p. 74-77 **Title: VPRO's Backstage Research**
Design: EGBG / Martijn Engelbregt
Texts: Martijn Engelbregt, Boudewijn Smid
Client: VPRO Backstage

p. 78 **Title: Metropolis M Lezerstest**
Design: EGBG / Martijn Engelbregt
Client: Metropolis M

p. 79 **Title: Gegevensbeheer o.v.**
Design: EGBG / Martijn Engelbregt
Client: Lokaal 01

p. 80 **Title: Dick Bruna in het Centraal Museum**
Design: Studio Anthon Beeke / Anthon Beeke

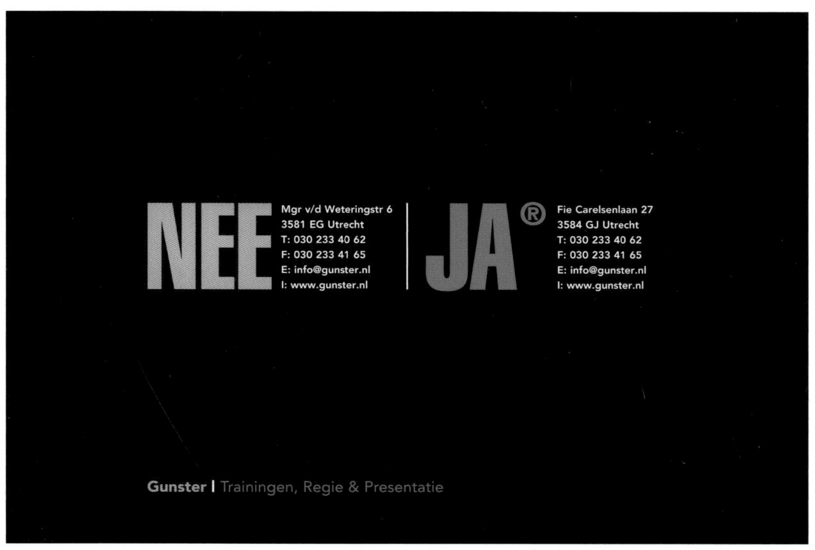

NEE / JA, -SYB-
Opdrachtgever: Gunster | Trainingen, Regie & Presentatie

Opdrachtgever Berthold Gunster ontwikkelde een trainingsmethode: 'Ja-en, Nee-want en Ja-maar®'. De grafische uitingen die -SYB- voor hem maakte zijn allemaal op het Ja/Nee-principe gebaseerd. Dit verhuisbericht is een toepasselijke parodie op de stickers die worden verspreid om ongewenst drukwerk te weren.

NEE / JA, -SYB-
Client: Gunster | Trainingen, Regie & Presentatie

The client, Berthold Gunster, developed a training method: 'Yes-and, No-because and Yes-but®'. The graphic signs that -SYB- made for him are all based on the Yes/No principle. This change of address announcement is an appropriate parody on the stickers that are distributed to keep away unwanted printed matter.

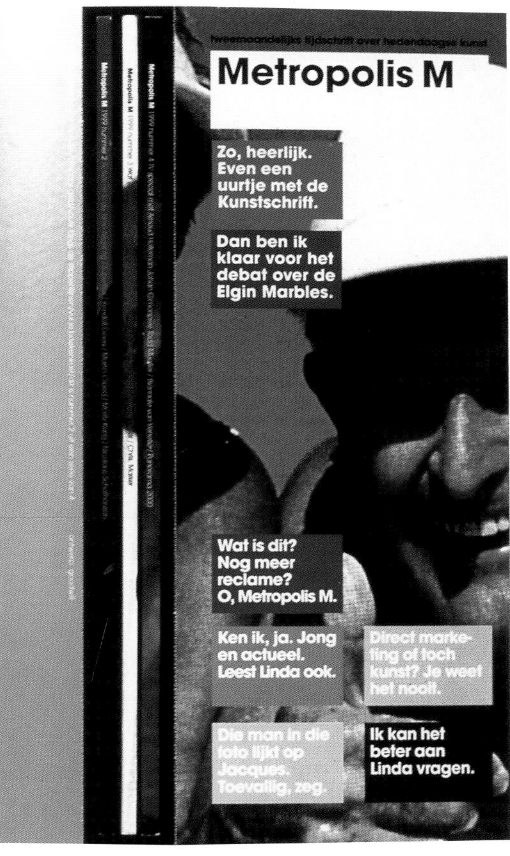

Metropolis M, goodwill
Opdrachtgever: Metropolis M

Wervende vouwkaarten voor het kunsttijdschrift Metropolis M. De kaarten werden gericht aan potentiële lezers en meegestuurd met andere kunst-/architectuurbladen. Eenmaal gevouwen vervult de kaart dezelfde functie als de actie: boekenplankvulling.

Metropolis M, goodwill
Client: Metropolis M

These are promotional cards for Metropolis M magazine. The cards are intended to find potential readers for the contemporary art magazine and is distributed with other art and architecture periodicals. When folded, the card serves the same purpose as the campaign itself: filling up the bookshelf.

Concept

Welke Nederlandse ontwerper redt het zonder? Het conceptuele is zo diep geworteld in de geest van het ontwerpvak, dat het bijna een voorwaarde voor overleving is geworden. Laat het concept vallen, en het wordt in tal van studio's angstig stil. Als alle heiligdommen is ook de tempel van het concept uit ambivalentie opgebouwd. Een bron van grote kracht én een bedrieglijke façade. Een opening of een nooduitgang. In beide gedaanten manifesteert het zich. Het is vooral de overtuiging van de beschouwer die uiteindelijk bepaalt of hier sprake is van superieure oplichting of van een intentie die werkelijk de kern van het product raakt. In de vermoedelijk beste gevallen – enige reserve is in alle religieuze contreien geboden – valt op hoezeer conceptualiteit en vervreemding elkaars natuurlijke bondgenoten zijn geworden. Het toneelstuk heeft een andere titel dan het affiche voor diezelfde voorstelling; de catalogus lijkt bij de binder op een lelijke wijze in het ongerede geraakt te zijn; en de uitnodiging zegt plompverloren een liefdesrelatie op. Concepten onthullen zich in hun vermogen om verwarring te zaaien, te ontregelen en daardoor aandacht af te dwingen bij de toeschouwers die weten dat zij naar een verborgen betekenis op zoek moeten. Precies zoals kerkgangers zichzelf oefenen in het lezen van het verhaal achter het verhaal. Concepten zijn het geestelijk voedsel voor de goede verstaander, de nieuwe atheïstische gelovigen.

Concept

What Dutch designer would dare be without it? The conceptual is so deeply rooted in the spirit of the design profession that it has almost become a condition for survival. Let go of the concept and countless studios would grow frighteningly silent. Like all things sacred, the temple of the concept is constructed on ambiguity, a source of great strength and a threatening façade. It is an opening or an escape hatch – an emergency exit. It manifests itself in both forms. What determines in the end whether we here have a case of a superior swindle or an intention that actually touches on the core of the product is the conviction of the viewer, the eye of the beholder. In what are suspected to be the best cases – some reserve is prudent when treading any religious ground – it is remarkable how much conceptuality and alienation have become mutual allies. The play itself has a different title than the poster announcing the performance; the catalogue looks like it went off the rails in a rather ugly fashion while it was at the binder's; an invitation summarily ends the love affair. Concepts divulge themselves in their potential for sowing confusion, for throwing things off course and therefore forcing themselves on the attentions of viewers who know that they must look for a hidden meaning. It is just the way churchgoers practice reading the story behind the story. Concepts are the spiritual food for the erstwhile distance-keepers, the new atheist believers.

de Volkskrant

DONDERDAG 28 SEPTEMBER 2000

4 Een landingspoging op Newfoundland · 7 De lange broek als mijlpaal in de cultuur · 10 De laatste resten tropisch nederland · 13 DE VOORKANT De zwarte humor van de baron van Münchhausen · 35 OPMAAT Herinneringen van een engelbewaarder · 44 PAGINA'S

'Ik heb altijd gelijk'

Het grote medelijden: Ik kan niet meedoen

Het behouden huis

Hallucinaties sterker dan blinde realiteit

HET WEER

Achter borden Verboden Toegang

Toekomst stemt bedroefd

Waarheid leidt tot enorme ontploffing

de Volkskrant

GRATIS VIDEO BIJ AUTOMATISCHE OVERSCHRIJVING

8 710371 002009

Voorpagina Opmaat, Jan Rothuizen
Opdrachtgever: de Volkskrant

Op 28 september 2000 werden de lezers van de Volkskrant verrast door een tweede voorpagina in het midden van de krant. De Opmaat-bijlage werd geopend met een kopie van de voorpagina, alleen waren alle teksten vervangen door citaten van de schrijver W.F. Hermans, met als blikvanger 'Ik heb altijd gelijk'. Het ging om een hommage van kunstenaar Jan Rothuizen. De literaire teksten gegoten in de opmaak van een krant, roepen een vervreemding op die doet denken aan de surrealistische effecten waar Hermans in zijn romans graag gebruik van maakte.

Opmaat front page, Jan Rothuizen
Client: the Volkskrant newspaper

On September 28th, 2000, Volkskrant readers were surprised to find a second front page in the middle of the newspaper. The 'Opmaat' segment of the paper opened with a replica of that day's front page, only all of the texts had been replaced with quotations from the writings of W.F. Hermans. The eye-catcher was 'I am always right.' It was an homage by artist Jan Rothuizen. The literary texts, cast into the layout of a newspaper, evoke a sense of estrangement reminiscent of the surrealistic effects that Hermans likes to make use of in his novels.

Slechtvalk RL 1
Falco peregrinus boven

Stand- en zwerfvogel. **Kenmerken:** Een krachtige vogel, ongeveer zo groot als een kraai, met lange, spitse vleugels en een relatief korte staart. Bovenzijde donker, onderzijde licht, met een markant masker (gelijkend op de kleinere boomvalk, maar zonder diens roestrode broek). Het vrouwtje is beduidend groter dan het mannetje. Kenmerkend zijn de krachtige vleugelslag en een pijlsnelle duikvlucht om de buit te vergaren. Geluid: Op de broedplek klagend 'kèèi'; bij het aflossen van het broeden en bij het overgeven van de buit een scherp 'akziek'. **Verspreiding en woongebied:** Oorspronkelijk in geheel Europa, in veel landen echter uitgestorven maar neemt plaatselijk terug toe. **Voortplanting:** Broedt in rotswanden (soms ook op bomen en hoge gebouwen, in de toendra als bodembroeder), geen eigen horst. Legtijd eind maart tot begin mei. 1 legsel. De 3-4 dicht bruingevlekte eieren (51x40 mm) worden ongeveer 30 dagen overwegend door het vrouwtje bebroed. De jongen zijn met 40 dagen in staat om uit te vliegen. **Voedsel:** Bijna uitsluitend vogels, die meestal in de vlucht worden gegrepen: duiven, lijsters, spreeuwen, kraaien, meeuwen. In de winter jagen slechtvalken graag langs het water.

Torenvalk linksonder ♂
Falco tinnunculus rechtsonder ♀

Gedeeltelijke trekvogel. **Kenmerken:** Een slanke vogel, ongeveer zo groot als een duif, die vaak biddend (klapwiekend in de lucht hangen) in de lucht wordt waargenomen. De lange staart doet denken aan een sperwer, de vleugels zijn echter spitser. De rug is bij beide geslachten roodbruin. Bij de mannetjes zijn kop, stuit en staart grijs, de bovenzijde is alleen licht gevlekt. Vrouwtjes en jongen zijn bovenop helemaal roodbruin met sterke donkerbruine vlekken en strepen; ook de staart is duidelijk gestreept. Geluid: Een vaak te horen 'kiekiekie', op de broedplek een jammerend 'srie-srie'. **Verspreiding en woongebied:** In heel Europa, bij ons naast de buizerd de meest voorkomende roofvogel. Broedvogel van laagland tot hooggebergte. **Voortplanting:** Broedt in en aan hoge gebouwen, op bomen in oude kraaiennesten, nestbakken, in spleten en rotswanden. Bouwt net als alle valken geen eigen nest. De 4-6 sterk bruingevlekte eieren (39x31 mm) worden in april/mei gelegd en door het vrouwtje gedurende 21-27 dagen bebroed. Na ongeveer 30 dagen kunnen de jongen vliegen. **Voedsel:** Muizen, spitsmuizen, mollen; hazelwormen, kleine vogels en insecten.

60

Insecten: orde Kevers (Coleoptera)

Zevenstippelig lieveheersbeestje links boven: larve; rechts: kever
Coccinella septempunctata (fam. Lieveheersbeestjes/Coccinellidae) BV

Kenmerken/verwante soorten: Lieveheersbeestjes (1-9 mm) hebben een rond voorkomen en zijn in Europa met meer dan 100 soorten vertegenwoordigd. Heel wat soorten hebben contrasterende kleurvlekken en bij veel soorten varieert de kleur sterk. De afgebeelde soort (5-8 mm) is bij ons een van de talrijkste. **Verspreiding/habitat:** Talrijk in heel Europa, overal in het cultuurlandschap. **Levenswijze/voortplanting:** Kevers en larven voeden zich met bladluizen.

Veertienstippelig lieveheersbeestje midden links
Calvia quatuordecimguttata (fam. Lieveheersbeestjes/Coccinellidae) BV

Kenmerken/verwante soorten: 4-5 mm. Licht bruinrood met geelachtig witte ronde stippen (7 op elk dekschild). **Verspreiding/habitat:** Gematigde streken van Europa, tot hoog in het noorden in bosranden en hooilanden. **Levenswijze /voortplanting:** Voeding als vorige soort. Kevers overwinteren in de strooisellaag.

Tweeëntwintigstippelig lieveheersbeestje midden rechts
Thea vigintiduopunctata (fam. Lieveheersbeestjes/Coccinellidae)

Kenmerken/verwante soorten: 3-5 mm. Citroengeel met ronde zwarte stippen (11 op elk dekschild). **Verspreiding/habitat:** In heel Europa in loofbossen (eik), tuinen. Enigszins warmteminnend. **Levenswijze/voortplanting:** Larven en kevers eten meeldauw. Kevers overwinteren in de strooisellaag of in oud gras.

Veertienvlekkig lieveheersbeestje links onder
Propylaea quatuordecimpunctata (fam. Lieveheersbeestjes/Coccinellidae) BV

Kenmerken/verwante soorten: 3-5 mm. Zeer variabele zwarte vlekken op gele achtergrond. Wordt gemakkelijk verward met de meer roodachtige *Synharmonia conglobata*. **Verspreiding/habitat:** Heel Europa. In loofbossen, hooilanden, akkers. **Levenswijze/voortplanting:** Eet bladluizen en overwintert in de strooisellaag.

Oogvleklieveheersbeestje rechts onder
Anatis ocellata (fam. Lieveheersbeestjes/Coccinellidae) BV

Kenmerken/verwante soorten: 8-9 mm. Op elke vleugel 10 zwarte vlekken met een gele zoom. Onmiskenbaar door grootte en kleurenpatroon. **Verspreiding/habitat:** Hoofdzakelijk in sparrenbossen. **Levenswijze/voortplanting:** Eet voornamelijk sparrenbladluizen.

332

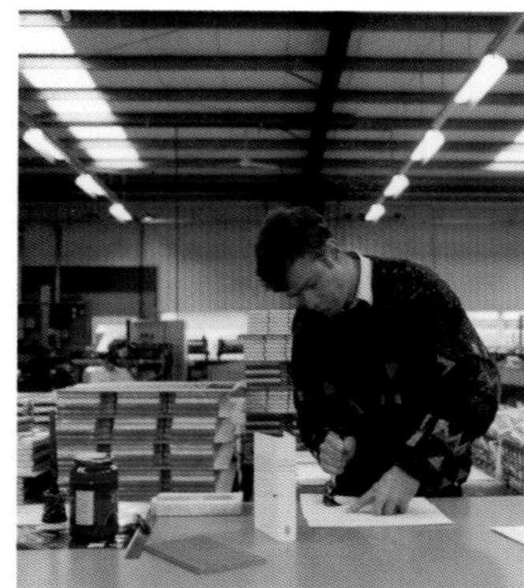

Guide to Nature. Cor Dera, Thonik
Opdrachtgever: Cor Dera

Kunstenaar Cor Dera koopt natuurboeken bij De Slegte, knipt de foto's eruit en plakt ze op een wand. Samen met ontwerpbureau Thonik maakte hij een kunstenaarsboek, waarvoor zij het gehele restant van zo'n natuurboek opkochten. De band werd verwijderd, voorin werd een introductie toegevoegd en achterin een curriculum vitae, het resultaat ging opnieuw naar de binder. De poëzie van effectief hergebruik.

Guide to Nature: Cor Dera, Thonik
Client: Cor Dera

The artist Cor Dera buys remaindered nature books, cuts out the photographs and sticks them on a wall. Together with the design studio Thonik, he made an artist's book, for which he bought up the entire remaindered stock of such a nature book. The cover was removed, an introduction added at the front and a curriculum vitae at the back, and the result was sent to the binder again. The poetry of effective re-use.

AFFICHE ZONDER TITEL

Een nieuwe komedie van Wim T. Schippers in een regie van Titus Muizelaar, in het Transformatorhuis Toneelgroep Amsterdam. Try-outs van maandag 9 tot en met donderdag 12 oktober. Première op vrijdag 13 oktober. Voorstellingen zaterdag 14 oktober tot en met zaterdag 18 november, behalve op zon- en maandagen. Aanvang 20.30 uur.

Gespeeld door Joop Admiraal, Jacqueline Blom, Pierre Bokma, Hajo Bruins, Kitty Courbois, Roeland Fernhout, Fred Goessens, Janni Goslinga, Kees Hulst, Hugo Koolschijn, Arent-Jan Linde, Celia Nufaar, Vefa Öcal, Barbara Pouwels, Lotte Proot, Leon Voorberg en Roos van der Werff.

Dramaturgie Dirkje Houtman. Engels in vertaling van Charlie Murphy. Decor Jaap de Groote. Kostuums Elianne van Dorp. Licht Kees van de Lagemaat. Muziek Boudewijn Tarenskeen.

Reserveren: nul twee nul, zes twee zeven, negentig, zeventig internet: www.tga.nl

ontwerp: Anthon Beeke 2000

IQUIP

Affiche zonder titel,
Studio Anthon Beeke
Opdrachtgever: Toneelgroep Amsterdam

Een gedurfd concept en een primeur: dit affiche waarmee een toneelvoorstelling wordt aangekondigd, vestigt niet de aandacht op de titel van het desbetreffende stuk – 'Voorstelling zonder titel' – maar op die van zichzelf. En langs die paradoxale achterdeur misschien toch weer op die van het stuk. Beide 'ontbrekende' titels raken verstrikt in een vreemde, zichzelf en elkaar ontkennende wisselwerking, die vragen oproept over de werking van het affiche als medium.

Affiche zonder titel,
Studio Anthon Beeke
Client: Toneelgroep Amsterdam

A provocative concept and something new: this poster announcing a theatrical performance does not draw attention to the title of the play 'Voorstelling zonder titel' (Untitled Performance), but to its own title 'Affiche zonder titel' (Untitled Poster). And, by this paradoxical backhand method, perhaps back to the title of the play again. Both 'absent' titles get caught up in a strange interaction, denying themselves and each other and raising questions about the effect of the poster as a medium.

Dear,
This letter is to say that it is over between you and me. I'm so sorry I have to tell you this now. But don't take it personal.
I hope we will stay friends.
For some time I have believed, like you, that we would stay together forever. This is over now Some things you shouldn't try to push. but just leave as they are...
As I find writing this letter very & painful I won't make it too long. I don't have so much time either, because tonight (friday 25 february 2000) I'm going to the preview of a new show by Mattijs van den Bosch, Ronald Cornelissen, Gerrit-Jan Fukkink, Connie Groenewegen, Yvonne van der Griendt, Hine Kramer, Marc Nagtzaam, Désirée palmen, Wouter van Riessen, Ben Schot and Thom Vink, 8 pm. I think it is at 1e pijnackerstraat 100; I forgot the exact address, but I'll see.
Mattijs, Ronald, Gerrit-Jan, Connie, Yvonne, Hine, Marc, Désirée, Wouter, Ben and Thom are all great friends of mine. We will probably go out afterwards.
But this doesn't mean that I don't care about you
I have to go. I'm already late.

goodbye

ROOM invite 210x297 mm
recycled letter

1e Pijnackerstraat 100
NL 3035 GV Rotterdam
T/F 010 2651859
T/F 010 4773880
E roombase@luna.nl

friday / saturday / sunday
1 — 5 PM

ROOM organized by
roos campman / eric campman /
karin de jong / ewoud van rijn
ROEM organized by terry van druten
ROOM thanks to PWS Woningstichting

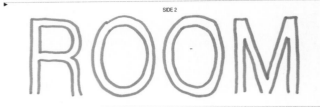

SIDE 2

ROOM

ROOM

J know this is a very bad moment

p.s. the show is on until april 2

ROOM invite 210x297 mm
recycled letter

1e Pijnackerstraat 100
NL 3035 GV Rotterdam
T/F 010 2651859
T/F 010 4773880
E roombase@luna.nl

ROEM — Marije Mooren
opening 25 2 2000 — 7 PM / 25 2 — 2 4 2000
friday / saturday 1 — 5 PM

Zwaanshals 317
NL 3036 KN Rotterdam
T 010 2763498
E roemroemroem@hotmail.com

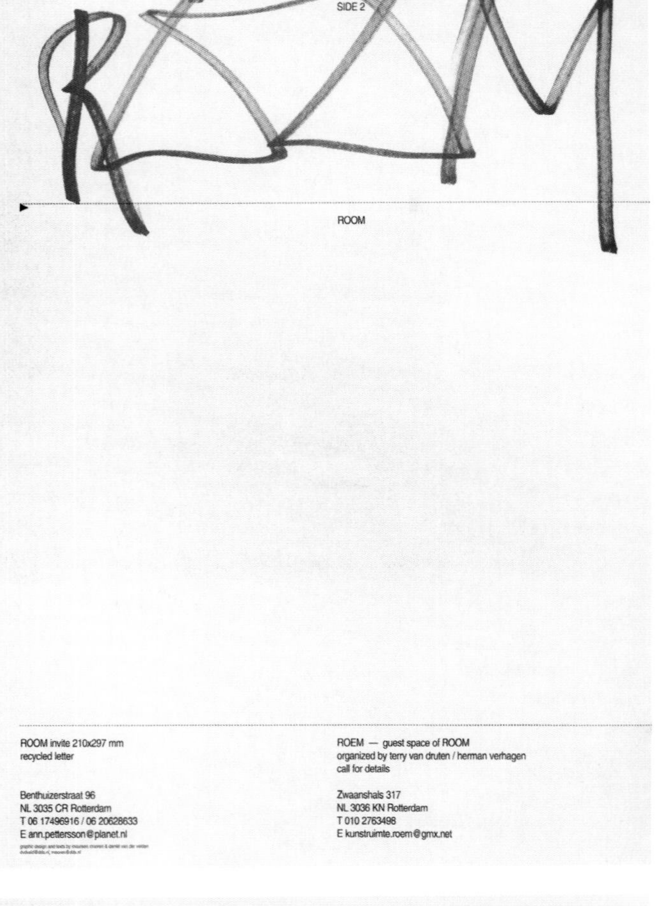
SIDE 2

ROOM

ROOM

ROOM invite 210x297 mm
recycled letter

Benthuizerstraat 96
NL 3035 CR Rotterdam
T 06 17496916 / 06 20628633
E ann.pettersson@planet.nl

ROEM — guest space of ROOM
organized by terry van druten / herman verhagen
call for details

Zwaanshals 317
NL 3036 KN Rotterdam
T 010 2763498
E kunstruimte.roem@gmx.net

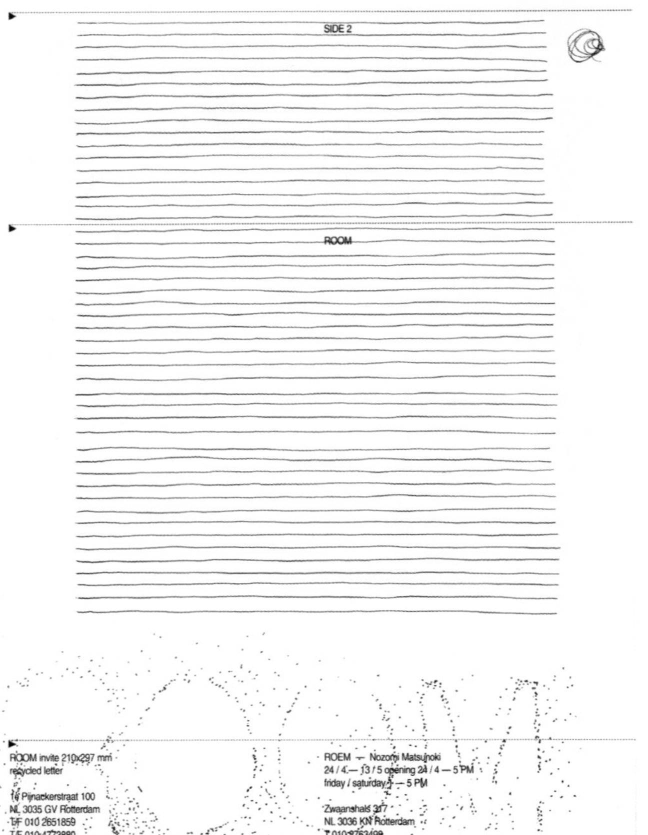
SIDE 2

ROOM

ROOM invite 210x297 mm
recycled letter

1e Pijnackerstraat 100
NL 3035 GV Rotterdam
T/F 010 2651859
T/F 010 4773880
E roombase@luna.nl

ROEM — Nozomi Matsunoki
24 / 4 — 13 / 5 opening 24 / 4 — 5 PM
friday / saturday 1 — 5 PM

Zwaanshals 317
NL 3036 KN Rotterdam
T 010 2763498
E kunstruimte.roem@gmx.net

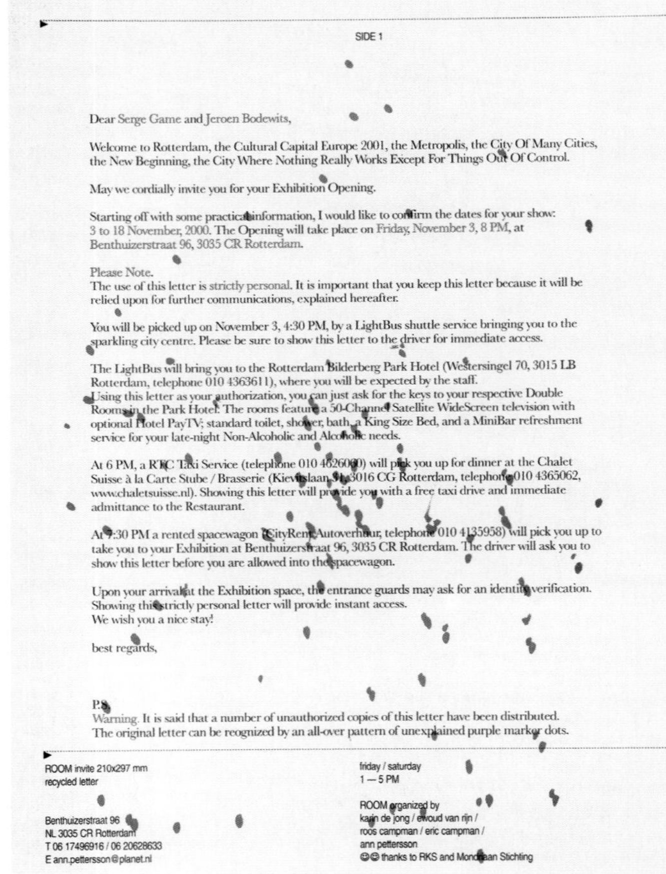
SIDE 1

Dear Serge Game and Jeroen Bodewits,

Welcome to Rotterdam, the Cultural Capital Europe 2001, the Metropolis, the City Of Many Cities, the New Beginning, the City Where Nothing Really Works Except For Things Out Of Control.

May we cordially invite you for your Exhibition Opening.

Starting off with some practical information, I would like to confirm the dates for your show: 3 to 18 November, 2000. The Opening will take place on Friday, November 3, 8 PM, at Benthuizerstraat 96, 3035 CR Rotterdam.

Please Note.
The use of this letter is strictly personal. It is important that you keep this letter because it will be relied upon for further communications, explained hereafter.

You will be picked up on November 3, 4:30 PM, by a LightBus shuttle service bringing you to the sparkling city centre. Please be sure to show this letter to the driver for immediate access.

The LightBus will bring you to the Rotterdam Bilderberg Park Hotel (Westersingel 70, 3015 LB Rotterdam, telephone 010 4363611), where you will be expected by the staff.
Using this letter as your authorization, you can just ask for the keys to your respective Double Rooms in the Park Hotel. The rooms feature a 50-Channel Satellite WideScreen television with optional Hotel PayTV; standard toilet, shower, bath, a King Size Bed, and a MiniBar refreshment service for your late-night Non-Alcoholic and Alcoholic needs.

At 6 PM, a RTC Taxi Service (telephone 010 4626060) will pick you up for dinner at the Chalet Suisse à la Carte Stube / Brasserie (Kievitslaan 31, 3016 CG Rotterdam, telephone 010 4365062, www.chaletsuisse.nl). Showing this letter will provide you with a free taxi drive and immediate admittance to the Restaurant.

At 7:30 PM a rented spacewagon (CityRent Autoverhuur, telephone 010 4135958) will pick you up to take you to your Exhibition at Benthuizerstraat 96, 3035 CR Rotterdam. The driver will ask you to show this letter before you are allowed into the spacewagon.

Upon your arrival at the Exhibition space, the entrance guards may ask for an identity verification. Showing this strictly personal letter will provide instant access.
We wish you a nice stay!

best regards,

P.S.
Warning. It is said that a number of unauthorized copies of this letter have been distributed.
The original letter can be reognized by an all-over pattern of unexplained purple marker dots.

ROOM invite 210x297 mm
recycled letter

Benthuizerstraat 96
NL 3035 CR Rotterdam
T 06 17496916 / 06 20628633
E ann.pettersson@planet.nl

friday / saturday
1 — 5 PM

ROOM organized by
karin de jong / ewoud van rijn /
roos campman / eric campman /
ann pettersson
☺☺ thanks to RKS and Mondriaan Stichting

Room, Maureen Mooren, Daniël van der Velden
Opdrachtgever: ROOM

Reeks uitnodigingen voor het Rotterdamse kunstenaarsinitiatief ROOM in de vorm van brieven die door de ontwerpers zijn geschreven en aan een onbekende zijn gericht. Zo kon het gebeuren dat men een brief op de deurmat vond waarin op niet mis te verstane wijze een relatie wordt uitgemaakt. In de tekst is de informatie over een ROOM-tentoonstelling verwerkt. De serie bestaat sinds zomer 1999.

Room, Maureen Mooren, Daniël van der Velden
Client: ROOM

A series of invitations for exhibitions of the Rotterdam artists' group 'ROOM', presented in the form of letters, written by the designers and addressed to unknown recipients. Someone may find a letter lying on their doorstep in which a relationship is ended in no uncertain terms. Information about a ROOM exhibition is incorporated in the text. The series began in the summer of 1999.

KesselsKramer 96-01, Thonik
Opdrachtgever: KesselsKramer

Vier jaar reclamecampagnes van reclamebureau KesselsKramer. 'Alles wat KesselsKramer gedaan heeft hoort op de cover,' meenden de ontwerpers van Thonik. In plaats van één boek te ontwerpen hebben ze er daarom vijftig ontworpen. KesselsKramer 96-01 is een 'catalogus' waarin ze alle vijftig voorkomen, compleet met covers – en een knipoog naar De 50 Best Verzorgde Boeken.

KesselsKramer 96-01, Thonik
Client: KesselsKramer

Four years of advertising campaigns by the agency KesselsKramer. 'Everything that KesselsKramer has done belongs on the cover,' felt the designers at Thonik. So, instead of designing just one book, they designed fifty of them. KesselsKramer 96-01 is a 'catalogue' in which all fifty appear, complete with covers – and a wink to the 50 Best Designed Books Competition.

Campagne

Voorbij de tijden dat we aan een enkel woord genoeg hadden. Zo talrijk worden de enkele woorden inmiddels verspreid, dat niet meer uitsluitend de reclame zich van campagnes moet bedienen om de doelgroepen te bereiken. En de simpele uitweg van de herhaling is ook al bijna uitgeput. Campagnes dienen zich voortdurend in nieuwe uitdossingen te verkleden, terwijl de kern van de boodschap voldoende herkenbaar blijft om iedere nieuwe uiting met het kernbegrip te kunnen verbinden. Via allerlei media en in telkens andere gedaanten wordt ons dezelfde boodschap verkocht: op de tram, in het magazine, op internet, op televisie en langs de straat.
Het is amper verwonderlijk dat de reclamewereld het voortouw nam. Die hadden immers ervaring. Veel opmerkelijker is dat de traditionele controverse tussen ontwerpen en advertising – lange jaren gekoesterd als een waarborg voor de superioriteit van het ontwerpvak – plotseling als sneeuw voor de zon verdween. Reclamemakers werken samen met jonge ontwerpbureaus en ontwerpersinitiatieven zonder dat de grenspolitie dat treffen moet reguleren. En ontwerpers gebruiken de kennis die zij in die samenwerking opdoen vervolgens bij de uitwerking van campagnes voor hun eigen klanten. Het lijkt erop dat de domeinen werkelijk met elkaar vergroeid raken. Ontwerpen wordt vatbaar in begrippen als strategische communicatie, en de communicatiewereld erkent de waarde van het ontwerp. Hoe lang nog voor we aan volgende generaties moeten uitleggen dat die twee nog maar kort geleden als kat en hond tegenover elkaar stonden?

Campaign

The days when a word sufficed are over. Those solitary words have meanwhile proliferated so profusely that it is not only advertising that has to make use of full-blown campaigns to reach their markets. Repetition as the easy way out is almost exhausted as well. Most of all, campaigns need to be unceasingly decked out in new regalia, with the essence of the message remaining recognisable enough to connect each new shape with the core idea. By way of all kinds of media and continually changing forms, the same message is sold to us, on the tramway, in the magazine, on the internet, on television and in the street.
It is hardly surprising that the advertising world took the lead. They had the experience. What is much more remarkable is that the traditional controversy between design and advertising – for years on end nurtured as a guarantee for the superiority of the design profession – suddenly disappeared like snow in the sun. Ad-makers are working together with young design studios and with independent designer initiatives, without the border guards having to regulate the meeting. Designers in turn use the knowledge gained in that collaboration in working out campaigns for their own clients. It looks as though the two domains are truly becoming mutually entwined. Design is slowly turning itself into comprehensible concepts and the communications world is recognising the value of the design. How long will it take before we have to explain to future generations that only a short time ago, the two stood at odds like cats and dogs?

Totalloss-campagne, KesselsKramer
Opdrachtgever: Warner en Lemming Film

'Totalloss' is de titel van de eerste speelfilm van de Nederlandse regisseuse Dana Nechustan. Voor de teaser-campagne werkten verschillende creatieve bureaus samen onder de artdirection van Erik Kessels (KesselsKramer). Op mupi's, een tv-commercial, advertenties in kranten, een Amsterdamse tram, flyers, etcetera verscheen de titel van de film. Daklozenkrantenverkopers en de 'standbeelden' van Amsterdam waren gehuld in T-shirts met dezelfde boodschap. De website, gemaakt door artmiks [vormgevers], toont een symbolische weergave van de hoofdpersonen.

Totalloss campaign, KesselsKramer
Client: Warner and Lemming Film

'Totalloss' is the title of the first feature film by the Dutch director Dana Nechustan. Various creative agencies worked together on the teaser campaign under the art direction of Erik Kessels (KesselsKramer). The title of the film appeared on billboards, a TV commercial, newspaper advertisements, an Amsterdam tram, flyers, etc. Sellers of magazines for the homeless and Amsterdam's 'statues' were wrapped in T-shirts bearing the same message. The website, made by artmiks [vormgevers], shows a symbolic rendition of the main characters.

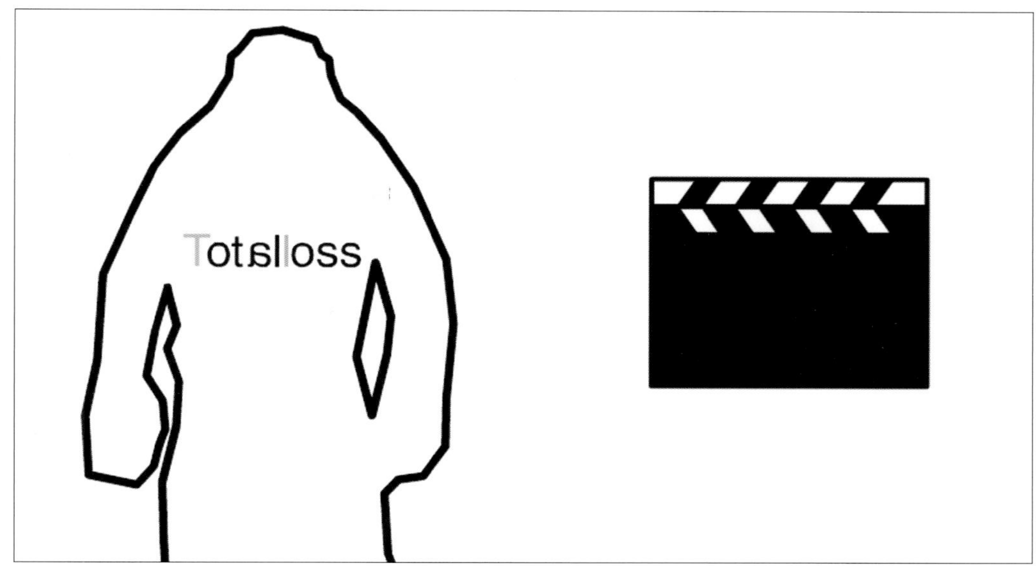

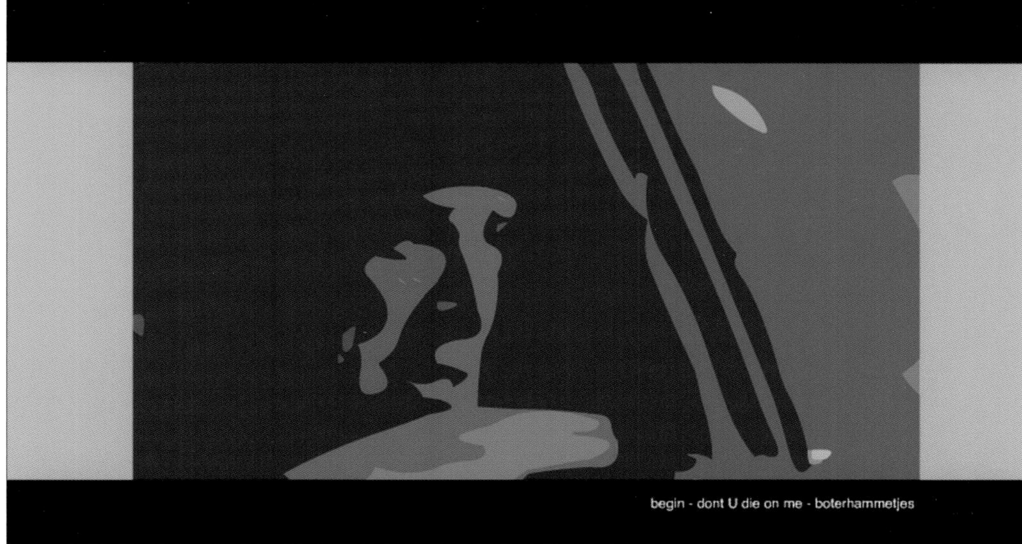

www.webcandy.nl/totalloss/,
artmiks [vormgevers]
Opdrachtgever: KesselsKramer

Website die deel uitmaakte van de teaser-campagne voor de film Totalloss. De hoofdpersonen van de film worden voorgesteld aan de hand van opvallende Flash-animaties.

www.webcandy.nl/totalloss/,
artmiks [vormgevers]
Client: KesselsKramer

This website is part of the teaser campaign for the film 'Totalloss'. The protagonists of the film are introduced with the aid of striking Flash animations.

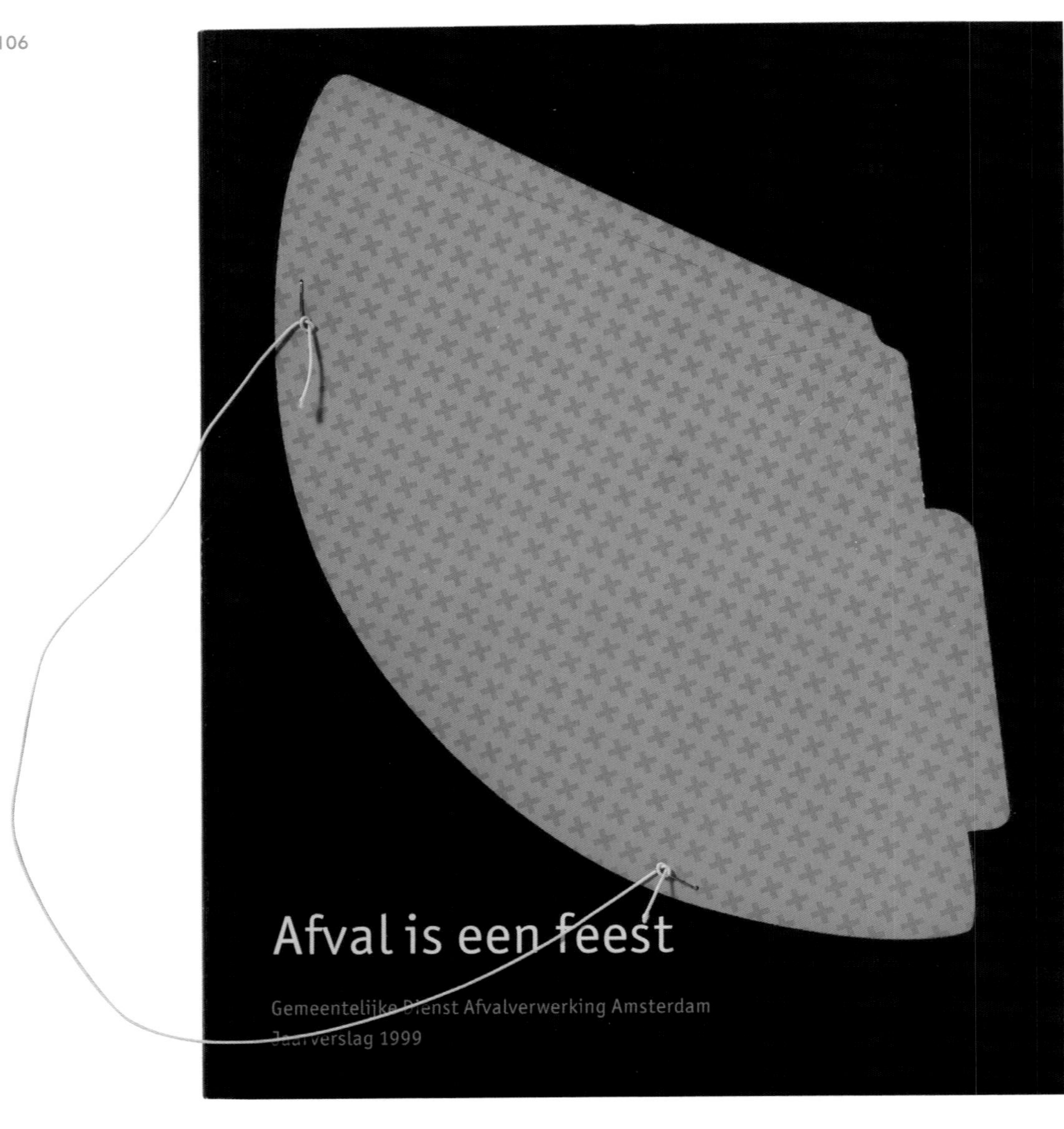

afval is energie
waste is power

afval is geld
waste is money

afval is werk
waste is work

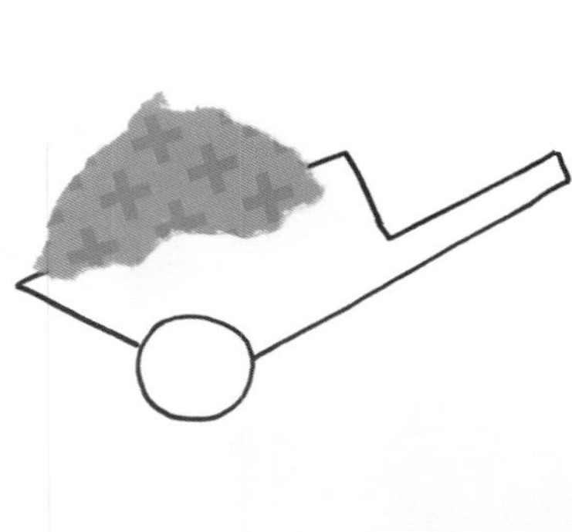

afval is kringloop
waste is recycling

Jaarverslag 1999 Gemeentelijke Dienst Afvalverwerking Amsterdam, Thonik
Opdrachtgever: Gemeentelijke Dienst Afvalverwerking Amsterdam

De Gemeentelijke Dienst Afvalverwerking Amsterdam wordt op een onverwachte manier voor het voetlicht gebracht met zinnen als 'Afval is energie', 'Afval is geld' en 'Afval is werk'. Op één van de jaarverslagen wordt afval zelfs 'een feest' genoemd en dus zit op het omslag een uitneembaar feesthoedje, compleet met elastiekje en nietje. Het hoedje komt binnenin terug: het nietje staat voor grondstof, het elastiekje verbeeldt kringloop.

Gemeentelijke Dienst Afvalverwerking Amsterdam 1999 Annual Report, Thonik
Client: Gemeentelijke Dienst Afvalverwerking Amsterdam

The Amsterdam Department of Waste Disposal has attracted attention in unexpected fashion, with statements like 'Waste is Power', 'Waste is Money' and 'Waste is Work'. In one of the annual reports, waste is even called 'fun', so the cover is adorned with a removable party hat, complete with elastic and staple. The hat will soon be making a comeback (in the inner pages): the staple stands for raw materials and the elastic represents recycling.

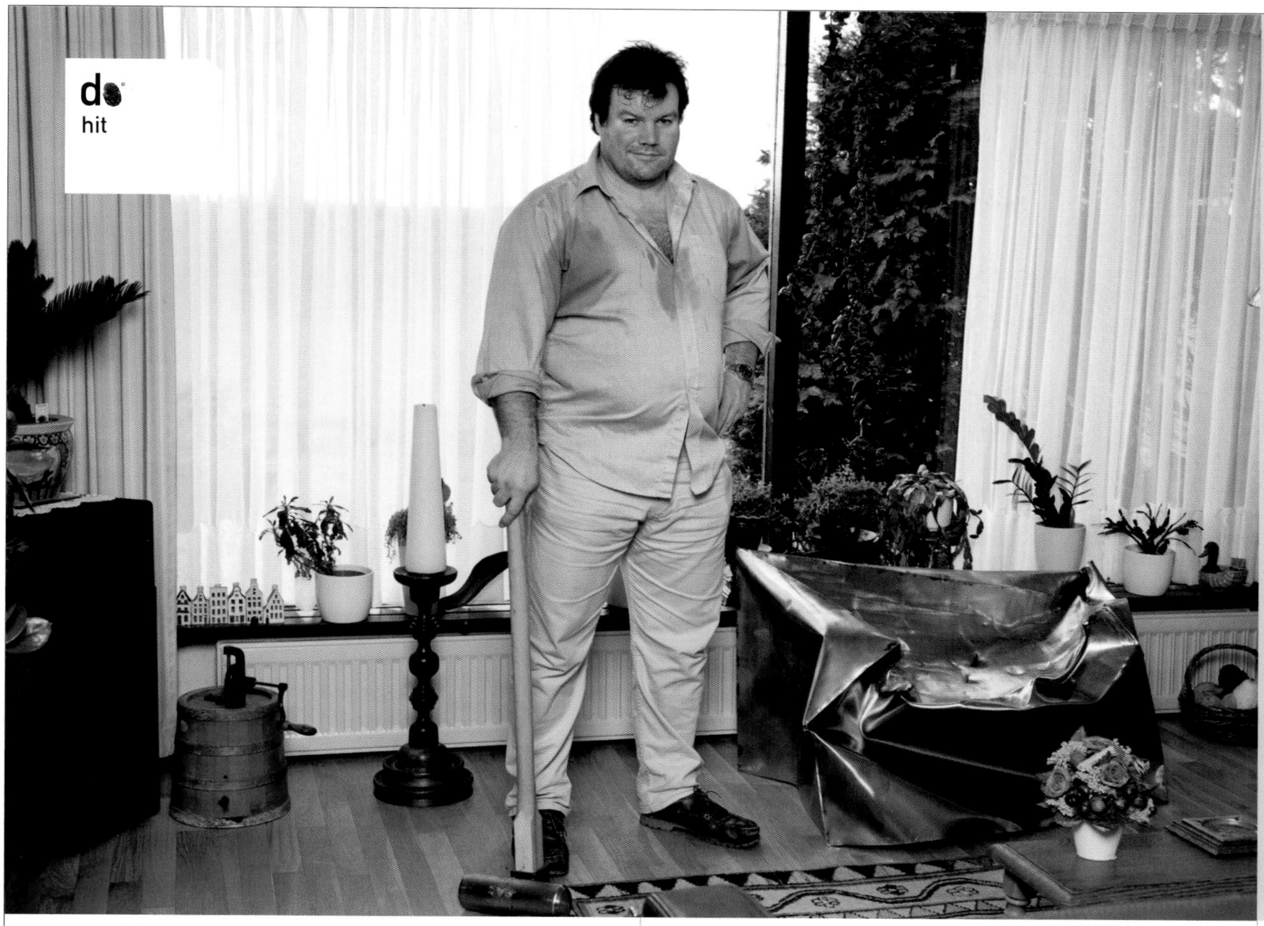

do
hit

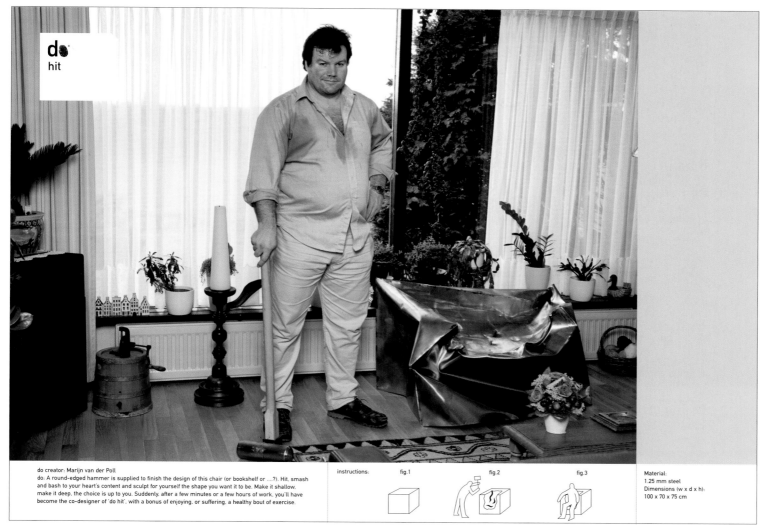

do creator: Marijn van der Poll
do: A round-edged hammer is supplied to finish the design of this chair (or bookshelf or ....?). Hit, smash and bash to your heart's content and sculpt for yourself the shape you want it to be. Make it shallow, make it deep, the choice is up to you. Suddenly, after a few minutes or a few hours of work, you'll have become the co-designer of 'do hit', with a bonus of enjoying, or suffering, a healthy bout of exercise.

instructions: fig.1 fig.2 fig.3

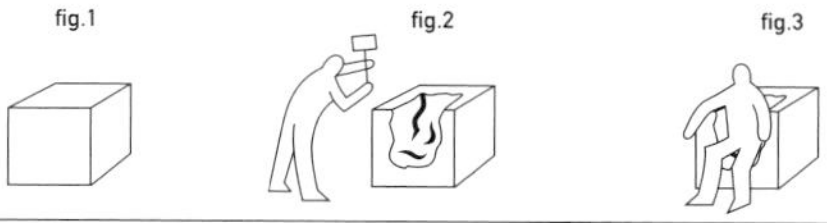

Material:
1.25 mm steel
Dimensions (w x d x h):
100 x 70 x 75 cm

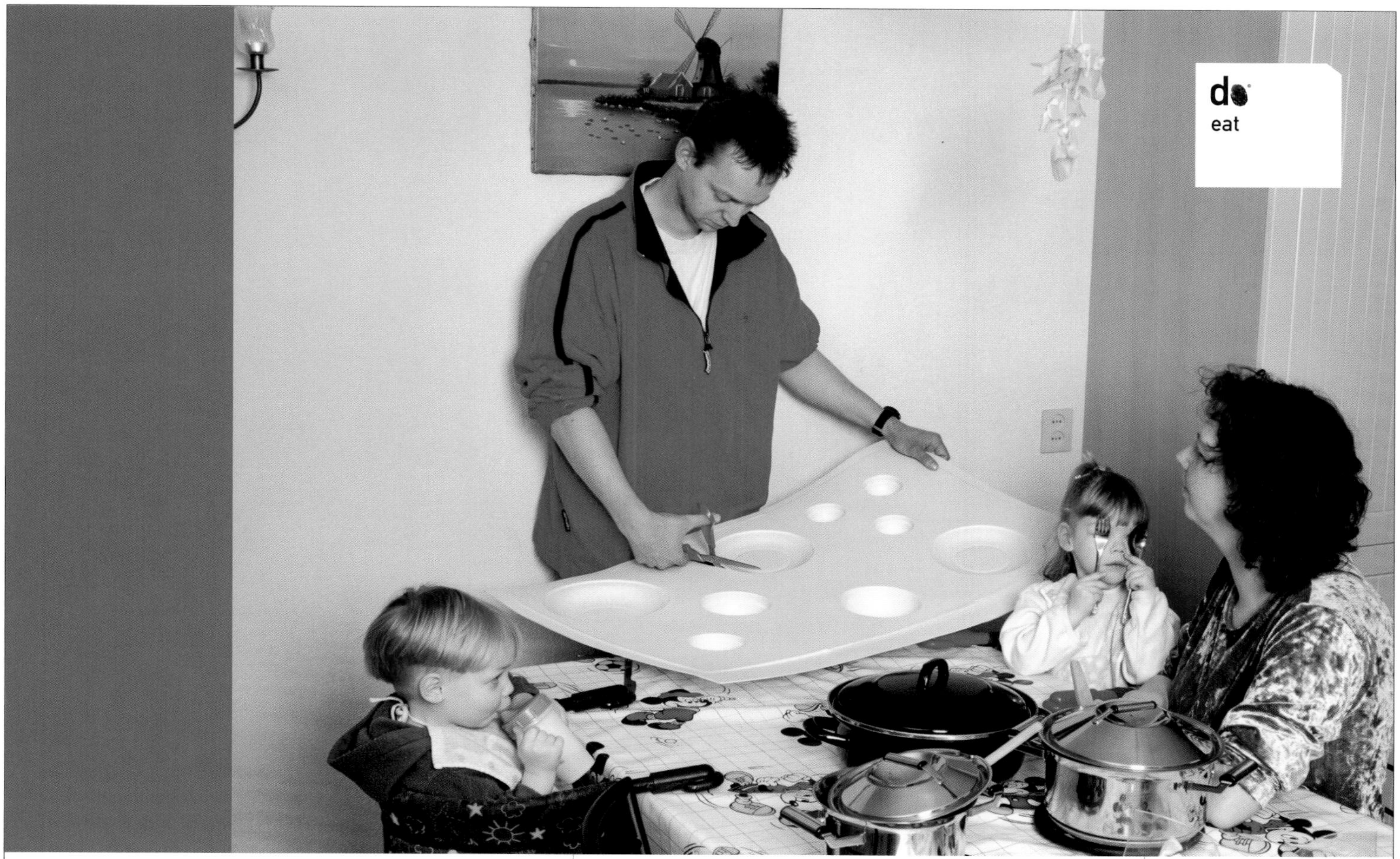

do
eat

do creator: Marti Guixé
do: This large sheet of plastic with its assorted series of sunken shapes is waiting for you to cut it up into a full set of dinner plates, saucers, cups and trays. All you need are a pair of scissors, some food and drink, and some friends or family to eat with. do eat means you don't necessarily have to do the washing-up unless you want to 'do recycle'.

instructions: fig.1 fig.2 fig.3

Material:
Polystyrene
Dimensions (w x l):
62.5 x 100 cm

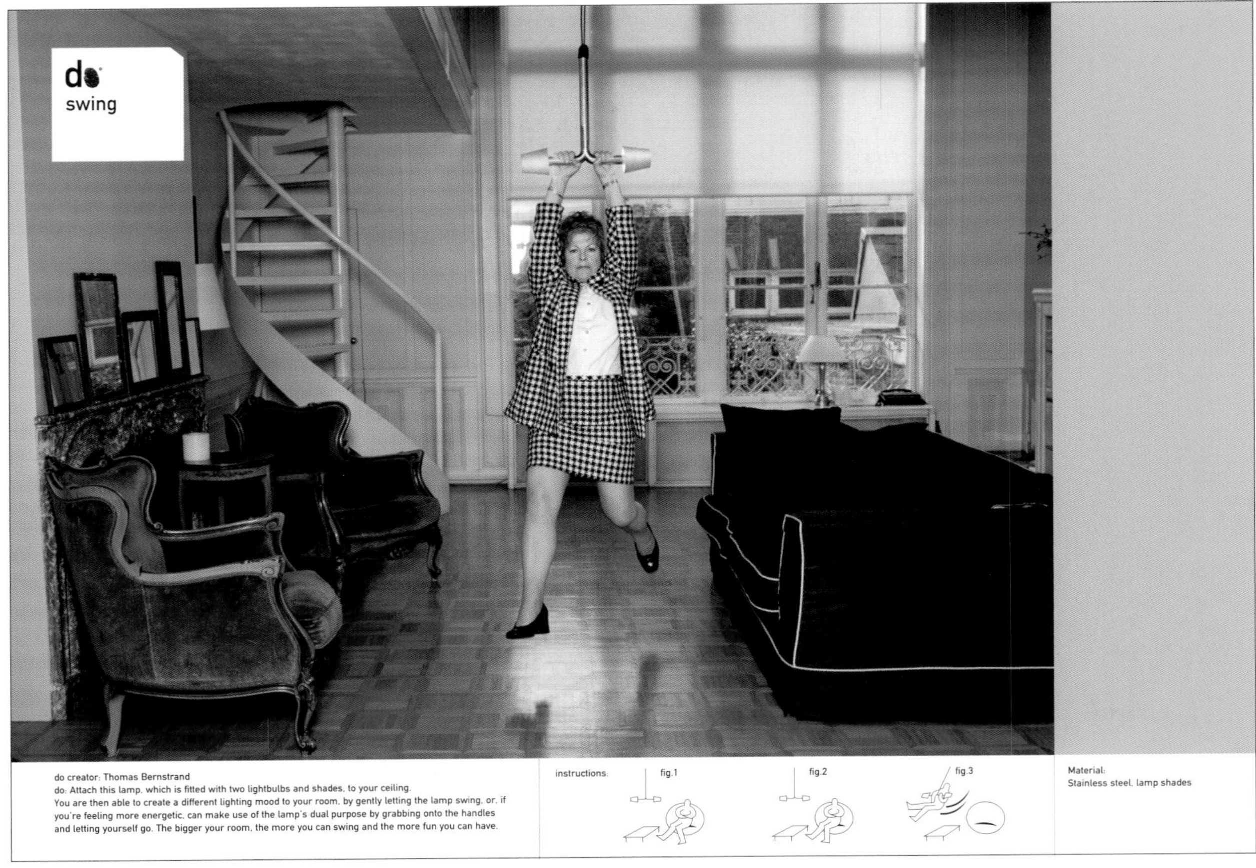
do
swing
do creator: Thomas Bernstrand
do: Attach this lamp, which is fitted with two lightbulbs and shades, to your ceiling.
You are then able to create a different lighting mood to your room, by gently letting the lamp swing, or, if you're feeling more energetic, can make use of the lamp's dual purpose by grabbing onto the handles and letting yourself go. The bigger your room, the more you can swing and the more fun you can have.
instructions:
fig.1
fig.2
fig.3
Material:
Stainless steel, lamp shades

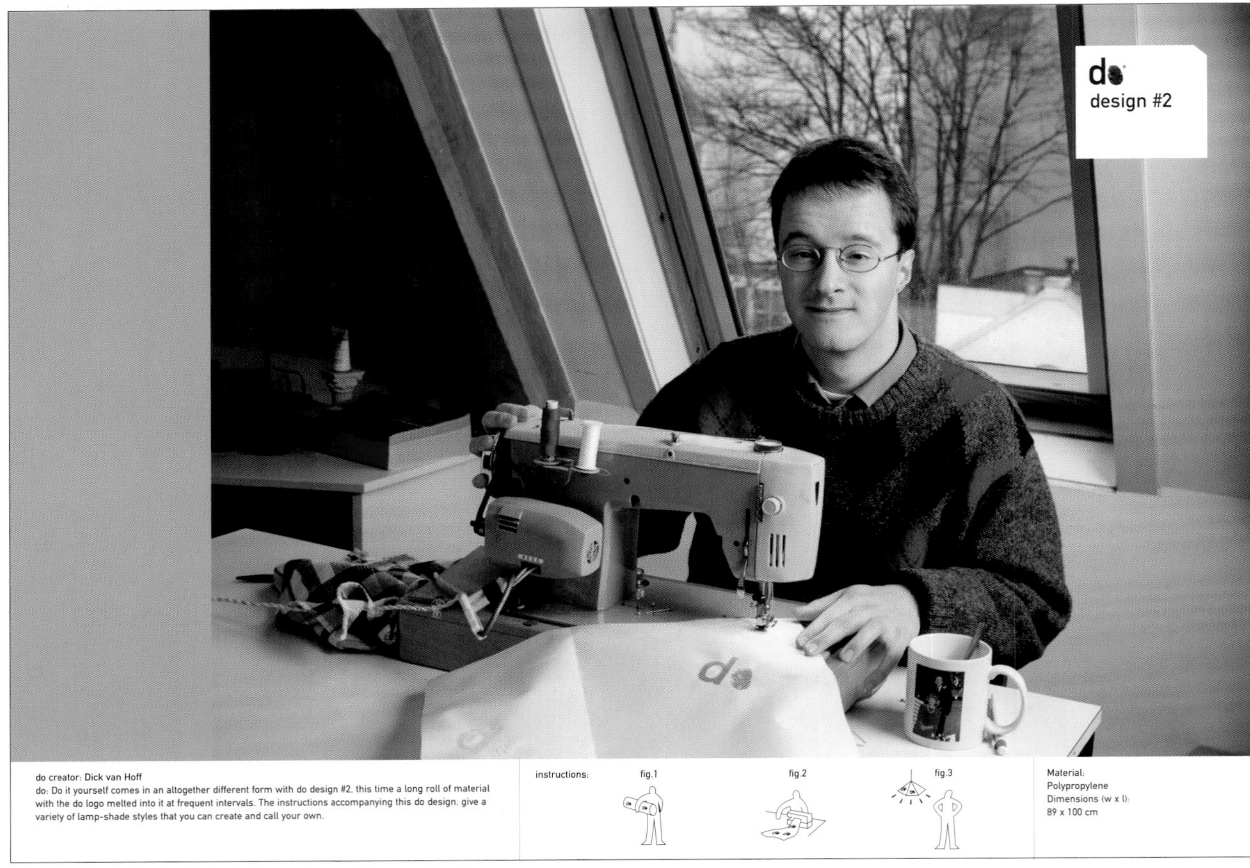
do
design #2
do creator: Dick van Hoff
do: Do it yourself comes in an altogether different form with do design #2, this time a long roll of material with the do logo melted into it at frequent intervals. The instructions accompanying this do design, give a variety of lamp-shade styles that you can create and call your own.
instructions:
fig.1
fig.2
fig.3
Material:
Polypropylene
Dimensions (w x l):
89 x 100 cm

do create, KesselsKramer
Opdrachtgever: do

'do create' is een brochure met een collectie producten die ontworpen zijn binnen de filosofie van het merk 'do'. Bij de producten is een 'interactie' tussen product en consument nodig. Pas als iemand zijn eigen interpretatie aan het product heeft gegeven, is het af. De brutale fotografie in de brochure daagt de gebruiker hiertoe op ondubbelzinnige wijze uit.

do create, KesselsKramer
Client: do

'do create' is a brochure promoting a collection of products designed within the philosophy of the 'do' brand. The products require an 'interaction' between product and consumer. The product is not finished until someone has given his own interpretation to it. The sassy photography in the brochure unambiguously challenges the user to do this.

ik Ben® 1 jaar

Ben® zoet geweest
Kreeg de Panasonic GD52 PrePaid cadeau. Deze maand fl 199,-.
Vraag naar de voorwaarden

Ben-campagne 2000, KesselsKramer
Opdrachtgever: Ben

KesselsKramer staat garant voor publicitaire fenomenen waarover gepraat wordt, zonder dat er een komisch bedoelde reclamesketch aan te pas komt. Zij slagen erin het publiek op andere manieren te raken, bijvoorbeeld door een telecommunicatiebedrijf voor te stellen als een persoon. De consequentie is dan wel dat het bedrijf zich ook als een persoon moet gedragen. Ben voelt zich de ene dag vrolijk, dan weer boos en de volgende dag weer verantwoordelijk. Jaarlijks maakt KesselsKramer honderden verschillende uitingen met een sterke en duidelijke identiteit voor Ben.

Ben campaign 2000, KesselsKramer
Client: Ben

KesselsKramer guarantee publicity phenomena that get talked about, without the need for advertising sketches intended to be funny. They succeed in affecting the public in different ways, by presenting a telecommunications company as a person, for example. Consequently, the company then has to start behaving like a person. Ben feels happy one day, then angry and the next day he's feeling responsible again. Every year KesselsKramer makes hundreds of different utterances for Ben, each with a strong and clear identity.

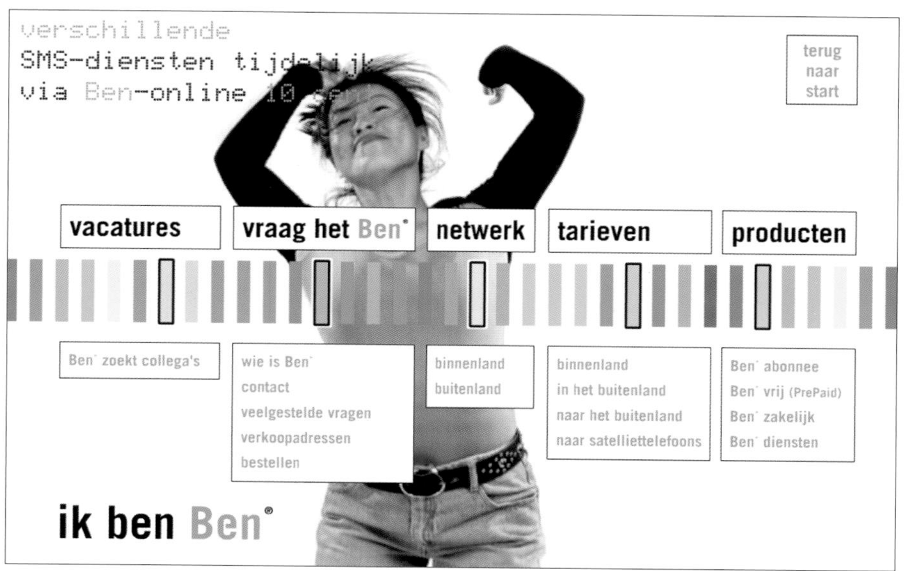

Media

De grootste verleiders van de twintigste eeuw konden hun status alleen maar vestigen met behulp van de media. Iedere transformatie die Madonna in het afgelopen decennium doormaakte, was zinloos geweest zonder het permanent aanwezige oog van de camera. Medialisering is de dominante factor van een samenleving die alles, en het liefst alles tegelijkertijd, wil weten. Als de Amerikaanse overheid de Lewinsky-verhoren integraal op internet publiceert, bezwijken de servers binnen enkele minuten onder de massale toeloop.
Steeds vaker becommentariëren ontwerpers de werking van de media. Een eigen tijdschrift biedt een forum voor subversie, precies zoals een website kan worden ingezet om bedrieglijk echt de schijnwereld van de elektronische handel te persifleren. Speldenprikken in een onneembaar bastion, maar misschien juist daarom interessant. Zoals de journalistiek zich ooit profileerde als de luis in de pels (maar inmiddels meer de functie krijgt van 'partner in crime'), proberen zulke onafhankelijke tijdschriftenmakers en webbouwers de codes te onthullen waarvan de media zich bedienen. Met camp, glitz en het chirurgisch mes scheppen zij een nieuwe wereld van beelden en redactionele formules. Een tegenbod dat zo weinig bedreigend is voor de gevestigde media, dat het zich bijna ongemerkt kan reproduceren.

Media

The twentieth century's great seducers were only able to establish their status with the help of the media. Every transformation that Madonna underwent in the last decade would have been pointless without the ubiquitous eye of the camera. The media are the dominant factor in a society that wants to know everything, and preferably all at the same time. When the American government published the entire Lewinsky hearings on the internet, within minutes, servers collapsed under the stampede. More and more frequently, designers are commenting on the function of the media. Setting up your own magazine provides a forum for subversion, in just the same way that a website can be put into effect as a deceptively realistic parody of the imaginary world of electronic commerce. Pinpricks in an unassailable bastion, no doubt, but perhaps interesting precisely because of that. The way journalism once prided itself as 'the flea in the hair of the bear' (but meanwhile functions more as a partner in crime), these independent magazine makers and website builders try to expose the secret codes employed by the media. With glitsiness, 'camp' and a surgeon's scalpel, they carve out a new world of images and editorial formulas. It is a counter-offer that seems to pose so little threat to the established media that it can practically procreate without their even taking notice.

www.ben.nl, Dietwee communicatie en vormgeving
Opdrachtgever: Ben

Website voor telecommunicatiebedrijf Ben, waarin goed gebruik wordt gemaakt van de mogelijkheden van Flash om informatie op Internet te verlevendigen met bewegend beeld en geluid. Tegelijkertijd wordt ook aangesloten bij de specifieke sfeer van het drukwerk voor Ben.

www.ben.nl, Dietwee communicatie en vormgeving
Client: Ben

This website for Ben telecommunications firm makes good use of the Flash program potential for livening up Internet information with moving images and sound. At the same time, the site is consistent with the particular character and atmosphere of Ben's printed material.

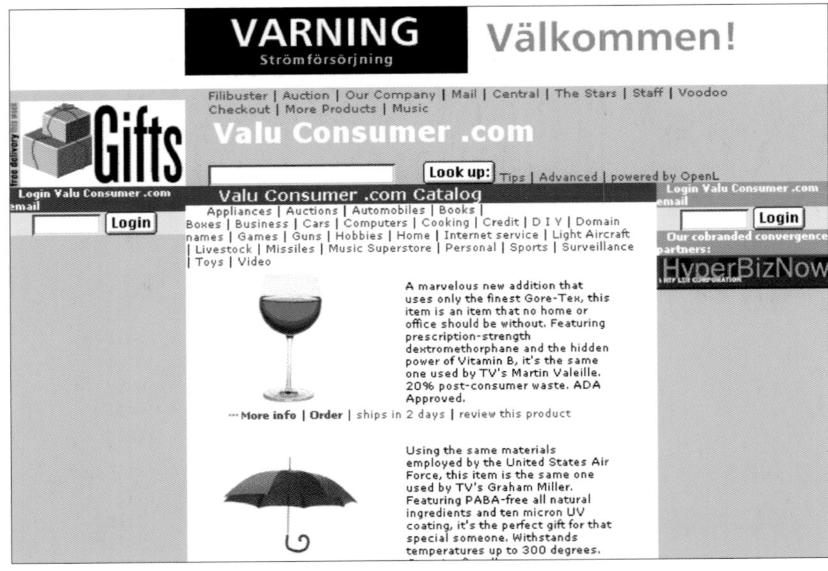

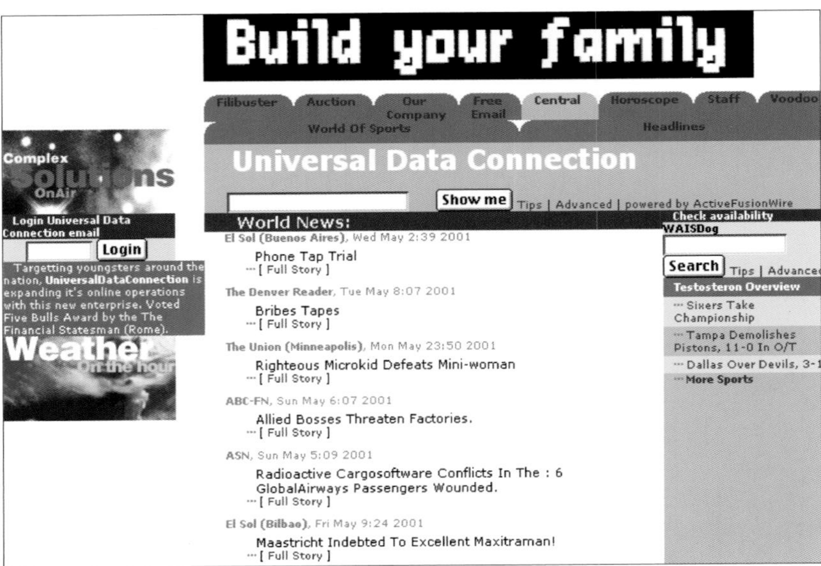

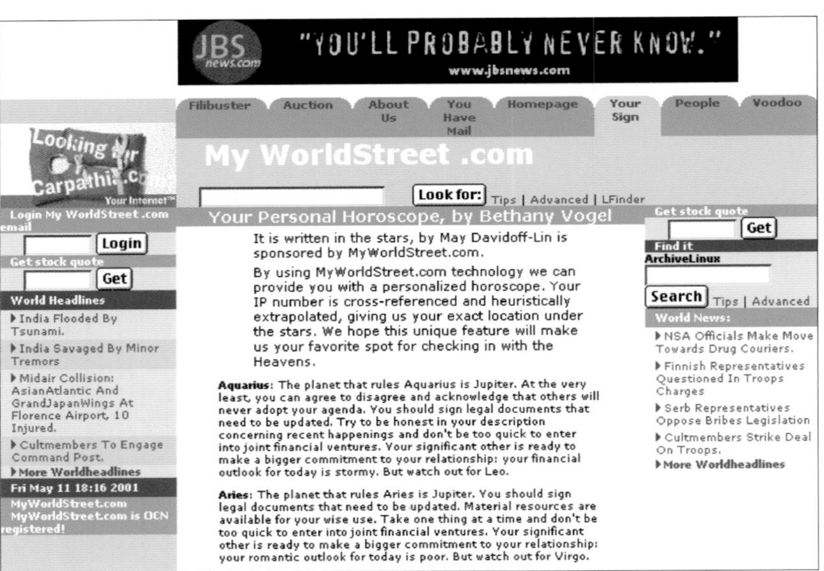

www.filibuster.org, LettError (J. van Rossum, E. van Blokland)
Eigen initiatief, i.s.m. Jonathan Hoefler

Filibuster is een geautomatiseerde persiflage op de gebakken lucht van e-commerce, portals en IT in het algemeen. De pagina's zijn dynamisch en worden door ze te verversen helemaal opnieuw opgemaakt: menu's, teksten, koppen, nieuwsberichten, sportuitslagen, bedrijfsnamen, productbeschrijvingen, advertenties, weerberichten, horoscopen, corporate news en zoekmachines. De linguïstische engine, alsmede de serverapplicatie, het database-management en de html-presentatie zijn door LettError ontwikkeld. De banner ads zijn gemaakt door bevriende ontwerpers. Alles oogt bedrieglijk echt – hetgeen te denken geeft.

www.filibuster.org, LettError (J. van Rossum, E. van Blokland)
Designer initiative, in cooperation with Jonathan Hoefler

Filibuster is an automated parody of the hot air surrounding e-commerce, portals and IT in general. The pages are dynamic and are laid out differently each time they are refreshed: menus, texts, headings, news reports, sporting results, company names, product descriptions, advertisements, weather reports, horoscopes, corporate news and search engines. The linguistic engine, as well as the server application, the database management and the HTML presentation were developed by LettError. The banner ads were made by friends in the design world. Everything looks deceptively real – which makes one think.

Illustration: Dick Bruna
Client: Centraal Museum Utrecht

p. 81 **Title: Coming Soon: You**
Design: Maureen Mooren,
Daniël van der Velden
Client: Willem de Kooning Academie

p. 82 **Title: House Numbers**
Design: Atelier René Knip
Client: Merkx + Girod Architecten

p. 83 **Title: Typeface Gulliver, in USA Today**
Design typeface: Gerard Unger
Design USA Today: Richard Curtis
Client: USA Today

p. 84 **Title: First Things First?**
Design: Mevis & Van Deursen
Client: AIGA

p. 85 **Title: India**
Design: goodwill
Client: TrustTheater

p. 86-87 **Title: De wereld draait maar ik loop recht**
Design: Wijntje van Rooijen
Air photography: Dirk Oomen

p. 88-89 **Title: Can you Describe a Photograph**
Design: B.a.d Enterprises
Client: Nederlands Foto Instituut / Foto Biënnale Rotterdam

p. 90 **Title: Contribution to 'Flower Art'**
Design: Floor Houben
Photograph: Derk Jan Wooldrik
Client: Landschapsarchitectenbureau Veenenbos & Bosch

p. 91 **Title: You Can Be a Museum Or You Can Be Modern, But You Can't Be Both**
Design: Hieke Compier
Client: Jan van Eyck Akademie

p. 92 **Title: Everyone is a Designer**
Subtitle: Manifest for the Design Economy
Design: nl.design / Mieke Gerritzen
Clients: nl.design, Uitgeverij BIS

p. 93 **Title: De Laatsten**
Design: goodwill
Client: TrustTheater

p. 94 **Title: Cold Fusion**
Design: Paul du Bois-Reymond and Mark Klaverstijn (Machine),
Leonard van Munster (Don Leo) – formerly DEPT
Clients: Stedelijk Museum Amsterdam, NAi Uitgevers

p. 95 **Title: Dutch Design 2000-2001**
Design: Atelier René Knip
Client: Uitgeverij BIS

p. 96 **Title: Dick Bruna in het Centraal Museum**
Design: Aap ontwerpers, Sandra Oom, Thonik, -SYB- and others
Client: Centraal Museum Utrecht

p. 97 **Title: NEE / JA**
Design: -SYB- grafisch ontwerp / Sybren Kuiper
Client: Gunster | Trainingen, Regie & Presentatie

p. 97 **Title: Metropolis M**
Design: goodwill
Client: Metropolis M

p. 98 **Title: Opmaat front page**
Design: Jan Rothuizen
Texts: W.F. Hermans
Client: de Volkskrant

p. 99 **Title: Guide to Nature**
Concept: Cor Dera in cooperation with Nikki Gonnissen and Thomas Widdershoven
Design: Thonik
Client: Cor Dera

p. 100 **Title: Affiche zonder titel**
Design: Studio Anthon Beeke / Anthon Beeke
Client: Toneelgroep Amsterdam

p. 101-102 **Title: ROOM**
Design: Maureen Mooren,
Daniël van der Velden
Client: ROOM

p. 103 **Title: KesselsKramer 96-01**
Concept: Thonik / Nikki Gonnissen, Thomas Widdershoven
Design: Thonik / Stephan Achterberg, Alex Clay, Rieme Gleijm, Nikki Gonnissen, Yoichi Imai, Alex Nijburg, Thomas Widdershoven, Marieke Zwartenkot
Client: KesselsKramer

p. 104 **Title: Totalloss campaign**
Design: KesselsKramer
Clients: Warner, Lemming Films

p. 105 **Title: www.webcandy.nl/totalloss/**
Design: artmiks [vormgevers] / Marco de Boer
Art direction: Marco de Boer
Music: Walter Teygeler
Client: KesselsKramer

p. 106 **Title: Gemeentelijke Dienst Afvalverwerking Amsterdam Jaarverslag 1999**
Concept: Thonik and Marje Alleman
Design: Thonik / Nikki Gonnissen, Thomas Widdershoven
Client: Gemeentelijke Dienst Afvalverwerking Amsterdam

p. 107-108 **Title: do create**
Design: KesselsKramer
Client: do

p. 109-110 **Title: Ben campaign 2000**
Design: KesselsKramer
Client: Ben

p. 111 **Title: www.ben.nl**
Design: Dietwee communicatie en vormgeving
Basic design: Marco Deijmann, Lütsen Stellingwerff, Michiel de Vreede
Elements: Dirkjan Brummelman, Sandra Giannone, Matthea Bussemaker, Ernie Petrus
Art direction: Tirso Francès
Client: Ben Nederland bv

p. 112 **Title: www.filibuster.org**
Design: LettError / Erik van Blokland, Just van Rossum, in cooperation with Jonathan Hoefler
Illustration: Peter Bilák, Henk Lamers, Jan Middendorp, Martijn Rijven

p. 113 **Title: Leader Van de Schoonheid en de Troost**
Design: Max Kisman, Mill Valley
Technical Realisation: Rino Janssen / NOB
Client: VPRO

p. 114-115 **Title: RE-Magazine**
Design: Jop van Bennekom
Editors: Lernert Engelberts, Arnoud Holleman, Julia van Mourik, Daniël van der Velden and others
Cover photography: Anuschka Blommers, Niels Schumm
Photo spreads: Daniël van der Velden ('I have Nothing to Say'), Maurice Scheltens ('FreeStylin'), Misha de Ridder ('No. 2 Neighbors'), Elspeth Diederix ('No. 3 Surroundings')

p. 116 **Title: Ons Genoegen**
Design: Ruud van Empel
Client: VARA Televisie / Michiel van Erp

p. 117 **Title: Net 3 leaders**
Design: nl.design / Mieke Gerritzen
Technical production: Studio Vermaas
Client: NOS

p. 118 **Title: Jiskefet calendar**
Design: Ronald Timmermans, in cooperation with Ruben Langedijk (dtp) and Herman Koch,
Kees Prins and Michiel Romeyn (Jiskefet)
Photography: Iris Römer
Client: Komodo's Nederland bv

p. 119 **Title: De droom van de beer**
Subtitle: En de neergang van het Sovjet circus
Design: Ruud van Empel
Client: VPRO / Cherry Duyns

p. 120 **Title: Postage Stamps**
Design: KesselsKramer
Client: PTT Post

p. 121 **Title: www.nachtwinkel.nl**
Design: Dietwee communicatie en vormgeving /
Dirkjan Brummelman, Robin Uleman
Art direction: Ron Faas, Tirso Francès
Client: Winkel van Sinkel

p. 122 **Title: Pretty Babies**
Design: GM
Client: Pretty Babies

p. 123 **Title: www.puree.nl**
Design: artmiks [vormgevers]
Art direction: Marco de Boer

p. 124 **Title: Factor H**
Design: Dietwee communicatie en vormgeving / Martine Eelman
Art direction: Ron Faas,
Tirso Francès
Illustration: Martine Eelman
Client: Factor H

p. 125 **Title: Henk Elenga / Index**
Design: Knockout / Henk Elenga,
Yvo Zijlstra
Client: Uitgeverij 010

p. 126 **Title: www.shapesquad.com**
Subtitle: Revolution is Here!
Design: Shape Squad / Pelle Bosma, Mark Janssen

p. 127 **Title: www.dept.nl**
Design: Paul du Bois-Reymond and Mark Klaverstijn (Machine),
Leonard van Munster (Don Leo) – formerly DEPT

p. 128 **Title: Metropolis M magazine**
Design: Thomas Buxó, in collaboration with Miklós Beyer
Client: Metropolis M

p. 129 **Title: Telephone Cards**
Design: Studio Boot / Petra Janssen, Edwin Vollebergh
Illustration: Studio Boot / Petra Janssen, Edwin Vollebergh
Client: KPN Telecom

p. 130 **Titles: Mondriaan Foundation International 1999, Experiencing Europe**
Design: Irma Boom
Clients: Mondriaan Foundation,
European Centre for Work and Society

p. 131 **Title: Colorbites Now!**
Design: Greet / Greet Egbers
Clients: Beroepsorganisatie Nederlandse Ontwerpers BNO, Permei

p. 132 **Title: www.postpanic.nl**
Design: Post Panic / Jules Tervoort
Sound design: Marc Huisman

p. 133 **Title: Kardinale deugden**
Design: Studio Dumbar
Illustration: Mónica Peón
Typography: Bob van Dijk
Photographs: Arctic Photodesign
Client: Theater Zeebelt

p. 134 **Title: Nationale Jeugdtheaterdag**
Design: Joost Swarte
Client: Stichting Nationale Jeugdtheaterdag

p. 135 **Title: Een huis vol stemmen**
Design: Greet / Greet Egbers
Clients: Orkater, Nederlands Theater Instituut

p. 136 **Titles: Jaarverslag 1999 Delta Lloyd Nuts Ohra, PS**
Photography: André Thijssen
Clients: UNA designers, Het Parool

p. 137 **Titles: Nieuwe versus oude economie, Leni 't Hart, Vijanden in 2000, Sexperimenten, Nederland suf, Ruud Gullit**

Design: Studio van Joost Overbeek bv
Clients: Nieuwe Revu, Johan

p. 138 **Title: Icoon**
Design: Esther Noyons
Photography: Rob 't Hart
Client: Rogie & Company

p. 139 **Title: Gijs Bakker / Object to Use**
Design: Thomas Buxó
Cover photography: Rien Bazen
Client: Uitgeverij 010

p. 140 **Title: Harry Boom**
Subtitle: Als alles kan kan niets
Design: Lex Reitsma
Client: Stichting Harry Boom

p. 141 **Title: Something to Think About**
Design: Dietwee communicatie en vormgeving / Robin Uleman
Art direction: Ron Faas, Tirso Francès
Photography: de Studio
Illustration: Robin Uleman, de Studio
Client: Insinger de Beaufort

p. 142 **Title: World Wide Video Festival 2000**
Design: Irma Boom
Client: Stichting World Wide Video Festival

p. 143 **Title: Decorum**
Subtitle: Tijdschrift voor kunst en cultuur
Design: Harmine Louwé
Clients: Decorum, Stichting Moderator

p. 144 **Title: www.solar.nl**
Design: Solar_Initiative

p. 145 **Title: Stallinga**
Design: Lava grafisch ontwerpers / Hans Wolbers
Photography: René Gerritsen, René van der Hulst, Hans van der Mars, Hans Petersen
Clients: Henk Stallinga, Uitgeverij BIS

p. 146 **Title: Het kunstmatig landschap**
Subtitle: Hedendaagse architectuur, stedenbouw en landschapsarchitectuur in Nederland
Design: Joseph Plateau
Client: NAi Uitgevers

p. 147 **Title: Lenny Schröder**
Design: Jaap van Triest
Clients: Lenny Schröder, lyr

p. 148 **Title: A for Ada**
Design: Melle Hammer

p. 149 **Title: Springdance. Ontmoeting/Cinema 2000**
Design: Herman van Bostelen
Client: Springdance

p. 150 **Title: Everything Magazine 3.2 and 3.3**
Design: Stuart Bailey, Ruth Blacksell
Client: Everything Magazine

p. 151 **Title: Architectuurcafé Arnhem**
Design: Ingo Offermanns (Werkplaats Typografie)
Client: Architectuurcafé Arnhem

p. 152 **Title: The Best Book Designs 1999**
Design: Christine Alberts, Stuart Bailey (Werkplaats Typografie)
Client: Stichting Best Verzorgde Boeken

p. 153 **Title: Inspraakeditie Cultuurbeleid Gelderland 2001-2004**
Subtitle: Verbindingen
Design: Vormgeversassociatie / Willem van der Wiel
Client: Provincie Gelderland

p. 154-155 **Title: InfoArcadia**
Design: Stuart Bailey (Werkplaats Typografie)
Clients: Stroom HBCK, Maarten de Reus, Ronald van Tienhoven

p. 155 **Title: Dot Dot Dot Magazine**
Design: Jurgen Albrecht, Stuart Bailey, Peter Bilák, Tom Unverzagt

p. 156 **Title: Mondriaan Stichting Jaarverslag 1999**
Design: Walter Nikkels
Client: Mondriaan Stichting

p. 157 **Title: MillenniuM 15 'RESET'**
Design: De Designpolitie / Richard van der Laken, Pepijn Zurburg
Clients: Uitgeverij De Bezige Bij, MillenniuM

p. 158 **Title: Lightyears**
Subtitle: Zumtobel 2000-1950
Design: Irma Boom
Clients: Birkhäuser Verlag, Zumtobel KG

p. 159 **Title: Vormberichten**
Design: Mark van den Driest, Dirk Laucke
Cover illustrations shown: Made in Holland (no. 9), Mieke Gerritzen (no. 10)
Client: Beroepsorganisatie Nederlandse Ontwerpers BNO

p. 160 **Title: For Real**
Subtitle: Gemeentelijke Kunstaankopen 2000
Design: Maureen Mooren, Daniël van der Velden
Photography cover: Elspeth Diederix, Solar
Clients: Stedelijk Museum Amsterdam, NAi Uitgevers

p. 161 **Title: Plan B**
Subtitle: Curatorial Training Programme
Design: Maureen Mooren, Daniël van der Velden, in cooperation with Hieke Compier
Client: De Appel

p. 162 **Title: Zaal de Unie**
Design: Ben Laloua
Client: Zaal de Unie

p. 163 **Title: Steeds slimmer**
Design: Erik Wong
Editing: Saskia 't Hart
Text: Ed van Hinte
Client: Nederlands Vormgevingsinstituut

p. 164 **Title: Manhattan Research Inc.**
Subtitle: Composed and performed by Raymond Scott
Design: Piet Schreuders
Client: Bastia Audio/Visuals

p. 165 **Title: Speed 2001**
Subtitle: [ZOO] agenda 2001
Design: Studio Laucke / Dirk Laucke
Photography: Morad Bouchakour
Client: [ZOO] Producties

p. 166 **Title: Anne Frank House**
Subtitle: A Museum with a Story
Design: Beukers Scholma / Haico Beukers, Marga Scholma
Photography: Anne Frank Stichting Archive, Allard Bovenberg and others
Illustration: Eric van Rootselaar
Client: Anne Frank Stichting

p. 167 **Title: Orbis Terrarum**
Subtitle: Werelden van verbeelding
Design: Mevis & Van Deursen
Client: Antwerpen Open

Colofon **Publication data**

Redactie Editorial Team
Gert Staal (voorzitter chairman)
Nikki Gonnissen
Erik Kessels
Jacques Koeweiden
Daniël van der Velden
Willem Velthoven

Tekstbijdragen Texts
Ineke Schwartz
Eindelijk op de plek waar het gebeurt
Where It's Happening At Last!
Gert Staal, Staal & De Rijk Editors
Thema omschrijvingen
Theme Texts
Sybrand Zijlstra
Inleiding Introduction
Bijschriften Captions
Jaaroverzicht The Year in Review

Vertaling Translation
Mari Shields
Michael Gibbs

Ontwerp Design
Thonik®

Lithografie en druk
Lithography and printing
Grafisch bedrijf Tuijtel, Hardinxveld-Giessendam

Binden Binding
Callenbach, Nijkerk

Productiecoördinatie
Production coordination
BIS, Rietje van Vreden

Met dank aan
With acknowledgements to
Fotostudio Beerling, Beroepsorganisatie Nederlandse Ontwerpers BNO, Richard Leuverink, Hetty Roqué, Klaas van der Veen, Gerda van Vreden, Erik Wink